バトル・ロワイアル（上）

高見広春

幻冬舎文庫

バトル・ロワイアル（上）

バトル・ロワイアル（上）　目次

前口上
（ある異なる世界で、一人のプロレスファンの話）…014

プロローグ
政府連絡文書 ……………………………………017

第1部
試合開始 ………………………………………021

第2部
中盤戦 …………………………………………169

僕の愛する人々すべてに捧げる。
あまりありがたくないかも、知れないけれども。

生徒はミカンじゃないんです

坂本金八（小山内美江子作「3年B組金八先生」より）

しかしそれまでは、俺たちは
走り続けなければならない。
そのように生まれついたようだ

ブルース・スプリングスティーン「明日なき暴走」

愛することってむずかしい

佐野元春「愛することってむずかしい」

そこで私が過ごした最後の数週間、
まちには歪んだ、
不吉な雰囲気が漂っていた。
疑い、恐れ、心もとなさ、
そして覆い隠された憎悪の気配だ。(中略)
しじゅう、カフェの隅、話し声をひそめながら、
隣のテーブルにいる誰だかは
警察のスパイではないかと疑って
時を過ごしているような感じだ。

その彼の行為が私の心をどれほど動かしたか、
うまく伝えられないかも知れない。
些細なことに聞こえるかも知れない。
しかし、そうではないのだ。
そのころの雰囲気を考え合わせる必要がある。
疑いと憎悪の、恐ろしい空気を。

ジョージ・オーウェル「カタロニア讃歌」

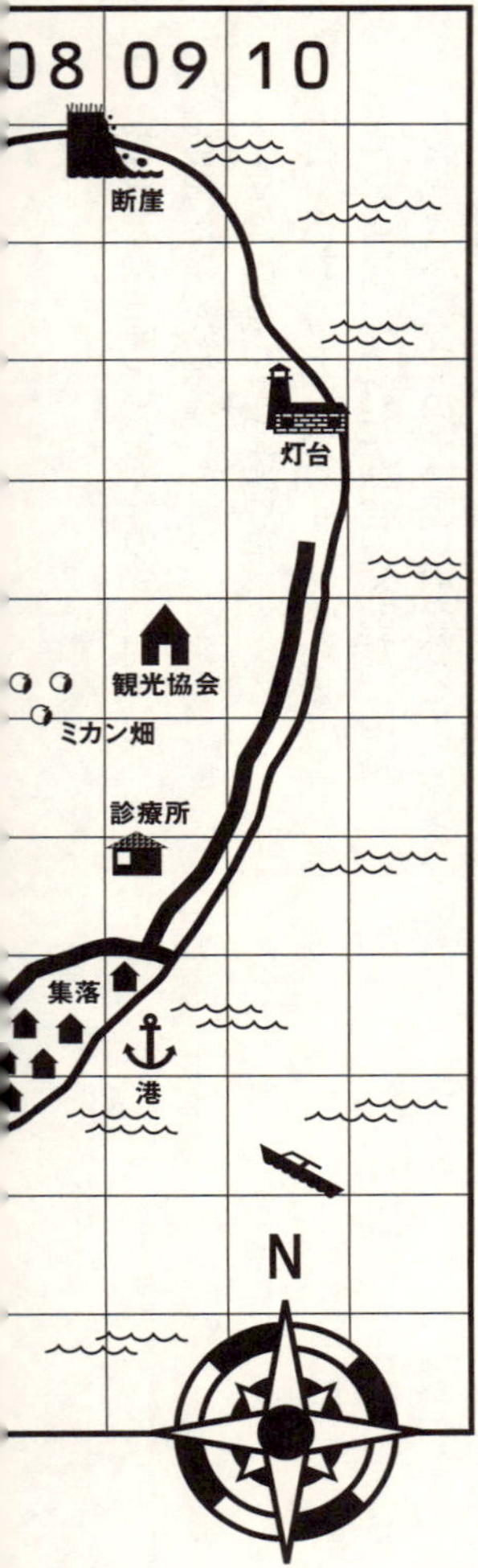

“禁止エリア”の進行
22日
0308AM~;G=07
0700AM~;J=02
0900AM~;F=01
1100AM~;H=08
0100PM~;J=05
0300PM~;H=03
0500PM~;D=08
0700PM~;G=01
0900PM~;I=03
1100PM~;G=09
23日
0100AM~;F=07
0300AM~;G=03
0500AM~;E=04
0700AM~;C=08
0900AM~;D=02
1100AM~;C=03
0100PM~;D=07
0300PM~;H=04
0500PM~;F=09
0700PM~;B=09
0900PM~;E=10
1100PM~;F=04

map design by yasushi nakayama + yuka kimura

香川県沖木島

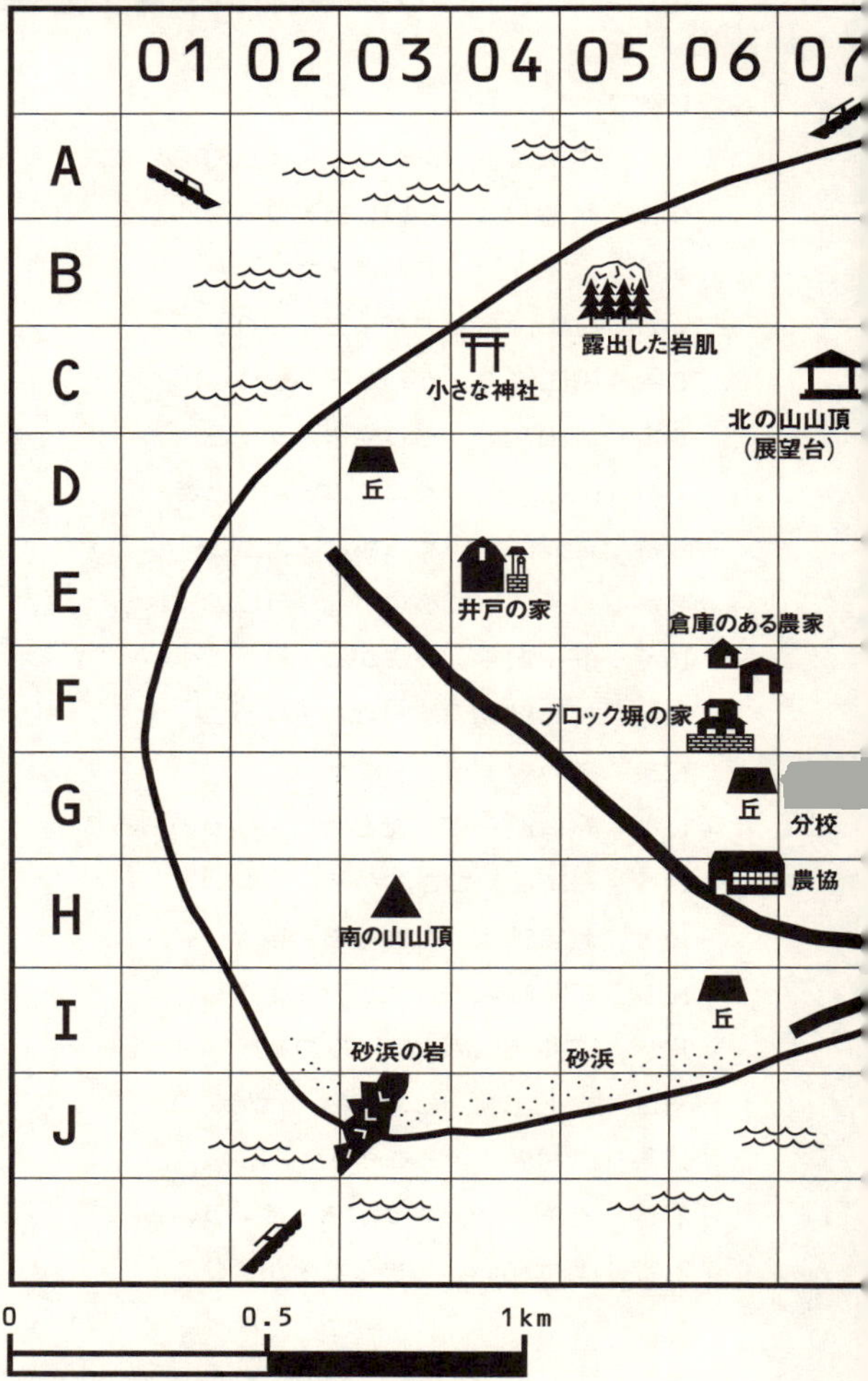

01 02 03 04 05 06 07
A
B
C
D
E
F
G
H
I
J
露出した岩肌
小さな神社
北の山山頂
（展望台）
丘
井戸の家
倉庫のある農家
ブロック塀の家
丘
分校
農協
南の山山頂
丘
砂浜の岩
砂浜
0
0.5
1km

香川県城岩町立城岩中学校三年B組クラス名簿

【男子】

1番　赤松義生（あかまつ・よしお）

2番　飯島敬太（いいじま・けいた）

3番　大木立道（おおき・たつみち）

4番　織田敏憲（おだ・としのり）

5番　川田章吾（かわだ・しょうご）

6番　桐山和雄（きりやま・かずお）

7番　国信慶時（くにのぶ・よしとき）

8番　倉元洋二（くらもと・ようじ）

9番　黒長博（くろなが・ひろし）

10番　笹川竜平（ささがわ・りゅうへい）

11番　杉村弘樹（すぎむら・ひろき）

12番　瀬戸豊（せと・ゆたか）

13番　滝口優一郎（たきぐち・ゆういちろう）

14番　月岡彰（つきおか・しょう）

15番　七原秋也（ななはら・しゅうや）

16番　新井田和志（にいだ・かずし）

17番　沼井充（ぬまい・みつる）

18番　旗上忠勝（はたがみ・ただかつ）

19番　三村信史（みむら・しんじ）

20番　元渕恭一（もとぶち・きょういち）

21番　山本和彦（やまもと・かずひこ）

【女子】

1番　稲田瑞穂（いなだ・みずほ）

2番　内海幸枝（うつみ・ゆきえ）

3番　江藤恵（えとう・めぐみ）

4番　小川さくら（おがわ・さくら）

5番　金井泉（かない・いずみ）

6番　北野雪子（きたの・ゆきこ）

7番　日下友美子（くさか・ゆみこ）

8番　琴弾加代子（ことひき・かよこ）

9番　榊祐子（さかき・ゆうこ）

10番　清水比呂乃（しみず・ひろの）

11番　相馬光子（そうま・みつこ）

12番　谷沢はるか（たにざわ・はるか）

13番　千草貴子（ちぐさ・たかこ）

14番　天堂真弓（てんどう・まゆみ）

15番　中川典子（なかがわ・のりこ）

16番　中川有香（なかがわ・ゆか）

17番　野田聡美（のだ・さとみ）

18番　藤吉文世（ふじよし・ふみよ）

19番　松井知里（まつい・ちさと）

20番　南佳織（みなみ・かおり）

21番　矢作好美（やはぎ・よしみ）

前口上（ある異なる世界で、一人のプロレスファンの話）

えっ、バトルロイヤル？　バトルロイヤルが何かっての？　何だ、あんたそんなことも知らないの？　それでよくプロレスなんか見にくるね？　え？　ワザの名前？　チャンピオンシップの名前？　違うよ、バトルロイヤルってのは、プロレスの一つの試合形式なんだ。え、今日？　今日、ここでかい？　いや、そんなのはプログラムにないよ。ああいうのは大会場で、何かのお祭りのときにやるもんだからさ。あ、ほら、見なよ、井上貴子さんだぜ、きれーだよなー。あ、ああ、悪い悪い。そう、バトルロイヤル。今でも、全日本プロレスなんかじゃやってるよ。つまり、バトルロイヤルってのはさ、うーん、普通はさ、プロレスってのはさ、一対一とかさ、あるいはチーム組んで二対二とかさ、そういう形で試合するだろう。けど、バトルロイヤルってのは、十人とか二十人とか、とにかく大勢が一緒にリングに上がるんだ。それで、誰が誰に突っ掛かってってもいい、一対一でも、一対十でも、それはおかまいなしだ。とにかく、何人がかりでもいい、フォールされたやつは——え、フォールも知らないの？　マットに肩が着いて、ワン、ツウ、スリー、三つカウント叩かれたら負けなんだ。これは普通の試合でも同じだよ。まあ、ほかにギブアップとか、たまにノックアウトとかもあるけどね。ああ、それからリングアウトっていうのもある。反則負けもあるしね。まあ、バトルロイヤルの場合はフォールで決まるよ、ふつう。あ、貴子さん、行け！　やっちゃえ！　あ、ああ、ごめんごめん。とにかく、フォールされたやつは負けで、リングから降りなきゃならない。その調子で試合を続けて、選手が減っていくわけよ。最後にはもちろん、二人になるね。一対一、そこは真剣勝負さ。そしてそのうちの一人がやっぱりフォールされる。そしたら、最後に一人だけがリングに残っている。そいつの勝ちさ。優勝だ。でっかいカップが渡されて、優勝賞金が出たりもする。わかったかい。えっ、いつも仲良しのやつはどうかって？　いや、そりゃ、最初は協力するよ。だけど、最後はそいつともやり合わなきゃならない。それがルールなんだから。おかげで、バトルロイヤルの最後になるとめったに見られないカードがおがめることもあったね。例えば、その昔、ダイナマイト・キッドとデイビイ・ボウイ・スミスのタッグパートナーどうしとか。アニマル・ウォーリアー、ホーク・ウォーリアーのタッグパートナーどうしが残ったこともあった。まあ、この時はどっちだったか、わざとリングアウトになってもう一方を勝たせて、兄弟愛を見せつけた、俺はちょっと不満だったけどね。ああそれにね、そういうのも仲良しってわけじゃないやつと協力してももちろんいいんだ。しかし、こいつと組んであいつをやっつけよう、と思ったところで、あっさりそのこいつ、の方に裏切られてやられるなんてこともあるね。そうさね、今見たいバトルロイヤルかい？　今はいろんな団体が乱立してるから、各団体トップクラスのバトルロイヤルなんてのはぜひ見たいやね。武藤敬司、橋本真也、三沢光晴、川田利明、高田伸彦、船木誠勝、前田日明、グレート・サスケ、ハヤブサ、高野拳磁、それに天龍源一郎と長州力、藤波辰爾と木村健悟もまだやれるな。安生洋二とスペル・デルフィンも加えた方が楽しいな。案外その二人が残るかも知れないよ。女子なら貴子さんだろ。アジャ・コングに豊田真奈美に井上京子、堀田祐美子、北斗晶、ブル中野、もちろんダイナマイト関西にキューティー鈴木と福岡晶、尾崎魔弓、神取忍と長与千種とそれから――えっ、何だって、みんな知らないって？　あんた、ほんとにプロレス見にきたの？　あっ、だめだだめだだめだ貴子さん返せ！　貴子さん！　よーし。

プロローグ

政府連絡文書

政府内部連絡文書一九九七年度第〇〇三八七四六一号（部外秘取扱注意特一級）

総統府官房特殊企画部防衛担当官並専守防衛陸軍幕僚監部戦闘実験担当官発

共和国戦闘実験第六十八番プログラム一九九七年度第十二号担当官宛

五月二十日一八一五時、同日定期点検中デアッタトコロノ共和国政府中央演算処理センターニテ演算機器ニ外部侵入ノ形跡ヲ確認。侵入ハ三月十二日未明デアッタモヨウデ、現在ソノ後ノ再侵入ノ形跡等、鋭意調査作業中。

被疑者ノ身元、目的及ビ流出情報ノ大要ニツイテモ現在確認中デアルガ、被疑者ノ侵入方法ハ極メテ高度ノ技術ニヨルモノデアリ、被害全容ノ解明ニハ相当ノ時間ヲ要スル見通シ。

総統府官房特殊企画部防衛担当係並ビニ専守防衛陸軍幕僚監部戦闘実験担当部デハ、別ケテモ「第六十八番プログラム」関連情報ニ被害ガ及ンデイル可能性モコレヲ排除デキナイトノ報告ヲウケ、同プログラム一九九七年度第十二号ノ延期ニツキ急遽検討ヲ行ッタ。

シカシナガラ、協議ノ結果、第十二号ハスデニソノ準備ヲ終エテイルコト、マタ、関連情報ノ一般人民間ヘノ流出ノ形跡ガ現在マデ見ラレナイコトナドヨリ、予定通リ実行スベキト結論。一方、第十三号以降ノ実施時期、殊ニ〝ガダルカナル〟ノ設計変更ニツイテハ急ギコレヲ研究スル方針デアル。

但シ貴殿第十二号担当官ニアッテハ、実験ノ実行監督ニ当タリ、細心ノ注意ヲ払ワレタシ。

ナオ、同センター侵入事件ニツイテハコレヲ特一級極秘扱トシテ対処シテオリ、ソノ旨留意スルコト。

(以上)

第1部　試合開始

0

バスが県庁所在地の高松市に入り、車の外の風景が、田園地帯から徐々に市街らしく変わり始めた。色とりどりのネオン、流れていく対向車のヘッドライト、消え残っているオフィスビルの明かり。タクシー待ちをしているのか、沿道の飲食店の前で話している、会社の仲間らしいぱりっとした服装の男女たち。清潔そうなコンビニの駐車場、座り込んでたばこをふかす、疲れた感じの若者たち。横断歩道で信号待ちをしている、これは肉体労働者然とした自転車のおじさん。五月にしてはまだ肌寒い夜で、そのおじさんが、くたびれたジャンパーをひっかけているのが目に付いた。しかしもちろん、そのおじさんも、ほかの雑多な印象と同様、バスの低いエンジンの唸りのうちに、すぐに車窓の後ろへ流れていった。バスの運転手席の上のデジタル表示が、ふっと八時五十七分に、変わった。

七原秋也（香川県城岩町立城岩中学校三年B組男子十五番）は左側の席、窓際に座って荷物をごそごそいじっている国信慶時（男子七番）の横顔ごしにその夜の風景をしばらく眺めた後、座席間の通路に出した右足、ケッズのスニーカーのつま先を少し伸ばした。昔はそうでもなかったらしいが、今はだいぶ探さないと入手できない靴で、秋也のそれも右かかとの内側のキャンバスが裂け、ほつれた糸が猫のひげみたいに飛び出している。メーカーはアメリカ、製造はコロンビア。一九九七年現在、この大東亜共和国はけして物資不足というわけではなかった。むしろモノはあふれていたと言っていいが、とにかく、輸入ものというのが極端に入手しにくかった。まあ、準鎖国政策を取っているんだから無理はないが。そしておまけにアメリカは（政府の連中はそれを米帝と呼ぶし、教科書にもそう書いてある）――敵性国家ときている。

バスの比較的後ろ寄りのその席から、車内をひとわたり見回すと、天井の、くすんだパネルから落ちるにぶい蛍光灯の明かりの下、二年からクラス替えなく進級した四十一人のクラスメイトたちは、まだまだ元気におしゃべりを繰り返していた。中学のある城岩町を出発してまだ一時間弱だ、当然だろう。初日が車中一泊という修学旅行もなんだか安上がりというか強行軍というかひどい気もするが、やがて車が瀬戸大橋を渡り目的地の九州へ向けて山陽自動車道を踏むころになれば、少し静かになるはずだ。

前の方でにぎやかなのは、担任の林田（はやしだ）先生を囲んだ女の子たちだった。おさげの髪がよく似合う委員長の内海幸枝（女子二番）に、その幸枝と同じバレー部で、女の子にしてはかなりの長身の谷沢はるか（女子十二番）。町議の娘らしくお嬢さんっぽい金井泉（女子五番）、優等生で、ボストンタイプの眼鏡がちょっとクールな感じの顔に似合う野田聡美（女子十七番）、いつも大人しくて目立たない松井知里（女子十九番）——他。まあ、女子の主流派、あるいは中間派グループと言っていい。女の子はよくグループをつくるというけれど、城岩中学三年B組にはまあ、あまり目立った女子グループがなかったから、そう呼ぶのもおかしいかも知れない。あるとしたらむしろ——少し崩れた感じの、ありていに言うと不良娘系の、相馬光子（女子十一番）のグループだろう。光子に——それと、清水比呂乃（女子十番）、矢作好美（女子二十一番）の三人だが、秋也の位置からはどこに座っているのか見えない。

一番前、運転席の後ろに、少し高くなった座席があって、そこだけ低い背もたれの上から、二つの頭が並んで見えていた。山本和彦（男子二十一番）と小川さくら（女子四番）だった。クラスで一番仲のいいカップルで、何かおかしいことがあるのか、その二人の頭が、時々小さく揺れた。でもまあ、あのつつましい二人のこと、ささいな話が二人でいるととてもおかしいのかも知れない。

少し手前に目を転じると、巨大な学生服が通路にはみ出しているのが見える。赤松義生（男子一番）だ。体はクラス一大きいのだが、気が小さくて、何かというといじめ半分にからかわれたりするタイプだった。今は、大きな体を小さく前に屈めて、流行りの、ミニチュア・コンピュータゲームを抱え込んでいた。

通路を挟んで大木立道（男子三番、ハンドボール部）、新井田和志（男子十六番、サッカー部）、旗上忠勝（男子十八番、野球部）らの体育会系男子がまとまって座っているようだ。秋也自身も小学校ではリトルリーグに入っていたし（天才ショートストップと言われていた）、忠勝とも仲が良かったのだが、今はなんとなく付き合わなくなってしまった。秋也があるちょっとした理由から野球をやめたのももちろんだが、代わりにエレクトリックギターなどという反政府印の趣味に凝り始めたせいもあるのかも知れない。なんだか忠勝のお母さんはそういうのにうるさいタイプだったような記憶がある。

そう、ロック音楽は禁止されている、この国では（もちろん、抜け道というのは、あったけれども。秋也のエレクトリック・ギターには、きちんと〝この楽器は退廃音楽に使用してはいけません〟という政府の認証ステッカーが貼ってある。退廃音楽というのは、ロックのことだ）。

そう言えば親しく付き合う連中もだいぶ変わったな——。秋也は思った。

低い笑い声がして、赤松義生の後ろの席に、短い髪と、美しい細工のピアスリングを着けた左の耳たぶがのぞいた。そう、あれがその一人だ。三村信史（男子十九番）。二年になってから同じクラスになったのだけれど、秋也もそれ以前から、バスケ部に〝第三の男〟と呼ばれる天才ガードがいることは聞いていた。もちろん、かつてのリトルリーグの天才ショートストップ、秋也と並ぶ抜群の運動能力を誇っていて（でも信史はこう言うに違いない、「俺が上だよ、ベイビ」）、クラス替え早々のクラスマッチで秋也と絶妙のコンビネーションを見せた、それで意気投合したという部分もあったのだけれど、信史にはそれ以上のものがあった。数学と英語以外の成績はお世辞にもいいとは言えなかったが、知識の幅が恐ろしく広く、ものの見方が中学生離れしていた。この国では普通入手できない海外の情報に至るまで、訊けばおおよそ何でもすぐに答えてくれたし、何かで行き詰まったときには、適切なアドバイスをくれた。しかも、それで驕るようなところは全くなかった。いや、その独特のおどけた調子で、たとえば「俺がかしこいのは周知の事実だぜ。知らなかったのか？」と言ったりはするけれども、けして嫌味なところはなかった。要するに——すごくいいやつだったのだ、三村信史は。

その信史はどうやら、これは信史の小学校時代からの友人の瀬戸豊（男子十二番）と並んで座っているようだった。豊はクラス一のお調子者だから、信史が笑っているのは豊がまた何か冗談でも言ったのだろう。

それに——その後ろの席にいる、杉村弘樹（男子十一番）。細身の長身を狭い座席に何とか畳んで、文庫本を読んでいる。無口なうえに拳法の道場に通っていて、強面のイメージがあるし、あまり人づきあいをしない男だったが、話してみると、シャイでいい男で、秋也とは妙に気が合った。読んでいるのは、ごひいきの中国の詩集だろうか（中国の文献は翻訳物でも比較的入手しやすい、まあ当然だ、共和国は中国を〝わが国固有の領土〟と主張している）。

前にペーパーバックで読んだアメリカの小説（古本屋の隅で見つけて辞書を引き引き読んだ）の中に、〝友達はでき、また、離れていく〟という一節があった。そういうものなのかも知れない。忠勝と付き合わなくなったように、信史や弘樹とも、また離れるときがくるのだろうか。

——そんなこともないか。

秋也は隣でまだ荷物をごそごそやっている国信慶時をちらっと見た。秋也はとにかく、国信慶時とはずっと一緒で、これまで来たのだ。そして、それはこれからも変わらないだろう。まあ、〝慈恵館〟というやや大仰な名前のカソリック系の施設——親を失ったか、〝事情〟で親と暮らせない子供たちをあずかる施設——で夜中にふとんを濡らしていたころからの友達だ、これは腐れ縁と呼んだ方が正しいかも知れないが。

ついでに、宗教のことを説明した方がいいかも知れない。〝総統〟と呼ばれる最高権力者を頂点とした特殊な国家社会主義を敷いているこの国には（いつか三村信史が顔を歪めてささやいた、〝こいつはな、成功したファシズムってやつなのさ。こんなタチの悪いものが世界中のどこにある？〟)、しかし、少なくとも、国教というようなものはない。あるとすると、ただ、その体制への信奉だけだが——特にそれが、既成の宗教と抵触するというわけでもない。従って、宗教活動は度を越さない限りで自由ではあるが——その代わりに、それに対する保護も一切なかった。なので、ただ、信心深い人々が、細々と、その活動を続けていた。秋也自身は宗教的感情というのはほとんど持ったことがないが——少なくとも、その宗教のおかげで、あまり不自由せずに、そして、恐らくはまともに、育ってこれたことだけは間違いない。それは、きっと、感謝すべきことだろうと、思う。国立の孤児院もあるにはあるが——聞くところでは、それは、どうしようもないひどい設備と体制で、悪名高い専守防衛軍兵士の養成所と化しているらしい。

秋也はまた首を反対側へ向け、後ろへ視線を流した。最後尾の横長の席の辺り、笹川竜平（男子十番）や沼井充（男子十七番）といった、ワルぶった連中が座っている。そして——秋也の位置からは顔は見えなかったが、シートの間、右の窓際のところに、後ろ髪を長く伸ばした、一風変わったオールバックの頭がのぞけていた。自分の左で（といっても隣の笹川竜平は座席二つ分空けて座っているようだったが）少し下卑た話と粗野な感じの笑いが続いているにもかかわらず、微動だにしていなかった。眠っているのかも知れないが、恐らくは、さっきまでの秋也と同じように街の明かりにじっと目を注いでいるのだろう。

その男——桐山和雄（男子六番）が修学旅行などというガキのレクリエーションにきちんと顔を出したことが、秋也にとって一番の謎だった。

桐山は、竜平や充はもちろん、近隣一円の不良学生のカリスマみたいになっている男だった。けして体は大きくなく、せいぜい秋也と同じぐらいの中背だったが、高校生をやすやすとねじふせ、地元のやくざ組織と渡り合い、その存在は県下一円でほとんどひとつの伝説になっているとも聞く。親が県内トップ企業の社長だという後ろ盾もあるのだろうが（もっとも庶子だという噂もあった。秋也は興味はないので確認したことはないが）——もちろん、それだけではないだろう。知的で端正な顔と、さしてトーンが低いわけではないのにどこか威圧感のある声、学年トップクラスで、B組ではせいぜい男子委員長の元渕恭一（男子二十番）が寝る間も惜しんで勉強してようやく比肩しうるだけの成績。運動をやらせても、ほとんど誰よりも優雅でうまかった。本気でやりあったとして、城岩中で辛うじて並ぶのはそう、かつての天才ショートストップ秋也と、あるいは現在の城中バスケ部の天才ガード、三村信史だけだろう。桐山和雄はどこから見ても完璧な男だった。

しかし、なぜそのような完璧な男が、不良学生のトップに収まるようなことになったのか？　それは秋也の与り知るところではなかったが、——ただ、秋也にもわかることがあったとすると、それは桐山から伝わる、一種肌触りに近いような、ある種の違和感だ。それが何なのだ、という指摘まではできない。桐山は、けして学校で悪さをするわけではない、笹川竜平辺りが時々赤松義生にするようにいじめをするかというと間違ってもやらない、しかし——何かが——希薄に過ぎる、といえばいいだろうか。そんなような、感じ。

学校に来ないことも多かった。大体、桐山が〝おべんきょう〟をしている、などというのは、世界で一番おもしろい冗談だ。桐山は、どの授業のときにもただじっと席に座って、静かに、何か全く違うことを考えているように見えた。多分、かくもうるさく義務教育を押しつける強力な政府がなかったら、ぜんぜん学校になんか来ないんじゃないだろうか。いや、気まぐれでよく来るかも知れない、わからない。とにかく修学旅行なんぞはさっさとパスするかと思えたのだが、きちんと現れていた。これも気まぐれなのだろうか。

「秋也くん」

天井の照明パネルを見つめてぼんやり桐山のことを考えていた秋也は、明るい声で現実に引き戻された。通路を挟んで隣の席、中川典子（女子十五番）がぱりっとした感じの透明なセロファンの包みを両手で差し出していた。典子の手の中に収まるサイズのその袋は天井からの白い光を水のようにたたえ、そしてその向こうに、薄茶色の小さな円盤が——クッキーだろう——たっぷり入っているのが見えた。金色のリボンが口をきりっとくくって蝶ネクタイ形の結び目をつくっている。

中川典子も内海幸枝らと同じ中間派の女の子だった。優しそうな、やや黒めがちの目が印象的なごく女の子らしい丸顔と肩までの髪、小柄で、まずまずおちゃめで、まあ、平均的な女の子だ。特記することがあるとすると、国語が得意で作文がクラス一うまいことかも知れない（その点で秋也は比較的典子とよく話をすることがあった、秋也はよく休み時間、オリジナルの曲を書こうと詞をノートの端に書きつけていて、典子が時々それを見たがったので）。いつもは幸枝らと一緒にいることが多いのだけれど、今日は少し集合時間に遅れて、空いていたその席に座ったようだった。

秋也が手を半ば出しながら不思議そうに眉を持ち上げると、典子はなぜかちょっと慌てた感じで口を開いた。

「あの、今日弟にせがまれちゃって、つくったの。あまりものなんだけど、時間が経ったらおいしくなくなっちゃうから、良かったら、ノブさんと食べて」

ノブさん、というのは国信慶時の愛称だ。愛敬のあるぎょろりとした目、にもかかわらず、時々妙に達観したようなオヤジくさいところのある慶時のパーソナリティにはふさわしいかも知れない。女の子はあまり使わない呼称なのだが、典子は大方、気軽に男子の愛称を口にする。そして、それでカドがたつことも違和感を感じさせることもないのが典子らしいと言えば典子らしいところだった。どこか、ふんわりした女の子。そして、秋也は愛称らしい愛称を持ったことがなかったのだけれど（実のところ小学校時代から、ちょっと妙な、ある煙草の銘柄と同じ〝通り名〟だけはあるのだが、それは、三村信史の〝第三の男〟と同じようなもので、呼びかけに使われたりはしない）、――思った、俺のこと名前で呼ぶ女の子は、このこだけだな、前から思ってたけど。

　やりとりを聞いていた慶時が、急き込んだように割って入った。

「ほんと？　いいの？　うれしいなあ。典子サンがつくったんならきっとうまいよな」

　秋也が伸ばした手の先からすっと慶時が袋をかすめ取り、金色のリボンを手早く解いて一個つまんだ。

「ああ。めちゃくちゃうまいや」

　自分の体ごしに慶時が典子に賛辞を贈るのを聞きながら、秋也はちょっと苦笑いした。全く、慶時ときたら露骨もいいところだ。大体、典子が秋也の隣に座ったときからそっちをちらちら見たり、妙に胸をそらせて姿勢を正したりとフツウではなかったのだけれど。

　そう、ちょうどひと月半ほど前の春休み、街の水源のダム湖で二人でブラックバスを釣っていたとき、慶時は秋也にぽつっと言ったのだった、「なあ秋也、俺、ちょっと、好きなこ、できた」。秋也が「へえ。誰だ」と訊くと、「中川」と慶時がこたえた。「うちのクラスの？」「そう」「どっちだ？　二人いるじゃんか。有香サンの方か？」「おまえ。俺、おまえみたいに太った女の子、好みじゃないぞ」「失礼なやつだな。和美さんが太ってるってのか？　ちょっとふっくらしてるだけだ、彼女は」「悪い、悪かった。とにかく、そう、うん、典子サンの方だ」「ふーん。ま、いいこだよな」「そう思うだろ？　思うだろ？」「わかったわかった」

そう、全く露骨だ。しかし、にもかかわらず、典子はその慶時の気持ちには全く気づいていないようだった。にぶいのか、何なのかよくわからない。あるいはそういうところが、いかにも典子らしいのかも知れない。

秋也は慶時の手の中の袋からクッキーを一個とって、目の前にかざした。それから、典子を見た。

「時間が経つとおいしくなくなるって？」

「うん」典子が不思議に張り詰めた目で、小さく二度、あごをひいた。「そう」

「ということは、少なくとも基本的にはおいしいという自信があるわけだ」

このての皮肉なもの言いは、三村信史から感染したのか、最近、秋也のよくやるところで、たまにそれに腹を立てる人間もいるのだけれど、典子は何だかとても幸福そうにうふふ、と笑った。

「そうね」

「おまえ」また慶時が割って入った。「うまいって言ってるじゃんか、俺が。なあ、典子サン」

典子が「ありがとう。ノブさん優しいね」と笑むと、慶時は急に電極に指を突っ込んだみたいに硬直し、押し黙ってしまった。黙って膝の辺りに視線を落とすと、クッキーをばりばり食べ始めた。

秋也はまた苦笑いして、クッキーを口に押し込んだ。ふんわり甘い味と香りが、口中に広がった。

「うまいや」

秋也が言うと、じっと見守っていた典子が「ありがとー」と声を弾ませた。気のせいかも知れないが、何だか慶時に「ありがとう」と言ったときとはトーンが違うような気がした。いや――そう、少なくとも、彼女は秋也がクッキーを口にするのをじっと見ていた、とても真剣な目で。本当にこのクッキーは彼女が弟につくったあまりものなんだろうか？　彼女は〝誰か〟に食べてほしくてつくってきたんじゃないんだろうか？　いや、やっぱり気のせいかも知れない。

秋也は脈絡なく、〝和美さん〟のことを考えた。音楽部で去年まで一緒にいた、一つ年上の女の子だ。

およそ大東亜共和国の学校の部活動でロック・ミュージックが演奏会のレパートリーに上がることは絶対になかったが、それでも、顧問の宮田先生がいないときには、部員たちは勝手にロックを演奏して時間をつぶしていることがよくあった。そういうやつの集まりだったとも言える。そして、新谷和美は女子部員では唯一のサックスプレイヤーだったのだけれど、ロックサクソフォンを吹かせるとほかの男子部員の誰よりもうまかった。背が高めで（百七十センチの秋也とほとんど同じぐらいあった）、ちょっと太めで、しかし、首の横でざっとまとめた髪、ちょっといつも世間ずれした感じの大人びた表情でアルトサックスを手にしたところは、めちゃくちゃにかっこよかった。秋也をどきどきさせた。そして、秋也に難しいギターコードの押さえ方を教えてくれた（「あたしもちょっとやってたのよ、サックス始める前にね」）。秋也は、それから昼夜の別なくギターをいじり、二年の半ばまでには、部で一番うまくなった。それもこれも、誰よりも和美さんに聞いてほしかったからだった。

そして、あるとき、たまたま二人きりになった放課後の音楽室で秋也が〝サマタイム・ブルーズ〟を歌入りでやってみせたとき、彼女はほめてくれた、「すごいな、秋也ちゃん。かっこいいよ」。秋也はその日、初めて缶ビールを買って一人で祝杯を上げた、めちゃくちゃにうまかった。しかし、それから三日ほどのち——秋也が彼女にはっきり「あの、俺、あなたが好きです」と言った日、彼女もはっきり言った、「ごめん、あたし、付き合ってる人、いるのよ」。そして彼女は卒業してしまった、その〝付き合ってる人〟と同じ、音楽科のある高校に入った。

そう言えば、あの春休みのダム湖で、慶時が典子のことを言った後秋也に訊いた、「おまえ、例の先輩のこと、まだ好きなのか?」。秋也は答えた、「ああ。好きだね。死ぬまで好きだと思うぜ」。慶時は困惑したような表情を見せた。「だっておまえ、その先輩、相手、いるんだろ?」。秋也はオーヴァ・スロウの要領で銀色のルアーを思い切り遠くに飛ばしながら答えた、「関係ねー」。

秋也は相変わらず俯いている慶時からクッキーの袋を取り上げた。「おまえばっか食ってるなよな、典子サン、食べられないじゃないか」

「あ、ああ。ごめん」

秋也は袋を典子の方に戻した。「ごめんよ」

「ううん、いいの、あたしは。秋也くんたち、食べて」

「そう? しかし俺たちだけもらうってのも――」

秋也はそこで初めて、典子の向こうに座っている男に目をやった。男――川田章吾(男子五番)は、学生服に包まれた大柄な体を窓ガラスに寄せかけ、腕を組んで、静かに目を閉じていた。眠っているのかも知れなかった。ほとんど坊主頭に近いぐらい短く刈り込んだ髪、なんだか縁日のテキ屋のお兄ちゃんを思わせるその顔に、かすかに不精髭みたいなものが浮いている。不精髭だ、みなさん！　中学生にしちゃ、老け過ぎてやしないか？

しかしまあ、納得できる事情が一つあった。B組のクラスは二年のときから同じメンバーだったけれど、川田章吾は四月に神戸から越してきた転校生だ。そして――川田章吾は怪我だか病気だかで（病気をするタイプには見えないから多分怪我だ）、半年以上学校を休んでいたため留年した――つまり、ほんとうは秋也たちよりは一年先輩に当たるのだという話だった。本人がそう言ったわけではないが、とにかくそう聞いた。

はっきり言って、川田についてはあまりいい話を聞かなかった。前の学校ではどうしようもない不良で、学校を休んだケガというのも、ケンカが原因だという噂もあった。そして、それを裏づけるように、川田には全身に傷があった。左眉の上に走っている大きな刀傷みたいなものもそうだが、体育の時間で着替えるときなど、秋也はその腕にも背中にも（余談だが男の秋也が見ても見事な、まるきりミドル級のボクサーみたいな体だった）、同じような傷を見つけてぞっとしたものだった。左の肩口などには、何か得体の知れない丸い傷痕が二つ、並んで付いていた。まるきり、銃で撃たれたような傷だった、いくらなんでもそんなことがあるとは思えないが。

そんなこんなの噂が出るたび、「いつか桐山とやり合うんじゃないの」といったことがささやかれてもいた。事実、川田の転入直後、おっちょこちょいで気取り屋の笹川竜平が、ちょっと川田にちょっかいを出したことがあったらしい。その経緯と同様結果も又聞きだが——竜平は、真っ青な顔で戻った、そして桐山に泣きついた。——が、桐山は興味なさそうにその竜平を一瞥し、何も言わなかった、ということだ。まあ、そんな具合で、当の二人が険悪な雰囲気に陥る場面は、少なくともこれまで起きていない。桐山は川田に興味がなさそうだった。川田も桐山には興味がなさそうだった。おかげでB組は平穏だった、めでたしめでたし。

とにかく、歳が違う上にそうした噂もあって、クラスの連中は川田を避けているようなところがあった。しかし、秋也は噂話で人を判断するのは嫌いだった。誰かが言っていた、自分の目で見られるなら、他人の話に耳を貸す必要はない。

秋也は、典子に向けてあごで川田を指してみせた。

「カレは寝てるのかな」

「うん——」典子は川田の方をちらっと振り返った。「うん、あたしも、起こすの悪いと思って」

「クッキー食べるタイプじゃないか、どっちにしても」

典子がくすっと笑い、秋也も笑いかけたとき——ふいに、「俺はいい」という声が聞こえた。

秋也は川田の方に視線を戻した。

低く、張りのある声の残響が、耳に残っていた。秋也にはあまりなじみのない声だったが――しかし、それは明らかに、川田が発したもののようだった。川田は相変わらず目を閉じているが、眠っていなかったらしい。同時に、秋也は、もう川田が転校してきてから一カ月以上経つのに、その声をほとんど聞いたことがなかったことに気づいた。

典子がまた川田の方をちらっと振り返り、それから秋也に目を戻した。秋也は肩をすくめてみせ、クッキーをもう一枚、頬ばった。

そのあと、しばらくは典子や慶時と雑談を交わしていたと思ったのだが――

十時が近づいたころだった。秋也が妙なことに気づいたのは。

車中の雰囲気がおかしかった。左側にいる慶時がいつの間にか、静かに寝息を立てていた。三村信史の体が、座席から通路側にだらしなく傾いている。中川典子も、目を閉じていた。誰の話し声もしなかった。全員が眠っているようだった。もちろん、ひどく健全なやつならベッドに入る時間かも知れないが――しかし、お楽しみの修学旅行の出発直後、みんなちょっと眠るには早過ぎやしないか？　歌でも歌えよ、カラオケとかいう俺の大嫌いな俗悪な装置を積んでんだろ、このバスは？

　そして何より問題なのは――秋也自身がものすごい眠気に襲われていることだった。もうろうと辺りを見回し――それから、首を動かすのもだるくなって、シートの背にもたれた。視線が泳ぎ、この狭い空間の一番前、闇に溶け込んだ大きなフロントグラスの中央にルームミラーが見え――秋也はその中に、運転手の上半身が小さく小さく映っているのを認めた。

　その顔、口元をマスクのようなものが覆っていた。そこから下へ向けて、何かホースみたいなものが伸びている。耳たぶの上下を横切って巻きついた、幅の細いバンド。あれはなんだろう？　ホースが下から伸びていることを除けば、それはまるきり航空機の緊急用酸素吸入器みたいだった。

　バスの中で息ができないってのか？　皆さん、このバスはエンジントラブルで緊急着陸いたします、ベルトをしっかりお締めのうえ、乗務員の指示に従って酸素マスクをご着用ください？　ははは、お笑いだぜ。

右側でかりっと何かをひっかくような音がして、秋也は随分苦労してそちらに首を傾けた。何か透明のゲルの中を動くように体が重かった。

　シートから腰を浮かせた川田章吾が窓ガラスを開けようとしていた。しかし、窓はさびついているのかロックが壊れているのか開かないらしかった。そのうち、川田が左の拳をガラスに叩きつけた。割ろうとしているのだ、ガラスを。なんでまた？

しかし、ガラスは割れなかった。もう一度ガラスを殴りつけようとした川田の手から力が失われ、だらんと落ちた。体がシートにどさっと落ちた。かすかに、ついさっき聞いたその低い声が「ちくしょう」というのが聞こえたような気がした。

秋也もすぐに、眠りに落ちた。


同じころ、城岩町にある彼らの家々を黒塗りのセダンに乗った男たちが訪れていた。深夜に何事かと応対に出た彼らの両親たちは、桃印の押された政府の書類を示されて一様に絶句したはずだ。

そして大抵の場合、親たちは黙って頷き、恐らく二度とは戻らない子供たちの顔を思い浮かべるにとどまったが、中には食ってかかるものもあった。その際、彼らは特殊警棒の一撃で昏倒するか、あるいは、運が悪ければ、サブマシンガンから吐き出されたほかほかの鉛を食らって、愛する我が子よりひと足早くこの世界にお別れを告げたと思ってもらってよい。

城岩中学三年B組の修学旅行バスはとっくにほかのバスの列を離れ、高松市に向けてUターンしていた。市街へ戻り、入り組んだ道をもうしばらく走った後、静かにエンジンを止めた。

四十年配の、いかにも好人物らしい半白髪の運転手は、いささかくたびれた皮膚に酸素マスクを食い込ませたまま体をひねり、かすかに哀れむような視線でB組の生徒たちを振り返った。しかし、すぐに窓の下に別の男が現れると、きりっとした表情に戻って、共和国標準の、一風変わった挙手の礼を行った。そして、スイッチ操作でドアを開け、そこから戦闘服にマスクを着けた男たちがわらわらと乗り込むうちに、視線を少し、遠くへ動かした。

月明かりの下、骨のように青白いコンクリートの埠頭の向こうに黒々と海が広がり、〝選手〟を運ぶための船がゆらゆら揺れていた。

【残り42人】

1

一瞬、慣れ親しんだ教室にいるという錯覚が、秋也を包んだ。

もちろん、その部屋はいつもの三年B組の教室ではなかったけれど、教壇があり、色あせた黒板があり、その左、高いところに大型テレビを置いた台があり、鉄パイプに合板を張り付けた机と椅子が並んでいる。秋也が座っている席の机の隅には〝総統は軍服の女にコーフンする〟という、政府をあてこすったらしい落書きが、何か鉄筆のようなもので彫り込まれていた。そして、何より、詰め襟の学生服を着た男たち、そしてセーラー服を着た女の子たち、つい先程まで（少なくともそう思える）一緒にバスに乗っていた四十一人のクラスメイトたちが、その席にきちんとついている。ただ――みんな思い思いに机や椅子に寄りかかり、眠っている様子なのは別にしても。

秋也は、廊下側（ここがほんとに学校と同じ構造ならだ）、スリガラスの窓の横の席から辺りをそろそろと見回した。どうやら、目を覚ましているのは秋也だけらしかった。秋也の少し左前、教室の中央近くで国信慶時が、そしてその後ろの席で中川典子が、慶時の向こうの席で三村信史が、ぐったり机に伏して眠っている。左の窓際には、杉村弘樹の大柄な体も、机の上に預けられていた（秋也はそれでようやく、席の配置が城岩中三年B組の教室での席順そのままなのに気づいた）。そして、ちょっとした違和感の原因にも気づいた。弘樹の体の向こう、本来窓があるところが、黒い板のようなもので覆われている。鉄板――だろうか？　天井に並んだ蛍光灯から落ちてくるくすんだ光を、その表面が冷たくはね返している。廊下側のスリガラスの向こうも黒く沈んでいるが、これも廊下の窓が同じように目隠しされているのかも知れない、昼夜の別はわからない。

秋也は腕時計を見た。時計は一時ちょうどを指していた。午前？　午後？　日付は〝THU／22〟。と、いうことは、時計が操作されたんでもない限り、バスの中で秋也が妙な眠気を感じてから三時間あまり経った翌日未明か――それとも、翌日午後ということになる。オーケイ、まあそれはいい。が、
秋也は目を周囲のクラスメイトたちに振り戻した。

何かがおかしかった。まあ、全体的におかしいのだが、それにしても、何かが違っている。すぐに、秋也はその原因に気づいた。机に伏している典子のセーラーの襟元に、銀色の、ぴったり首に巻きつく金属製の帯みたいなものがのぞいていた。国信慶時の方は学生服の詰め襟のせいで見えにくかったが、しかし、同じものがのぞいていた。三村信史にも、杉村弘樹にも、そしてほかの全員の首にも、同じものがあった。

それから、秋也ははたと気づいて、自分の首筋に右手を差し入れた。

硬く冷たい感触が伝わった。――秋也の首にも、同じものが巻かれているに、違いなかった。

秋也はそれを少し引っ張ってみたが、がっちり食い込んでいて外れなかった。そこにそれがあると気づいた途端、何だか息苦しくなった。首輪！　首輪だ、ちくしょう、犬じゃある

まいし！

秋也はしばらくそれをいじった後、あきらめた。それよりも――

修学旅行はどうなったんだろう？

秋也はそう考え、足元の床の上に、自分の荷物を詰め込んだスポーツバッグが置かれているのに気づいた。昨日の夜、着替えやタオル、見学のために学校側で用意されたノート、それにバーボンの入ったスキットルなどを適当に詰め込んだ代物だ。みんなの足元にも、同じように荷物が置かれていた。

突然、教室の、教壇側の入口が大きな音をたてて開き、秋也は顔を上げた。

男が一人入ってきた。

男は背はやや低いががっしりとした体つきで、胴体のおまけに添えられたように脚が短かった。薄いベージュのスラックスとグレーのジャケット、エンジ色のネクタイを締め、黒のローファーを履いているが、どれもくたびれた印象だ。ジャケットの襟元には、政府関係者であることを示す桃色のバッジ。とても血色のよい顔。そして、何より特徴的なのは、その髪型だった。まるで妙齢の女性がそうするように、肩口まで、まっすぐ髪を伸ばしているのだ。秋也はヤミで手にいれたジョーン・バエズのテープ、粒子の粗いコピーを使ったそのジャケット写真を思い出した。

男は教壇の位置に立ち、教室を見渡したが、その視線は、教室のやや後ろ寄りでただ一人目を覚ましている（これが夢でなければだ）秋也の顔に止まった。

秋也と男はたっぷり一分は見つめ合っていたに違いない。しかし、そのうち、ほかのみんなも目を覚まし始めたのか、教室の中に少し緊張した息遣いが広がり始め、男は秋也から視線を外した。誰かすっかり眠り込んでいた者がいるのか、起こすような声もした。

秋也も教室を見渡した。目を覚まし始めたクラスメイトたちは皆、一様に焦点の定まらない目付きをしていた。何が起こったのかさっぱりわからないのだ。首を振り向けた国信慶時と目が合った。秋也が首輪を指さして首をかしげてみせると、慶時は慌てて自分の首筋に手を当て、ぎょっとした表情を見せた。それから、どういう意味なのか、何度か首を左右に振ってみせ、教壇の方に視線を戻した。同じように、中川典子がぼんやりした目で秋也の方を見た。秋也は肩をすくめることしかできなかった。

やがて全員が目を覚まし、男が言った。快活な声だった。

「はーい目が覚めましたかー？　よく眠れましたかー？」

誰もひとことも喋らなかった。男子女子それぞれのお調子者代表みたいな瀬戸豊や中川有香（女子十六番）ですら、何も言わなかった。

【残り42人】

2

教壇の長髪の男は、にこにこしながら言葉を続けた。

「はいはいはい、それじゃ、説明しまーす。まず、私が、新しい皆さんの担任です。サカモチキンパツといいます」

サカモチと名乗った男は、黒板に向き直ると、白墨で大きく縦に〝坂持金発〟と自分の名前を書いた。ふざけた名前だ。それとも、状況からすると偽名なのだろうか？

突然、前の方で女子委員長の内海幸枝が立ち上がり、「よくわかりません」と声を上げた。みんなの視線が幸枝に集中した。長い髪をきっちり二本の三つ編みにした幸枝は、やや張り詰めた表情だったが、それでもしっかりした口調だった。もっとも、幸枝は、クラス全員が事故に巻き込まれたか何かして気絶していたのだとか、そういうようなシナリオを、多少無理にでも頭に描いたのかも知れない。

幸枝は続けた。「どういうことなんですか。私たち、修学旅行に行くところだったんです。ねえ、みんな」

幸枝が首を回してぐるりとみんなを見渡し、それが引き金になって、ほぼ全員がてんでに喚き始めた。

「ここどこ?」

「ねえ、あなたも眠ってた?」

「今何時だおい?」

「みんな眠ってたの?」

「ち、おれ時計もってねーよ」

「バス降りてここに来たこと憶えてる?」

「なにもんだあのオッサン」

「ううん、あたし何も憶えてない」

「いやよ一体何なの、あたし怖い」

秋也は坂持が黙って聞いているのを確かめてから、静かに教室を見回した。何も喋っていない人間がほかにも何人か、いた。

まず目についたのは、秋也の斜め後方、真ん中の列、最後尾の席にいる桐山和雄だった。オールバックにした髪の下、静かな目が、まっすぐ教壇の男を見ている。にらんでいる、という言い方も似つかわしくないほど静かな視線だった。周りに陣取った取り巻きの笹川竜平や沼井充、黒長博(男子九番)、それに月岡彰(男子十四番)が話しかけるのにも、全然構っていなかった。

それに――窓際の席の前から二人目、相馬光子だ。あの、ちょっと崩れた感じの女の子。彼女は〝グループ〟の他の二人――清水比呂乃とも矢作好美とも席が離れており、当然、その二人のほかに彼女に話しかけようなどという女の子は――男も、いなかった(比呂乃と好美は、秋也の左の方で席が並んでおり、二人で何事か話していた)。彼女は、顔立ち自体はアイドルスターみたいに愛くるしいのに、どこかかすかにけだるそうないつもの表情を浮かべ、セーラーの腕を組んで坂持を見つめていた(ちょうどその後ろが杉村弘樹だったが、弘樹は隣の旗上忠勝と話していた)。

それから、窓際の列の後ろから二番目、川田章吾の姿が目に入った。その川田も、黙って教壇の坂持を見ていた。しかし、秋也が見ているうちに、ポケットからガムを出して噛み始めた。視線は正面に据えたまま、あごのラインがゆっくりと動いた。

秋也はそれから前へ顔を戻し、中川典子が首を振り向かせ、相変わらずじっと自分の方を見つめているのに気づいた。典子のやや黒めがちの目が、不安そうに震えていた。秋也はその典子の前の席の慶時の方をちらっと見たが、慶時は、隣の席の三村信史と何事か話し込んでいた。秋也はすぐに典子に目を戻し、わずかにあごを引いて、頷いてみせた。典子の目が少し安堵したようだった。

「はいはいはい静かにしなさーい」坂持が手を何度かぱんぱんと叩き、注意をひきつけた。ざわめきは急速に静まった。「じゃ説明しまーす。みんなにここに来てもらったのはほかでもありませーん」

そして、言った。「今日は、皆さんにちょっと、殺し合いをしてもらいまーす」

今度はざわめきは起こらなかった。全員の動きが、スチル写真にとらえられたように止まった。ただ——秋也は気づいた、川田だけがガムを嚙み続けている。その表情にはいささかの変化もなかった。ただ少し——苦笑いに似た表情が、その面貌をかすめたような気もした。

坂持は相変わらずにこにこしながら続けた。「皆さんは、今年の〝プログラム〟対象クラスに選ばれました」

誰かが、うっとうめいた。

3

【残り42人】

およそ大東亜共和国の中学生で、〝プログラム〟を知らない者はいないだろう。それは、教科書においても、小学校四年生向けから登場する。ここではもう少し詳しい大東亜共和国政府監修のコンパクト百科事典から引用すると——

プログラム（ぷろぐらむ）名詞。一、出し物の名前と順序などを書いたもの（中略）四、わが国専守防衛陸軍が防衛上の必要から行っている戦闘シミュレーション。正式名称は戦闘実験第六十八番プログラム。一九四七年第一回。毎年、全国の中学校から任意に三年生の五十学級（四九年以前は四十七学級）を選んで実施、各種の統計を重ねている。実験そのものは単純で、各学級内で生徒を互いに戦わせ、最後の一人になるまで続けて、その所要時間などを調べる。各学級の最終生存者（優勝者）には生涯の生活保障と総統陛下直筆の色紙が与えられる。開始初年に人民の一部過激派から起こった抗議・煽動行為に対して、当時の第三百十七代総統が行った「四月演説」は有名。

ちなみにその「四月演説」は中学一年の教科書に登場する。引用すると——

「革命と建設に邁進する親愛なる同志人民の皆さん。（拍手と歓声で偉大なる三百十七代総統の言葉は二分間中断）皆さん。（二分間中断）わが共和国を脅やかさんとする恥知らずな帝国主義の輩が未だ世界に群れをなしています。彼らは本来我々の同志となるはずだったそれぞれの国家人民を搾取し、騙（だま）し、自らの帝国主義の尖兵として洗脳し、ほしいままに操っています。（聴衆一同義憤の涙）そして、隙あらば世界のうちでも最も前進した革命国家である我が共和国の国土を侵略し、我が民族を滅ぼさんと、その狡猾（こうかつ）さを剝き出しにし、奸計をめぐらせているのであります。（聴衆のあちこちから怒りの声）さて、〝六十八番プログラム〟は、そうした情勢下にあるわが国には、ぜひとも必要な実験であります。確かに、十五歳のうら若い命が幾千幾万と散ってゆくことについては、私自身も血涙をしぼらずにはおられません。しかし、彼らの命がこの瑞穂の国、我ら民族の独立を守るため役立つならば、彼らの失われた血は、肉は、神の御世より今に伝えられましたる美しきわが郷土に同化し、未来永劫（えいごう）、生き続けるとは言えないでしょうか。（拍手、歓声の渦。一分間中断）ご存じの通りわが共和国には徴兵制がありません。専守防衛陸海空軍はいずれも憂国の志、革命と建設への強靭な意志に燃える若き志願兵たちで構成され、彼らは日夜最前線で危険に身をさらしているのです。プログラムを、一種の、そしてわが国唯一の徴兵制と考えていただきたい。国を守るためには――（後略）」

　そんなごたくはさておき（「お兄ちゃん、カツ丼食べない？」が決まり文句の専守防衛軍入隊係のおっさんを駅前でよく見かける）、秋也が初めて〝プログラム〟を知ったのは小学校四年生よりも前のことだ。両親が交通事故で死に、父親の知人の手回しで入った〝慈恵館〟にもようやく慣れ始めたころ（親戚の誰一人として秋也を引き取ってはくれなかった。

秋也の両親がかつて反政府活動に一枚嚙んでいたからだ、という話もあるが、秋也は確認したことはない）――秋也は五歳ぐらいだったと思う。秋也より早くに慈恵館に入所していた国信慶時と並んで、遊戯室でテレビを見ていた。ごひいきのロボットアニメが終わって、今は施設の館長をしている安野良子先生が（前館長の娘だった彼女は当時まだ高校生だったと思う。ちなみに職員はみんな先生と呼ばれていた）、チャンネルを変えた。秋也は何の気なしに画面を見続けていたのだけれど、しゃちこばったスーツ姿の大人の男が画面に向かって喋っているので、どうやら〝ニュース〟と呼ばれるひどくつまらない番組らしい、あの、どのチャンネルでもときどきやるやつ、と認識した。

男は原稿を読み上げていた。秋也はその内容は憶えていないが、どうせいつだって同じような感じなのだ、再現するなら次のようになるだろう。

『三年ぶりに香川県で行われていた〝プログラム〟が昨日午後三時十二分に終了したと、先程、政府及び専守防衛軍より発表がありました。対象となっていたクラスは善通寺市の善通寺第四中学三年Ｅ組です。発表されていなかった実施会場は、多度津町沖四キロの志高島でした。優勝者決定までの所要時間は三日と七時間四十三分でした。なお、本日遺体の回収、検死が行われたとのことで、それによると、死亡した生徒三十八人の推定死亡原因は次の通りです、銃弾による死亡十七人、刃物による死亡九人、鈍器ようのものによる死亡五人、窒息死三人……』

画面にはどうやら〝優勝者〟らしいぼろぼろのセーラー服の少女が映し出され、専守防衛軍兵士二人に両側から挟まれて、引き攣った顔をカメラに向けていた。ほつれたロングヘアの右こめかみの横辺り、赤黒いものがべったり付いていた。奇妙だったのは、秋也はその映像をよく憶えているのだが、その、引き攣った少女の口元に、なぜか、ときどき、笑みに似た歪みが走ることだった。

今思えば恐らく、それは秋也が初めて目にした、狂人の顔だったのだと思う。しかし、当時はそんな区別まではつかず、秋也はただ、なんとなく、おばけを見ているような、怖い気持ちになった。

秋也は「先生、なに、これ？」と訊いたと思う。安野先生はただ首を振って、「なんでもないのよ」と言った。少し秋也から顔を背けた安野先生の口元から「かわいそうに――」という言葉が洩れた。国信慶時は画面からとっくに目を離してミカンを食べていた。

歳を経るにつれて、平均二年に一度のペース、特に定まった時期もなく突然告げられる同じローカルニュースが、秋也には徐々に脅威となり始めた。それは全国の中学三年生のうち、実に五十クラス、四十人学級とすれば二千人、いや正確には千九百五十人の生徒たちに、毎年確実に訪れる死の宣告だ。しかも、単に殺されるだけじゃない、よく見知ったクラスメイトと互いに殺し合うのだ。たった一つの、生き残りの椅子をかけて。そう、史上最悪の、椅子取りゲーム。

しかし、――それに抗する方法があるはずもなかった。およそこの大東亜共和国で政府のやることに逆らえるわけがない。

そこで、秋也は開き直ることにした。それは、この国の多くの中学三年生予備軍の子供たちが取っている方法だろう。オーケイ、わが国唯一の徴兵制？　ミズホの国の美しき郷土？　共和国中に中学がいくつあると思う？　少子化が進んでいるとはいえ、大方確率八百分の一以下。香川県だと、〝当たる〟のはせいぜい二年に一回、ひとクラスだ。はっきり言って交通事故で死ぬのと大して違わない確率だし、およそクジ運のない自分にそんなものが当たるとはとても思えない。自慢じゃないが俺は商店街の福引きだってティッシュしかもらったことがない、だとすると――、誰がそんなもの構うっていうんだ？　ファック・オフ。

それでもたまに、クラスの誰か、特に女の子なんかが「いとこがプログラムで――」とか何とか泣きながら話しているのを聞いたりするたび――秋也の胸にもその黒い恐怖が再来した。同時に、怒りも覚えた。つまり、誰が、あのかわいらしい女の子を悲しませる権利があるのか？　といった具合に。

しかし、――しばらくふさぎこんでいたその女の子も、何日かすると、また笑顔を見せるようになる。同時に、秋也の中の恐怖も、そして怒りも、徐々に薄まり、去っていった。ただ、政府に対する、ごく曖昧模糊とした不信感と、無力感だけを残して。

そんなものだ。

そしてついにその中学三年になった今年も、秋也は――そして、恐らくはほかのB組の仲間たちも、自分たちだけは大丈夫だと、信じていた。いや、信じずにはいられなかった。今の今まで。

「そんなばかな」

椅子をがたがたんと鳴らして誰かが立ち上がり、うわずった声を上げたので、秋也は顔をそちら――杉村弘樹の後ろの席へ向けた。男子委員長の元渕恭一だった。顔がほとんど青を通り越して灰色になり、銀縁の眼鏡とシュールなコントラストをなしていた。美術の教科書に〝米帝の退廃芸術〟として紹介されていたアンディ・ウォーホルのシルクスクリーン作品みたいだった。

クラスメイトの何人かが、このとき恭一に、何か合理的な反論をしてくれるものと期待したかも知れない。昨日まで仲よくしていた友達と殺し合う？　そんなことできるわけがない。これは、何かの間違いだ。委員長、そのへんきちんと説明してやってくれ。

しかし、恭一が言い出したのはごくつまらないことだった。

「ぼっ、僕の父は県政府の環境部長なんだ。僕が入っているクラスがプ、プログラムにえっ、選ばれるわけなんか――」

恭一は、震えているせいで、いつもより余計に神経質に聞こえる声でそれだけ言った。

坂持と名乗った男は苦笑いして首を振った。長い髪が揺れた。「あのね、君は元渕くんだよね」

何だかねばつくような口調だった。

「平等っていうことがどういうことか、知らないわけじゃないだろ？　いいですかあ、人間は、生まれながらに、平等なんです。親が県政府の役人だからって、その人が特別扱いを受けていいわけがありません。その子供だってもちろん同じです。いいですか、君たちにはそれぞれ境遇があります。お金持ちの家の人も、貧乏な家の人も、そりゃあいまーす。だけど、そんなふうに自分にはどうしようもないことで君たちの価値は決まったりしないんです。君たちは、自分たちの価値を自分たち自身で見つけなきゃならない。だから元渕くんも自分だけが特別だなんてそんな勘違いを――するんじゃない！」

いきなり一喝されて、恭一はぺたんと腰を下ろした。坂持はしばらく恭一をにらみつけていたが、すぐににこにこ顔に戻った。

「朝にはニュースで君たちのことが流れまーす。もちろん、プログラムは秘密の実験ですから、終了まで詳しいことは発表されません。えーと、けど、お父さん、お母さんには連絡済みでーす」

まだみんな、どこか茫然とした表情をしていた。クラスメイトどうしで殺し合い？　まさか？

「何だーまだ信じられないのか君たちはー」

坂持は困ったなというように、頭をかいた。それから、入口の方に向けておもむろに呼びかけた。

「おまえたちー、入ってきてくれー」

呼びかけに応えて、再び入口の引き戸ががらっと開き、三人の男がどやどやと入ってきた。三人とも、迷彩模様の戦闘服にコンバットブーツ、桃のマークを正面にプリントした鉄製のヘルメットを身につけており、専守防衛軍の兵士たちだ、とわかった。肩にはアサルトライフルを吊り、腰のベルト、ホルスターに自動拳銃の銃把が見える。一人は妙な癖毛で長身、やたらへらへらした印象、もう一人は中背で童顔の二枚目、最後の一人はちょっとにやけていて、ほかの二人に比べるとやや影が薄かった。三人は中腰になっていて、何か厚手のビニールでできた大きな、黒い寝袋みたいなものを抱えていた。パイナップルでも詰め込んだように、ところどころいびつに突っ張っていた。

坂持が窓際の方へ寄り、三人が袋を教壇の上に置いた。教壇の上板から両端が大きくはみ出していたが、中に入っているものは幾分やわらかいものなのか、特に窓際を向いた方が下へたわんだ。

坂持が言った。「紹介します。皆さんのプログラムを助けてくれる田原くん、近藤くん、野村くんです。さっ、見せてあげて下さい」

田原というらしい〝へらへら〟が廊下側の方から袋のジッパーに手をかけ、ぎゅっと横へ引いた。何か赤い液体にまみれた……

「きゃあああああああ」

まだジッパーが十分開かないうちに誰か最前列の方にいた女子生徒が叫び、すぐに何人かが唱和した。

「え、何?」という声とともにがたがたんと机や椅子が動く音がし、すぐにソプラノのコーラスが膨れ上がった。

秋也もごくりと唾を飲み込んだ。

今や半分方開けられた袋の中から、B組担任の林田昌朗（まさお）先生がのぞけていた。いや、もと担任か。いや、それは、〝もと〟林田先生ですらあった。

薄っぺらなブルーグレーのスーツは、血にまみれていた。〃とんぼ〃という愛称のもとになった黒縁の大きな眼鏡は、左半分しかなかった。そりゃそうだろう、頭が左半分しか残ってないんだから。一枚だけのレンズの下、真っ赤に染まったビー玉みたいなどよんとした目が天井の方をにらんでいた。残った髪の毛に、点々と、脳みそらしい灰色のゼリーが付着している。腕時計を巻いた左腕が、狭いところから出られてせいせいしたとでも言うように、袋からはみ出し、教壇の前に垂れ下がっていた。最前列の者には、その秒針が動いているのさえ見えたかも知れない。

「はいはいはい、静かに静かに。静かにしなさーい、全くおまえたちはー」

坂持が手をぱんぱんと叩いたが、女子生徒たちの金切り声は収まらなかった。

突然、近藤というらしい童顔の兵士が拳銃を抜いた。

天井に向けて威嚇射撃か、と秋也は思ったが、兵士は片手で林田の入った袋をひっつかむと、その袋を教壇から引きずり降ろした。林田の頭が上に向く形で、自分の顔の高さに掲げた。いささか、巨大ミノムシと格闘するＳＦ映画の主人公に見えなくもなかった。

兵士は、そのまま林田の頭へ二度、引き金を絞った。林田の頭の残骸が吹き飛んだ。脳や骨の破片が、高速弾のエネルギーで血と一緒に霧状になり、最前列の生徒たちの顔や胸に降りかかった。

銃声の反響が収まると、林田にはもう、頭がほとんど残っていなかった。
兵士が教壇の脇に林田を投げ出すと、悲鳴はもう、止んでいた。

【残り42人】

4

立っていた者たちがほとんどおそるおそるといった感じで腰を下ろした。一番端にいた影の薄い兵士が林田の袋を教室の隅へ引きずっていくと、他の二人に並んで、教壇の脇の方へ立った。坂持が教壇の前へ戻った。

再び沈黙が落ちたが、誰か、後ろの方で、苦しそうなうめき声が上がり、吐瀉物が床にぶちまけられる湿った音が続いた。やがて匂いも届いてきた。

「いいかー林田先生は、君たちをプログラムの対象とすることにだいぶほら、反対したんだよ」坂持が髪をかきあげながら穏やかに言った。「まあ、突然だったし、こっちも悪かったとは思うけどなー」

部屋はしん、と静まりかえっていた。全員が認めたのだ。これは現実で、間違いや冗談では、ない。自分たちはこれから、殺し合いをさせられるのだ。

——しかし、秋也はようやく、必死で頭を働かせようとしていた。コトの成り行きの非現実性にどこかぼんやりしていた頭が、林田の凄惨な死体のおかげで、そしてその死体が一役買ったひどいショーのおかげで、覚醒した感じだった。

何としても、これから逃げなければならなかった。どうすれば——そう、とにかく慶時や——それに、三村や杉村と相談することだ。しかし、プログラムというのは実際にはどういうふうに進むのか？　その詳細は、一般には全く公開されていない。武器を与えられて殺し合うと聞いているが、お互いに話はできるのか？　政府はどうやってその進行を管理——

「お、俺——」という声で、秋也の思考は中断された。顔を上げ、目を見開いた。

国信慶時が中腰に立ち上がり、果たして後を続けたものかどうか判じ兼ねたように坂持をぼんやり見つめていた。その気もないのに言葉が口をついて出てしまった、という感じだった。秋也の体がぎりっと緊張した。余計なことを言っちゃだめだ、慶時！

「はーいなんですかーなんでも聞きなさい」

坂持がにこやかにほほえみ、慶時は操り人形のように続けた。

「俺——親がいない。誰に連絡したんだ？」

「ははあ」坂持が頷いた。「そう言えば福祉施設で暮らしている人がいたなあ。七原くんだったかな、君。えーと内申書によると思想的に問題ありと。それで――」

「七原は俺だ」秋也は半ば叫ぶように割り込んだ。

坂持はちらっと秋也を見ると、また慶時に目を戻した。慶時もその、どこかぼんやりした顔のまま、秋也をちょっと、振り返った。

「ああ、ごめんごめん。もう一人いたよな。君は国信くんだよね。そう、君たち二人についてはは君たちが住んでる施設の館長さんにきちんと連絡しました。そう――きれいな女の人だったなあ」

坂持は、自分自身が彼女を見てきた、というニュアンスでそう言い、にやっと笑った。その笑みは、ごくごく明朗なものであるにも拘わらず、どこか不快なところがあった。

秋也の顔が歪んだ。「この――安野先生に何か……」

「林田先生と同じだよ、七原。君たちのことで抵抗するもんだからさー。大人しくなってもらうために、ちょっと、まあ――」坂持は平然と続けた。「婦女暴行しちゃったよ。あー心配しないでいいからなー、死んだりしてないから」

赤い色付きの怒りが秋也の中で跳ね上がったが、しかし、秋也が何か言おうとするよりも慶時の「ぶっ殺してやる！」という声が聞こえる方が早かった。

慶時が立ち上がっていた。顔つきが変わっていた。いつもみんなに愛想がよく、何があってもおよそ腹をたてるところなど想像のつかない慶時が、ほんのときたま、ほんとうに心から憤りを感じたときだけに見せる表情だった。クラスの連中は見たことがないかも知れないが、秋也は長年一緒に暮らすうちに二度ほどその顔に出くわしたことがある。一度は〝慈恵館〟の飼い犬〝エディ〟が門の前で自動車にひかれ、そのまま走り去ろうとしたそのドライバーを追いかけていった小学校四年生のとき、もう一回はほんの一年前、慈恵館の借金をタテに安野先生をしつこくくどいていた男が、何とか金を工面した安野先生に結局フラれた後、わざわざ秋也たちの目の前で安野先生に汚い言葉を投げつけたときだった。秋也が止めなかったら、慶時は自分が大怪我をしてもその男の前歯ぐらいはいただいていただろう。慶時はとても、とても優しく、自分が馬鹿にされようがこづかれようが大抵のことは笑って許してしまうやつだったけれど、自分が心から愛するものが傷つけられたときだけは、激しく反応した。そして、秋也はそんな慶時がとても好きだったのだ。

「殺してやるぞ、ちくしょう!」慶時が叫び続けていた。「殺して肥溜めにぶちこんでやる!」

「ふーん」坂持はおもしろそうに笑っていた。「国信、本気で言ってるのか、それ? いいですかあ、人間は自分の言葉に責任を持たなきゃいけない」

「ふざけるな! 絶対殺してやるぞ、憶えとけ!」

「慶時！　よせ！」

秋也は叫んだが、慶時は耳に入らないようだった。

坂持が、今度はなだめるような、奇妙に優しい声で言った。

「あのなあ、国信。おまえが今言ってるのは、政府にたてつくってことなんだぞ」

「殺してやる！」慶時は一歩も引かなかった。「殺してやる殺してやる殺してやる！」

秋也がたまりかねてもう一度叫ぼうとする前に、坂持が首を振って、教壇の横に立っている三人の専守防衛軍兵士に向けて手をすっと動かした。

フォア・フレッシュメンかなんか、とにかくコーラスグループのようだった。田原、近藤、野村、三人の迷彩服の男が、全く同じポーズで右手を上げたのだ。サビの部分、情感たっぷりのポーズ。ただしもちろん、その手には拳銃が握られていたけれども。コーラスは例えばこんな感じ。ベイビプリーズ、ベイビプリーズ、スペンドズィスナイトウイズミイ――。

慶時のぎょろりとした目が、一瞬、さらに大きく見開かれるのを、秋也は斜め後ろから、見た。

三丁の自動拳銃が一斉に火を噴き、机の列の間に半ば足を踏み出すように立っていた慶時の体が、大方ブガルーに近いダンスを踊った。

慶時のすぐ後ろの中川典子をはじめ、全員が体をすくませるひまもない、一瞬の出来事だった。

そして銃声の反響が消えないうちに、慶時はゆっくり体を右に傾がせ、自分の席と右側の金井泉の席の間に、どさっと倒れ込んだ。金井泉が「ひっ」と声をもらした。

三人組が、右手を水平に伸ばしたポーズのまま、立っていた。その銃口から、これまた全く同じように細い煙が立ち上っていた。奇妙に部屋の中は、静まり返っていた。そして秋也は見た、机の脚の間、見慣れた顔が、ちょうど自分の方を向いているのを。ぎょろりとした目が、開かれたまま、すぐ下の床の一点を見ている。その床に、すうっと鮮やかな血だまりが拡がり始めていた。体の脇に投げ出された右の肩口から下、指先までが引き攣るように震え始めた。

――慶時！

秋也は席を立って駆け寄ろうとしたが、すぐ後ろの席の中川典子の方が早かった。「ノブさん！」と悲鳴を上げて、慶時のそばに屈み込もうとした。

その典子に、今度は〝へらへら〟一人が引き金をひいた。典子が足元をすくわれたように前のめりに倒れ、なお痙攣を続けている慶時の体の上に、ばたんと倒れた。

〝へらへら〟は、すぐに秋也に銃口を向けた。秋也はますます混乱しながら、しかし、席を立ちかけた姿勢のまま、体を凍りつかせた。視線だけを動かし――見た、慶時の上に四つんばいになった典子の右ふくらはぎから、血がほとばしり出ていた。

「勝手に席を立つもんじゃないぞ」典子に向けて坂持が言った。秋也の方へ視線を動かした。

「君もです、七原。席につきなさい」

秋也はみるみる血に濡れていく典子の脚、そしてその向こうの慶時から目を引きはがし、坂持の顔をぱっと真正面から見た。ショックで自分の首の辺りの筋肉が引き攣っているのがわかった。

「冗談じゃねえぞ！」〝へらへら〟が相変わらず自分の眉間をまっすぐ狙っており、秋也は体は動かせないまま、ほとんど泣きそうな声で叫んだ。「何しやがるんだ！ 慶時を——慶時を手当てしなきゃ——典子サンだって——」

坂持は渋面をつくって首を振った。そして繰り返した。「いいから席に着きなさい。えーと、君、中川も」

自分の体の下の慶時を見つめて青ざめていた典子が、坂持の方へゆっくり顔を上げた。撃たれた傷はひどく痛いに違いなかったが、それよりも、怒りの方が大きいようだった。きっと眉をつり上げていた。

「国信くんを」一言ずつ、はっきり言った。「手当てしてください」

慶時の体、その右腕はなお痙攣を繰り返している。しかし、見守るうちにも、その動きは急速に緩慢になりつつあった。即座に処置をしなければ、致命的な傷なのは明らかだった。

坂持がはあ、とため息をつき、「確認してください、田原くん」と、〝へらへら〟に向けて言った。

何を？　思う間もなく、〝へらへら〟がまた銃を動かし、少し下へ向けてぱん、と一回引き金を絞った。国信慶時の頭がびくっと一回跳ね、その頭から飛び散った何かが、典子の顔に降りかかった。

口を開いて茫然とした感じの典子の顔に、点々と赤黒いものがついていた。

秋也も、自分の口がぽけっと開いているのがわかった。

頭の一部が欠けたにもかかわらず、慶時の視線は全く同じ、床の一点を見ていた。ただ、もはや痙攣はしていなかった。何もしていなかった。

「ほら」坂持が言った。「もう死んでたんだよ。わかったら二人とも席につきなさい」

「あ……」慶時の、その変形した頭を見下ろして、典子が声をもらした。「……こんな……」

秋也もまた、茫然としていた。机の脚の間、転がった慶時の顔に、目を奪われていた。まるで自分自身が脳みそを吹き飛ばされたかのように思考回路が麻痺しており、そのぼうっとした頭の中を、慶時と過ごした時間の記憶がぐるぐるぐるぐる流れていた。キャンプや川下りといったささやかな冒険、古びたボードゲームに熱中した雨の日、ヤミで出回っていたアメリカ映画〝ブルース・ブラザーズ〟が（不思議なことにきちんと吹き替えになっていた。ヘタクソな声優だったが）やはり孤児院出身の二人を主役にしていて、しばらく〝ジェイクとエルウッドごっこ〟に興じたこと、そして、ついこの間、〝俺、好きなこできてさ〟と言ったときの慶時の表情、それから……

「聞こえないのかあ、二人とも」

坂持が繰り返したが、そう、秋也には聞こえていなかったのかも知れない。ただ、慶時の顔を見つめていた。

典子も同じだった。そして、そのままだったら二人とも、すぐに国信慶時の後を追うことになっていたかも知れない。坂持の隣、〝へらへら〟は典子に、そして残りの二人が秋也に、銃を向けていた。

だが、「センセセンセセンセー」という落ち着いた――むしろ能天気な声で、秋也は我に返った。いや、少なくとも、声のした方にぼんやり顔を向けた。

空席になった慶時の席の向こう、三村信史が手を挙げていた。典子も、ようやくそっちの方を見た。

「んー、えーと、君は三村くんか。なんですかあ？」

信史は手を下ろして、言った。

「中川さん、怪我したみたいだから、席に戻るの、手伝ったげてぃーですか？」

異常な状況であるにもかかわらず、それは、全くいつもと変わらない、〝第三の男〟の口調だった。

坂持はちょっと眉を上げたが、納得したように頷いた。

「いいよ。そうしてやってくれ。先生、早く進めたいから」

それで、信史は頷き、席を立つと、典子の方に歩いた。歩くうちにポケットからきれいに畳んだハンカチを出し、慶時の死体と典子の間に屈み込むと、先に、慶時の血が飛び散った典子の顔を拭いた。典子はほとんど無反応だった。信史はそれから、「さ、立て、中川」と言い、典子の右腕の下に手を入れて、典子が立つのを手伝った。

そして、坂持に背を向けた信史はそうしながら、なお中腰に立っていた秋也の方を見た。しゅっと上に走った眉の下、いつもはちょっとユーモアのある目が、今は真剣になっていた。右側の眉だけを持ち上げてかすかに首を振るようにあごを動かし、空いている左手を、ぐっと下に押し下げるように動かした。秋也にはその意味がわからなかった。信史がもう一度そうした。

秋也はそれで、なお茫然としてはいたものの、信史が、落ち着け、と言っているのだとわかった。信史の目を見返し——そして、ゆっくり、ぺたんと、椅子に腰を落とした。

信史が小さく頷き、典子を席に戻すと、背を向けてすっと自分の席に戻った。

席についた典子のぶらんと椅子から垂れた右脚、傷口からざあっと血が流れ出して、白いソックスとスニーカーが真っ赤に染まっていた。まるきり右足だけサンタクロースのブーツを履いたような具合だった。

だが、典子はようやく頭を少し整理したのか、信史に礼を言いかけるように見えた。しかし、信史が、まるで後ろが見えるかのように、肩をゆすってそれを制した。典子は、それで、体を後ろへひくと、また、自分の右手に転がっている慶時に目を落とした。じっと見つめたまま、声は上げなかったけれど、目元に涙がにじんでいるように、見えた。

秋也も、机の間に切れ切れに見える国信慶時の死体に、もう一度目をやった。そう——それは、死体だった。疑いなく。まだうまく飲み込めないが、それは、死体だった。自分が十年来一緒に過ごしてきた人間の、それは死体だったのだ。

その慶時の相変わらず見開かれた目を見ているうちに、怒りは、秋也の心の中、何か徐々に大きくなる拍動のように、少しずつ、そして決定的にやってきた。そしてついにはどくんどくんと秋也の全身を圧し、揺り動かすかに思えた。ショックで阻まれていた感情が戻ってきたのかも知れない、秋也は歯を剥いて、坂持の方に顔を捩じ向けた。

坂持は、秋也の方をおもしろそうに見ていた。許せなかった。絶対に。ぶち殺してやる！

もう少しで、秋也は慶時と全く同じように喚き散らしていたかも知れない。だが――ぎりぎりのところ、三村信史が、今、自分に落ち着けと言った――サインを送ってきたばかりだということを思い出した。そう――もちろん、今ここで喚き散らせば、自分は慶時の二の舞いになるのだ。そして、――そう、ほかならぬ慶時が好きだった女の子、中川典子は今、ひどい怪我をしていた。自分が死んでしまったら――中川典子はどうなってしまうのか？

秋也は努力して、その坂持から目を引きはがした。机の上を見た。やるせなかった。出口を見つけられない怒りと哀しみのために、自分の心が壊れてしまいそうだった。

坂持がふふっと笑って、秋也から視線を外したようだった。

秋也は、放っておいたら震えだしそうになる体を何とか落ち着かせようと、机の下で、両の拳をぎゅっと握り締めた。強く、強く、握り締めた。それでも、すぐ目と鼻の先に慶時の死体が転がっている状況で、無理矢理気持ちを切り替えるのは容易ではなかった。

ほんとうに、うまく飲み込めなかった。一体そんなことがあるのだろうか？　ある人間が失われる――自分がよく知っている誰かが失われるというようなことが？

だって、慶時は、ずっと俺と一緒にいたじゃないか。そりゃあ大した経験じゃなかったかも知れない、しかし、二人で川遊びしていて慶時がおぼれそうになったときは俺が助けたんだったたし、遊び半分にバッタを集めすぎ、狭い箱に押し込んでほとんど全部死なせてしまったときは二人で反省したし、犬の〝エディ〟がどっちによりなついているかでけんかしたし、いつだかちゃめっけを起こして学校の職員室の屋根裏に忍び込み、危うく見つかりそうになったときだって何とか二人で逃げおおせて後で大笑いしたし——慶時は、ほんとうに、俺と一緒にいたのだ。いたということは事実なのだ。

しかし、失われた、のか？

信史が「もう一つあります、せんせー」と手を挙げた。

「またかあ、三村。——はい、なんですか？」

「中川さん、怪我してます。プログラムってやつ、やるようですけど、不公平じゃないですか」

坂持がそれで、ちょっとおもしろそうに笑んだ。

「うん。まあ、そうだけど、それで、何だ、三村」

「だから、中川さんの手当てして、治るまでちょっと延期にしません、これ？」

激しい感情を抑えようと懸命になっていた秋也だったが、三村信史のその落ち着きぶりには、別の意味で驚嘆した。驚嘆する余地がまだあるのが不思議だったが。そう、確かに、三村信史は、秋也なんかよりずっと冷静だったのだ。その通り、もしそんなことができるのなら、自分たちに時間の余裕ができるなら、これから脱出することができるかも知れなかった。

坂持があはは、と破顔(はがん)した。

「おもしろいこと言うなあ、三村」

しかし、坂持は、別の解決策を提出した。

「じゃ、さ。中川も殺してさ、公平にするか?」

典子本人はもちろん、教室中に再びぐっと緊張が満ち、信史の背中、学生服の下の筋肉もぎりっとこわばるのがわかった。

すぐに信史が言った。

「撤回、撤回。やだなあ、もう」

そのおどけた口調に坂持がまた破顔し、〝へらへら〟が、早くもホルスターに伸ばしていた右手を、肩から背中側へ吊ったライフルのストラップに戻した。

それから、また坂持がぱんぱんと手を叩いた。

「はい、いいですかあ、もともと君たちは能力が違いまーす。知能とか体力とかいろいろありますがー不公平なのは最初からでーす。だから、中川の手当てもしませ——うらーそこ!私語をするんじゃない!」

坂持は突然叫ぶと、秋也の前方、委員長の内海幸枝に隣の席から何ごとか話しかけようとしていたらしい藤吉文世（女子十八番）に向かって何か白っぽいものを投げつけた。チョークか？　と秋也は一瞬思ったのだが、もちろんそれは場違いな空想だった。

どつっ、と枢のクギ打ちのような音がして、文世の、色白でやや広めの額の真ん中に細身のナイフが生えていた。

幸枝が、一瞬目を見開いて、それを見た。妙なことに、文世は文世で、額に生えているそのナイフを必死で確認しようとするように、視線を上げようとしているように見えた。それにつられて、首が上を向いた。

次の瞬間、横ざまにどさりと倒れた。倒れるとき、隣の幸枝の机に文世の左のこめかみ辺りが引っかかり、幸枝の机が、がたっと動いた。

今度は確かめるまでもなかった。額にナイフを生やして、誰が生きていられる？

もう、誰も動かなかった。誰も何も言わなかった。ただ、幸枝が息を呑んだ様子でその文世をじっと見下ろしていた。典子もそっちの方を茫然とした表情で見ていた。三村信史も、唇をすぼめて、慶時と同じく机の間に倒れ込んだ文世を見ていた。

やたらかさかさしたのどへ唾を飲み込みながら、秋也は思った。気分次第、ってことなのだ。気分次第だ、クソ！　俺たちの生死はこいつ、このサカモチとかいうクソ野郎に握られている！

「あー、やっちゃったーごめんなー、先生が殺しちゃルール違反だよなー」坂持が目をぎゅっとつむり、頭をかいた。すぐに真顔に戻って、言った。「だけど、もう勝手なことは厳禁でーす。私語もだめだぞー。私語をするやつには、先生、つらいけどナイフ投げるぞー」

秋也は歯を食いしばり、ただ、待つんだと自分に言い聞かせていた。既に二人のクラスメイトの死体が転がっている異常な空気の中、何度も何度も言い聞かせた。

それでも、どうしても慶時の顔に目が吸い寄せられて、うまくいかなかった。ほんとうに、自分が今にも泣きそうになっている、と思った。

【残り40人】

5

「それじゃルールを説明しまーす」

坂持は快活な声に戻って言った。林田〝とんぼ〟先生の乾いた血とは違う、国信慶時の新鮮な血の匂いが猛烈に漂い始めていた。藤吉文世の顔は秋也の位置からは見えなかったが、どうやらほとんど血は流れていないようだった。

「知ってると思いますが、ルールは簡単です。お互い、殺し合ってくれればいいだけです。反則はありませーん。そして——」坂持はにこっと笑みを広げた。「最後に残った人だけは家に帰れます。総統陛下の色紙がもらえるんだぞー。すごいだろー」

秋也は胸の中で唾を吐いた。

「君たちはひどいルールだと思うかも知れませーん。しかし、思いもかけないことが起きるのが人生です。いいですか、アクシデントに対応するためには、まず自分をしっかり持つこと。今回はその、練習だと思ってくださーい。思ってくださーい。それから、男女平等ですからー、男女のハンデもありませーん。でも女子の人たちにうれしいお知らせでーす。これまでのプログラムの実施結果を見ると、実に、優勝者の四九パーセントは女子でーす。彼も人なり、我も人なり。恐れることはありませーん」

坂持が指示し、迷彩服トリオが廊下から黒のナイロン地の、大ぶりなデイパックを教室内に運び入れ始めた。すぐにそれが、林田先生の死体袋の横に山になった。中には、何か棒状のものが入っているのか、斜めに突っ張っているものもあった。

「さて、一人ずつここを出てもらうんですがー、それぞれ出発する前にこの荷物を渡しまーす。中には多少の食料と飲料水、武器が入ってます。武器はそれぞれ違うものが入ってまーす。えー、さっきも言ったようにい、君たちはもともと能力が違いまーす、ですから、これで、少し、不確定要素、えー、難しいかなあ、どっちに転ぶかわからない要素を増すわけでーす。ただしい、誰にどれを配るかは決めてませーん。上から順番に取って、渡しまーす。それから、この島の地図と磁石、時計も入ってまーす、時計を持ってない人いるかー。んーいないのかなー。——ああ、先生言い忘れてたけど、ここは島でーす。周囲が六キロぐらいでー、プログラムの会場になるのは初めてですけどー、住民の人たちには出て行ってもらってまーす。誰もいませーん。それでー」

坂持は黒板に向き直るとチョークを握り、〝坂持金発〟と自分の名を書いた隣に、丸みを帯びたひし形をざっと大きく描いた。右上に上向きの矢印と〝N〟の字を書き入れ、ひし形の中ほど右寄りに×印を書いた。チョークを黒板に当てたまま、顔だけ振り向かせた。

「いいかー、ここはこの島の分校です。この図を島とすると、分校はここ、わかったかー？」坂持は×印をチョークの先でどんどんと叩いた。「先生、ここにずっといるからなー。みんながんばるの、見守ってるからなー」

坂持はさらに、島を示すひし形の周り、ちょうど東西南北に散らばる形に紡錘形を四つ描き入れた。

「船です。海に逃げた人を射殺する大事な役目です」

今度は、島の上に縦横に平行線が何本も引かれた。島を示すひし形は何だか歪んだ焼き網みたいになった。坂持はその焼き網の目の中に、左上からA＝1、A＝2、……という記号を順に書き入れた。次の列はB＝1、B＝2、……という具合だった。

「これはざっとした図ですけどー、荷物の中にある地図はこういう感じでーす」坂持はチョークを置き、ぱんぱんと手を払った。

「さて、いいですかあ、ここを出たら、どこへ行っても構いません。けど、午前、午後の零時と六時に、全島放送をします。一日四回なー。そこで、この地図に従って、何時からこのエリアは危ないぞー、って先生が知らせます。地図をよく見て、磁石で地形と照らし合わせて、速やかにそのエリアを出てください。なんでかというとー」

坂持は教壇に手をついてみんなの顔を見渡した。

「はい、それは、みなさんの着けている首輪です」

それで、何人かが初めてその首輪の存在に気づいたらしく、自分の首筋に手をふれてぎょっとした表情を見せた。

「それはあ、わが共和国のハイテク技術を結集してつくったものです。完全防水、耐ショックでーあーほらほらだめだめ、絶対外れない、絶対外れない。それに無理に外そうとしたりすると――」坂持はちょっと息を吸った。「爆発するぞ」

首輪をいじっていた何人かが、慌てて手を離した。

坂持はにやっと笑って続けた。「その首輪はあ、君たちの心臓の電流パルスをモニターしてえ、君たちが生きているか死んでいるか、この分校にあるコンピュータまで電波で知らせてくれるようになってます。同時に、君たちが島のどこにいるかもわかるようになっててえ、はい、そこでさっきの地図です」

坂持は右腕を後ろへ伸ばして黒板の地図を指さした。

「先生がこのエリアは危ないぞーと言うエリアは、同じコンピュータがランダムに選んだエリアです。それでー、時間を過ぎても残ってる人がいたら、ああ、もう死んだ人は関係ないぞー、生きてる人が残ってたら、コンピュータが自動識別して、君たちのその首輪に逆に電波を送ります。そうすると――」

秋也にはその先が予測できた。

「その首輪はやっぱり爆発します」

予測通りだった。

坂持はちょっと言葉を止め、全員の顔を見渡した。それから、言った。

「ああ、何でそんなことをするかって？　それはね、みんなが一箇所に隠れてたら、ゲームが進まないだろ。だからあ、皆さんには動いてもらいまーす。同時に、どんどん、動けるエリアを狭めまーす。そういうことでーす」

坂持はそれを〝ゲーム〟と呼んだ。適切だった、クソいまいましいが。そして、誰も何も言わなかったが、事情は了解されたようだった。

「いいかだからあ、建物の中にいてもだめだぞお。穴掘って隠れても電波は届きまーす。あーそうそう、ついでですがー、建物の中に隠れるのは勝手でーす。でも、電話は使えませーん。お父さんお母さんに連絡はできませーん。君たちはみんな独りぼっちで戦わなきゃなりませーん。でも、人生は常にそうでーす。はい、それと、さっき言ったように最初はその首輪が爆発する禁止エリアはありませんがー、この分校のあるエリアだけは例外でーす。全員が出発した二十分後に禁止エリアになりまーす。だからまずここから離れてください。そうですね、二百メートルは離れてくださーい。いいですかあ。はい、それでえ、放送では、それまでの六時間で死んだ人の名前も読み上げます。原則、放送は六時間ごとですが、最後の一人になったら、その人に放送で連絡します。あーそれと、もう一つ。タイムリミットがあります。いいですか、タイムリミットでーす。プログラムではどんどん人が死にますがあ、二十四時間にわたって死んだ人が誰も出なかったらあ、それが時間切れでーす。あと何人残っていようとおーー」

秋也にはその先も予測できた。

「コンピュータが作動して、残ってる人全員の首輪が爆発しまーす。優勝者はありませーん」

予測通りだった。

坂持が黙ったので、また教室に沈黙が落ちた。相変わらず国信慶時の血の匂いが濃厚に漂っていたが、みんなまだ茫然としているように見えた。怯えてはいるけれど、うまく飲み込めないのだ、自分たちがこれから殺人ゲームに投げ込まれるという事態が。

坂持がその雰囲気を察したように、ぱんぱんと手をたたいた。

「はーい、ややこしい説明はそこまでです。これからもっと大事なことを言います。先生からアドバイスです。いいですか、クラスメイトどうし殺し合うなんて無茶苦茶だと思う人がいるかも知れませーん。しかしい忘れないようになー、ほかのみんなはやる気になってるぞー」

秋也はたわごとだ！　と叫びたかったが、さっきの〝藤吉文世＝私語により処刑〟のことがあったので我慢するしかなかった。

そして、相変わらず、誰も何も言わなかったのだけれど、ただ、このとき、ある変化が起こり、秋也はそれを確かに見た。

誰からともなく周囲に目を配り、互いが互いの青ざめた顔に視線を走らせたのだ。そして、そうした者は皆、誰かと目が合うと慌てて顔を坂持の方に戻した。わずか数秒の間のことだったが、ただ、それぞれの顔に浮かんだその表情は変わってはいなかった。引き攣った、疑心暗鬼に満ちた表情は。目の前にいるこいつはもうやる気になっているのではないかと、疑疑っている表情は。なお落ち着いて見えるのは、三村信史や、その他数人だけだった。

秋也はまた奥歯を噛み締めた。クソ、それじゃ連中の思うツボじゃないか！　みんなよく考えろ——俺たち、仲間だぞ、殺し合いなんてできるわけないじゃないか！

「はーい、それじゃ、確認かくにーん。机の中に紙と鉛筆が入ってますから、出しなさーい」

みんながもぞもぞと紙と鉛筆を出した。秋也もとりあえず言う通りにした。

「それじゃ書きなさーい。何か暗記するときは書くのが一番です。書きなさい、私たちは、殺し合いを、する。三度書きなさい」

鉛筆が紙を叩く音がし始めた。典子も、暗い表情のまま、鉛筆を握るのが見えた。秋也もその狂ったフレーズを書きなぐったが、途中で、机の間にのぞける、転がったままの慶時の死体を見やった。いつかの、慶時の朗らかな笑顔が蘇った。

坂持が続けた。「はい、やらなきゃやられる、これも三度書きなさい」

藤吉文世の方も、もう一度見た。セーラーの袖口からのぞいた白い手の指が、ゆるやかなお椀形をつくっていた。クラスの保健委員で、もの静かだが、面倒見のいい、女の子だった。

そして、坂持の方を見上げた。

――クソ野郎、この鉛筆を心臓に突き刺してやる！


【残り40人】

6

「さーてそれじゃ一人ずつ、えー、二分間隔で、教室を出てもらいまーす。ここの戸口を出て右に廊下を歩くと分校の出口がありまーす。出発したらすぐにその戸口を出ていくことー。廊下でうろうろしてる人は撃ち殺しまーす。それで誰から出発するかですけどー、一応プログラムのルールで、誰かまず一番の人を決めて、その人から後は出席番号順です。男女、男女、ね。で、最後まで行ったら、またアタマからです。それで」

そこまで聞いて、秋也は、中川典子が女子十五番なのを思い出した。自分と同じだ。と、いうことは、少なくとも、自分は典子とほとんど一緒にここを出られる（典子が最初で自分が最後、ということでなければだ）。しかし――典子は歩けるだろうか？

坂持が懐から封筒を取り出した。

「一番の人はくじで選んでここにその結果が入ってまーす。ちょっと待てなー」

坂持はポケットからピンクのリボンが付いた鋏を取り出し、気取った手つきで封筒の端を切り取り始めた。

そのとき、桐山和雄が声を上げた。これまた三村信史と同じく平静な、しかしこちらは、少し冷たい感じの、りんと響く声だった。「いつ始まるのかな、このゲームは?」

みんなが桐山のいる最後列の席を振り返った（川田だけが振り返らなかった。川田は相変わらず、ガムを嚙んでいた）。

坂持が手を動かしながら答えた。「ここを出たらすぐだよ。だから、とりあえずみんな、身を隠してそれぞれ作戦を練った方がいいかも知れないなー。今ちょうど夜だしなー」

桐山は特に返事をしなかったが、それでようやく、秋也は今が真夜中、午前一時——いや、既に一時半近くなのだとわかった。

坂持が鋏を入れ終わり、中から白い紙を引っ張り出した。開いた。ほ、というように口を丸くすぼめると、「偶然ですね。男子一番、赤松くん」と言った。

窓（鉄板）際の列、一番前にいた赤松義生が、それを聞いて顔をこわばらせた。身長百八十センチ、体重九十キロ、体こそ大きいが、真っ正面のライトフライを受け取れず、長距離ではトラック一周目でへばりと、体育の授業ではいつもへまばかりしている義生の厚ぼったい唇は、真っ青になっていた。

「赤松くん、早くしなさーい」

坂持が言い、義生は修学旅行のために準備してきた自分の荷物を抱えて、よろよろと立ち上がった。前に進み出ると、今はもうライフルを腰だめに構えた迷彩三人組に促されてデイパックを受け取り、闇に向けて開いた戸口に立った。一瞬、こわばった顔でみんなを振り返ったが、次の瞬間、戸口の向こうに消えた。二、三歩歩く足音がし、すぐにどたどたと走る音に変わり、それも遠ざかった。一度、転ぶような音がしたが、また走りだしたようだった。

静かな教室の中、何人かの押し殺したようなため息が流れた。

「じゃあ、二分のインターバルを置きまーす。次、女子一番の稲田さんなー」

その調子で、点呼とスタートが容赦なく、延々と、続き始めた。

ただ、これはそのスタートの最初の方、女子四番の小川さくらが出発するとき、秋也はあるものを見た。さくらは、秋也の二つ後ろ、最後尾の席だったのだけれど、教室の前の出口まで歩くうち、秋也のすぐ前、恋人の山本和彦の席に手をつくような仕草で、何かの紙片を置いたのだ。〝私たちは殺し合いを、する〟と書いたあの紙に、何かメッセージを走り書きしたのかも知れない。

それを見たのは、秋也だけかも知れなかった。少なくとも、坂持が気づいた様子はなかった。和彦は、その紙片のようなものをさっと手の中に入れると、机の下でぎゅっと握り締めた。秋也は、まだ狂気に完全に支配されたわけじゃない、と少し安堵した。愛しいものへの絆(きずな)はまだ保たれている。

しかし――そのメッセージというのは、なんなんだろう？　さくらが部屋を出てから秋也は思った。もしかしたら――黒板の坂持の地図が目に入った――あの記号を書きつけたのだろうか？　そこで待ち合わせようと？　しかし、あの地図はいくらなんでもおおざっぱ過ぎるし、第一、支給される地図があの通りだとは限らない。方角とか距離とか――そういうことだろうか？　それに――二人で待ち合わせをする、ということは、要するにほかのみんなを信用していない、ほかの連中は自分たちを殺そうとするに違いないと思っている、ということなのだ。それは――坂持たちの思うつぼだ。

秋也は考えた。ここを出たところがどうなっているのかわからないが、とにかく、自分の後から出てくるやつを待って話をすることはできるはずだ。坂持の言ったルールの限りでは、別にそれを止められることもないだろう。みんな疑心暗鬼になって混乱しているかも知れないが、きちんと話をすれば、善後策を話し合える。それで――典子は――自分のすぐ後だ(典子は歩けるだろうか?)。三村信史も後。杉村は先になるが――。

秋也は杉村弘樹にメモか何かを渡せないかと考えたが、しかし、席が遠すぎた。それに、下手な真似をしたら藤吉文世の二の舞いになる。

すぐに、杉村弘樹の出発の順番が来た。教室の前の引き戸を出る寸前、秋也と、ちらっと目が合ったが――しかし、それだけだった。秋也は胸の中、ため息をついた。ただ思ったのは、弘樹も自分と同じように考えて、外で待っていてくれないだろうかということだった。他の連中も引き止めておいてくれれば――。

前後して、川田、桐山、相馬光子といった、先程〝黙っていた〟連中が次々に出発した。川田は、ガムを噛みながら、淡々とした表情で出発した。坂持や迷彩トリオには目もくれなかった。

桐山も、静かに出ていった。光子も同じだった。

そう、坂持が、〝ほかのみんなはやる気になってるぞー〟と言った。そして、恐らく、その三人は、クラスの連中が真っ先に疑った者たちであったかも、知れない。つまり、そいつらは、〝ワル〟だから。自分が生き残るためにほかの連中を殺すなんて何でもない――。

しかし、秋也はまず桐山について、そうではない、と思った。桐山には仲間がいる。しかも、へたな仲良しグループよりも、その連帯はずっと強固だ。黒長博に笹川竜平、月岡彰、それに沼井充。このゲームのルールでは自分以外は全員敵になるが、まさか、この五人が互いに殺し合うとは思えなかった。それに、この点、秋也は注意して見ていたのだが、桐山が出発するとき、桐山の席の周り、その桐山の取り巻きたちは、妙に取り澄ました表情をしていた。そう、恐らく、桐山は、自分の仲間たちに、何かメモでも回したのだ。そして多分、その五人のチームで逃げ出すつもりだ、ということなのに違いない。桐山になら、政府を出し抜けるだけの力量は十分あった。ただもちろんそれは、桐山が、自分の仲間以外は信用していないということでもあるのだが。

相馬光子にも同じように仲間がいる。こっちは清水比呂乃、矢作好美とは席が離れていて、メモを渡すようなことはできなかったはずだ。しかし――相馬光子は何といっても女の子だ。まさか。こんなゲームに乗るわけがない。

ただ――川田のことだけが、秋也の胸に引っかかった。

川田章吾には、クラスに仲間と呼べるような人間が一人もいなかった。そもそも、転校してきて以来、クラスの連中とろくに口をきいたこともない。しかも、川田には確かに得体の知れないところがあった。噂は別にしても、あの全身の傷――。

まさか――もしかしたら川田だけはこのゲームに乗る――のだろうか？　少なくともその可能性があるのだろうか？　――一瞬、そう思った。

もちろん、疑心暗鬼に陥ったら政府に負けることになると思って、すぐにそれを打ち消しはしたが——ただ、それでも、胸のどこか、一抹の気がかりのようなものは、残った。

時間が経過した。

女の子の中には、泣きながら出ていく者も多かった。

ひどく短く思えたが、計算上は一時間近く経ったはずだった（ただし、国信慶時の分、二分だけは短くなっていたが）。女子十四番の天堂真弓が戸口の向こうに消え、坂持が「男子十五番、七原秋也くん」と呼んだ。

秋也は荷物を持って立ち上がった。少なくとも教室を出る前にやることだけは、考えていた。

出口の方へまっすぐ進まず、左へ出た。典子が、首を振り向かせ、近づいてくる秋也をじっと見つめた。

「七原」坂持がナイフを掲げて秋也に声をかけた。

「方向が違うよ」

秋也は一旦足を止めた。三人の兵士も、銃に手をかけていた。それで、少し自分ののどがこわばっているとは思ったが、気を張り詰めて、言った。

「国信慶時は俺の友達だ。目ぐらい閉じさせろ。総統の教育論語にだって死者には礼を尽くせって書いてあるじゃないか」

坂持は一瞬迷ったような表情を見せたが、結局、ふふっと笑ってナイフを下ろした。

「わかったよ。七原は優しいなあ」

秋也はかすかに息をつくと、また歩を進めた。典子の席のすぐ前に転がっている慶時の死体のところで、立ち止まった。

そして、自分で目を閉じさせせろと言ったにもかかわらず、少し、立ち尽くした。

間近でみると、〝へらへら〟が実行した手荒な死亡確認のおかげで弾けた慶時の耳の上、血にもつれた短めの髪の中に、薄い、赤い肉と——そして、白いものが見えた。骨だ、とわかった。頭の中に弾が食い込んだおかげで、慶時のぎょろりとした目は、ますます飛び出して見えた。どこか茫然としていて、上目遣いで、食料配給を受ける飢餓難民の目みたいだった。わずかに開いた口から、ゆるっと、唾液と血が混じったピンク色の液体が流れ出している。鼻腔からは、濃い色の血が流れている。それらが、顔の下、胸から流れ出した大量の血の海にゆったりと流れ込み、溶け込んでいた。——ひどかった。

しかし、荷物を傍らに置くと、屈み込んだ。俯せに倒れた慶時の体を起こした。学生服の胸の布地が三箇所で破れていてどす黒くなっていたが、秋也が抱き起こすのにつれて、つうっとそこから血が落ち、床に跳ねた。ひょろりと痩せたその体は、ひどく軽かった。血が——流れ出したからだろうか。

その慶時の軽い体を抱えているうちに、秋也の頭の中が、すうっと冷えていった。哀しみよりも、怖さよりも、怒りが勝っていた。

慶時――おまえのケリはつけてやる。絶対に、つけてやる。約束する。

時間はあまりなかった。顔についたその血をてのひらでぐいっと拭うと、そっとそのまぶたを閉じた。体を再び横たえ、胸の上で、両手を組み合わせた。

それから、荷物を再び手に取るのに手間取ったフリをして、典子の顔の横に口を寄せると、素早く「歩けるか？」とささやいた。

それだけで専守防衛軍の三人組が銃に手をかけたが、典子が頷くのを秋也は確認した。秋也は顔を坂持と三人組の方に向け、ただ、典子にわかるように低い位置でぎゅっと拳を握り、出口に向けて親指を倒した。待ってるぞ。外で待ってる。

秋也は典子の方は見なかったが、視界の端、もとの慶時の席の向こう側で、三村信史が目は前へ向けて腕組みしたまま、かすかに口元を笑ませたような感じがした。秋也の仕草に気づいたのかも知れない。秋也もそれでさらに、気持ちを落ち着かせることができた。三村だ。三村が一緒にいれば、逃げられる、十分。

だが――実は、三村信史はそのとき、秋也よりはよく事情を了解していたのかも知れなかった。その笑みは、これでさよならかもな、七原、という笑みだったのかも、知れない。ただ、秋也は、そんなことはそのときは、考えもしなかった。

そのまま歩を進めた。黒いデイパックを受け取る前に少し考え、藤吉文世の死体に近づくと、同じように目を閉じた。額からナイフを抜いてやりたかったが、それはあきらめた。

戸口の向こうに踏み出すときになって、やっぱり抜いてやればよかったと、少し、後悔した。


【残り40人】

7

戸口を出た廊下に照明はなく、教室からの明かりが板張りの床を照らしていた。目を向けると、廊下側の窓にも、教室内と同じように黒い鉄板が張られている。多分これは――秋也と同じようにゲームからの脱出を考え、抵抗を試みる生徒が、坂持たちのいるここを襲ってきたときの防壁だ。それでなくても、出発後は〝禁止エリア〟とやらでここには近づけないはずだったが。

右へ顔を向けると、今、秋也が出て来た部屋と同じような部屋が隣にもう一つ、さらにその向こうにもう一つ、あった。その先が出口なのか、観音開きのドアが闇に向かって開かれている。そして逆に左側、廊下の突き当たりに、もう一つ部屋があった。

それはこの分校の職員室だっただろうか？　そのドアは開いていて、明かりも点いていた。そして――秋也はその向こうに見た、安物の長机の前、パイプ椅子に座って、専守防衛軍兵士がうぞうぞとたむろしているのを。二十人？　三十人？　いや、それはほとんど三年B組と同じぐらいの人数に見えた。

実のところ、秋也は、もし自分の手にしたデイパックの中に銃でも入っているのなら（可能性はある、〝プログラム〟のニュースではいつも、〝刃物による死亡〟〝絞殺による死亡〟などと並んで、〝銃弾による死亡〟者の数が告げられていた）、あるいは、分校の前で待っていてくれる連中がいて、そのうちの何人かが銃を手にしていたら、それを使って、全員が出発する前に、つまり、〝禁止エリア〟とやらにここが入ってしまう前に、坂持たちを急襲することも考えていたのだ。しかし、その望みは大方絶たれてしまった。兵士は坂持と一緒に現れた三人だけではなかったのだ。考えてみたら当然のことなのだろうが。

兵士の一人が、首を傾けて、手にした湯呑みごしに秋也をちらっと見た。教室の中にいる三人と同様、奇妙に表情がなかった。

秋也はすぐに踵（きびす）を返して、出口へ急いだ。焦燥が頭を占めていた。とにかく――もう、とにかく、みんなが合流することを考えるしかない。いや——もしかしたら、外にも兵士たちがいて、後から出てくるやつを待つなどということはできない状態なのだろうか？　いや、だとしても——

秋也は足早に暗い廊下を抜けると、出口の観音開きのドアを出た。三、四段の短い階段があり、それを降りた。

建物の外には、月明かりの下、がらんとした、テニスコートが三面とれるぐらいの運動場が広がっていた。その向こうに、林が見える。左手には小高い山が迫り、右手は視界が開けていて、その向こうに黒々とした闇が見えた。——海だ。そしてその海の中、はるか彼方に点々と見える小さな明かり。陸地だろう。〝プログラム〟は、選ばれた生徒たちのその中学校のある、都道府県内で行われるのが原則だったはずだ。それは、時には周りに高圧電流の柵をめぐらした山で行われることも、取り壊し前の刑務所で行われることもあると聞いているが、香川県の場合は大抵島だった。秋也がこれまでに見た香川のローカルニュースでも(ただしその会場というのはいつも、ゲーム終了後のニュースで明らかになるのだが)、島以外で行われたというのはなかったと思う。そして今回も。坂持は島の名前を言わなかったが、島の形を地図で確認したら、どの島か見当が付くかも知れない。あるいは、島の名前を示す建物とかがあるかも知れない。

弱い風に乗って、潮の匂いがした。五月の夜の割に気温は低かったが、我慢できないほどではなかった。もっとも、眠るときには気を付けなければ体力を消耗してしまうだろう。

だが、そんなことより何より——

そこには、誰もいなかった。兵士の姿もなかったが、秋也が期待したように誰かが待っているというようなことも、また、なかったのだ。みんな坂持の言った通り、どこかに身を隠してしまったのだ。杉村弘樹の姿さえなかった。ただ、潮の匂いの混じった微風が、運動場の土の上を渡っていた。

クソ。秋也は顔を歪めた。ばらばらになってしまったら、政府の思うツボなのだ。小川さくらと山本和彦が恐らくはどこかで待ち合わせたのだろうように、あるいは桐山のグループもそうするのだろうように、親しい連中で集団をつくるのならまだいい。だが、一人一人が隠れていて、そのうち一対一で出くわすことになったら、——その混乱の中では何が起こるかわからない。そして、その混乱こそが、このゲームを成立させる要素ではないのか？

そうだ。少なくとも俺は、ここで後の連中を待とう。まず中川典子を待つことだ。

秋也はちらっと校舎の中の闇を振り返った。〝校舎からさっさと出ていかない人は撃ち殺します〟と言っていたが、廊下の突き当たりの部屋の兵士たちは、特に秋也の方を見たりはしていなかった。雑談するでもなく、だらっと椅子に腰掛けている。武器も、手にしていない。

秋也は唇をなめ、とにかく扉からは離れた方がいいだろうと考えて、また外に目を向けた。

それで、気づいた。

さっきは風景を見てとるのに気をとられて見なかった足のすぐ先、何かゴミ袋みたいなものが転がっているのに。

秋也は、誰かが荷物を落としていったのだろうか、と思ったが、すぐに目を見張った。

ゴミ袋でも荷物でもなかった。一方の端に毛が生えていた。髪の毛が。

人間だった。セーラー服を着た。体がくの字に折れて横たわり、顔は俯せだったが、秋也はその、一本に編んだ髪型と、それに結んだ幅広のリボンに見覚えがあった。無理もない、つい三分ほど前にその背中を見送ったのだ。ぴくりとも動かないその体は、女子十四番の天堂真弓だった。

そして、その真弓のセーラー服の背中、ロブスターのように編み上げた髪のすぐ脇から、銀色に鈍く光る棒が、二十センチほど、トランジスタラジオのアンテナみたいに、斜めに突き出していた。棒の先には、小さな小さな、戦闘機の尾翼みたいなものが四枚付いていた。

何だ——これは——?

ほんとうはすぐにも身を隠すべきだったのに、秋也は、愕然として、一瞬、その場に立ち尽くした。

頭の中に、ゲームがいつ始まるのかという桐山の質問に答えた坂持の言葉が蘇った。〝ここを出たらすぐだよ〟。

まさか——誰かがこれをやったのか？　先に出た誰かが戻ってきて、出てきたばかりの天堂真弓を——？

そこまで考えて、秋也は、慌てて腰を低くし、辺りを見回した。

どういうわけか——襲撃者の影は無かった。大体、一瞬ぼうっとしていたはずの秋也に向けて、矢なんか飛んできていない。なんでだ？　天堂真弓一人を片づけただけで満足して逃げたのか？　それとも——もしかして、これは一種の〝サクラ〟なのか？　やる気になっているやつがいると思い込ませるために、もしかしたら、あの廊下の突き当たりの連中がやったのか？　しかし、それにしては——

秋也はそれから、もしかしたら、天堂真弓はまだ死んではいないのではないか、と気づいた。重傷を負って気を失っているだけかも知れない。とにかく様子を——。

動かしかけた足を、しかし、〝そのこと〟に気づいてぎりぎりのタイミングで止めなければ、秋也は早くもこのゲームを退場することになっていたに違いない。つまり——

ヒュンと鋭い音がして、秋也の眼前を銀色のものがかすめた。そう——上から下へ向けて。

地面に新しいアンテナが生えていた。

秋也は戦慄した。典子を待つために建物の出口すぐの位置にいるのでなかったら、とっくにやられていたに違いない。襲撃者は建物の上にいたのだ。

秋也は口をぎゅっと引き締めるととっさにその矢を地面からつかみとり、右へ走った。ほとんど無意識に、しかし、恐らく襲撃者が予想しないだろう方向を選んでいた。体を反転させ、上を見上げた。平屋建ての分校の切り妻屋根の上、月明かりにほの明るい空を背景に、黒い、大柄な影が見えた。

あれは――まさか、川――

考えている余裕はなかった。影は、手にしたものをこちらに向けつつあった。

秋也は、手の中の矢を影に向かって投擲（とうてき）した。とにかく相手の意表をつければと思ったのだが、矢はひどく速く、美しい軌跡を描いて一直線に影に向かって飛んでいた。この点は、かつての天才ショートストップ、秋也ならではだったかも知れない。

影は「うっ」とうめいて顔の辺りを押さえ、中腰になったと思うと、その体をゆらりと揺らした。そしてそのまま――落ちてきた。

秋也は少し身を引きながら、その影がゆったりと時間をかけて三メートル強の距離を落ち、地面にどすん、と音を立ててぶつかるのを見た。その手にしていたものが、がしゃっとそばに転がった。

建物の出口から洩れる明かりで、秋也は見た。学生服を着て地に伏したその大柄な影は、一番最初に脅えた表情で出発したあの赤松義生だった。義生は気を失ったのか、ぴくりとも動かなかった。そしてその手の先——ライフルに弓矢を組み合わせたようなもの——ボウガンというやつか?——が転がっている。義生の足元の方に落ちたデイパックが半分ほど開いていて、銀色の矢が束になっているのが見えた。

秋也は、血の気がひくのを感じた。疑いない、こいつは始まっている! 少なくとも、赤松義生は始めたのだ。武器を手にして、戻ってきて、天堂真弓を殺したのだ!

ちょうどそのとき、背後に人の気配がした。

振り返った秋也は、中川典子が状況を見てとってはっと息を呑むのを見た。秋也はその典子の顔から再び天堂真弓に視線を落とし——ざっと真弓に駆け寄ると、首筋に手を当てた。死んでいた。間違いなかった。

脳が何かの導火線の塊になって、じりじり焼けているような感じがした。義生以外にも、同じことを考えるやつがいるかも知れない、そして、そいつは、どこかからふらりと戻ってくるそいつは、今度は銃を手にしているかも知れなかった。

秋也のこのゲームに対するスタンスは、もはや強引に変更させられていた。こういうことだったのだ。坂持が、〝ここを出たらすぐだよ〟と言ったのは、こういう意味だったのだ。

秋也はすぐに立ち上がり、典子に駆け寄って、その手をとった。「走るぞ！　せいいっぱいでいいから走れ！」

秋也は脚を怪我している典子の体を半ばひきずるように、走りだした。どっちへ——。正確な判断を下している暇はなかった。とにかく、目に付いた林の方へ向かった。一旦林に身を隠して——一瞬、そう思いかけたが、それも打ち消さざるをえなかった。今の典子の状態では、誰かに襲われたらひとたまりもない、この付近でうろうろしているのは、危険極まりなかった。

建物の前にとどまってみんなを待つという考えなど、消し飛んでいた。典子を急き立て、林の中に入った。高木、低木が入り交じり、足元にはシダのような植物が生い茂っていた。

秋也は振り返って、まだ十一人が残っている（男女とも二十一人のクラスで秋也と典子の出席番号からすると残りは十二人のはずだったが、藤吉文世は除外しなければならなかった）建物に向けて何か警告のようなことを呼びかけようかとも考えたが、それを振り捨てた。恐らく、みんなバカじゃない。そう、自分のようにバカじゃない。出てきたら、一目散に逃げ出すはずだ。おまけにあの天堂真弓の死体が転がっていれば。秋也は多少強引にそう、結論づけた。三村信史の顔がちらっと浮かんだが——それも振り捨てた。きっと、何か方法がある、後で合流する方法があると、これも強引に結論づけた。とにかく、一秒でも長くここにいたくなかった。

ただ、中川典子の体をしっかり抱き抱えたまま、闇雲に茂みの中を進んだ。何かの鳥が、すぐ近くでけけけけけっと鳴き、ばさばさと飛び立つ音がした。姿は見えなかったが、どっちにしても見る余裕はなかった。

【残り39人】

8

赤松義生は、ほとんど間を置かずに意識を取り戻したのだけれど、ひどく頭を打って失神した彼にとって、その時間はほとんど熟睡に近いものだった。

初めに気づいたのは、頭がものすごく痛い、ということだった。もうろうとしていた。一体なんなんだろう、昨日遅くまでファミコンをやりすぎたんだろうか？　――てことは昨日は土曜日だったんだっけ、それとも日曜日かな――すると今日は月曜日で学校に行かなきゃならないのに今は一体何時――暗いな、まだ――もう少し眠っても――。

天地が九十度傾いた状態で、視界を、なぜかがらんとした空き地が埋めていた。その向こうには夜空よりもさらに濃い弓形の影――山がある。

途端に、何もかもが戻ってきた。坂持、林田先生の死体、出発、とりあえず身を隠した小屋みたいなところでデイパックの中にボウガンを見つけたこと、戻ってきたこと、ちょっときつい感じの、しかし美しい顔を今はこわばらせた千草貴子（女子十三番）が、その陸上部エースの足で全力で逃げていくのを見送り、建物脇の細い鉄梯子を伝って必死で分校の屋根の上に出たこと。あたふたとボウガンに最初の矢をつがえる間に、月岡彰（男子十四番）もまた、取り逃がしてしまったこと。そして――。

首を回すと、セーラー服の女の子が転がっているのが目に入った。

義生自身にはちっとも不思議なことではなかったのだが、この際、記憶と一緒に戻ってきたのはクラスメイトを殺してしまったという罪悪感ではなく、恐怖感だった。その恐怖はさしずめ義生の心の中の荒涼とした土地に突っ立っている巨大なビルボードといったところだったかも知れない。〝おまえを殺してやる！〟という血文字がその表面を埋め、背景でクラスメイト全員が斧やピストルを構えて、３Ｄ方式の映画さながら、ボードの前に立っている義生に襲いかかろうとしていた。

そりゃあ、クラスメイトを殺すなんていけないことだろう。それに、どっちにしたってゲームの時間切れがきたらみんな死ぬんだから努力するなんてばからしいとも言える。しかし、それはただの理屈だ。義生は死にたくなかった。自分に向けて牙を剝くだろうクラスメイトたちが、ただただ恐ろしかった。考えてもみてくれ、自分の周りを殺し屋たちがうぞうぞうろつくんだ。

——というわけで、もっとも効率よく、その〃敵たち〃を減らせる方法を選んだのは、彼の思考ではなく、もっと深いところにある死への恐怖だった。誰が敵で誰が味方だといったような判断はなかった。みんな敵のはずだ。自分が笹川竜平辺りにいじめられているときすら、みんな見てみぬフリをしていたじゃないか。

義生は慌てて身を起こした。まず目の前の七原秋也なのだ。そうだ七原秋也はどこに——。ボウガンだ、ボウガンを拾わなければ、ボウガンはどこに——。

途端、その義生の首筋に、後ろから棍棒で殴られたような感覚が跳ねた。

義生はどさっと前のめりに倒れ込んだ。体がくの字に曲がり、顔が幾分湿った土をこすって、額と頰の皮がずるりと剝けたが、彼自身には関わりないことだった。倒れ込んだときにはもう、絶命していたので。

その義生の首の後ろに、彼自身が天堂真弓に撃ち込んだのと同じ、銀色の矢が生えていた。

【残り38人】

9

中川典子から二分遅れで建物から出てきた新井田和志（男子十六番）は、ぶるぶる震えながらそのまましばらく立っていた。赤松義生の体のそばに転がっていたボウガンには、矢が装塡されたままになっていた。拾い上げはしたものの、撃つつもりは無かった。しかし、義生が立ち上がった瞬間、反射的に指が引き金をひいたのだ。

和志は混乱した頭を何とか動かそうと努めた。そうだ、まずここから逃げなくてはならない、それがもっとも先決だ。そもそも、赤松義生や天堂真弓の死体なんかにかかずらわず、とっとと逃げ出すべきだったのだ。そう——義生をやってしまったのは仕方がない、状況から見れば、明らかに天堂真弓を殺したのは赤松義生なのだ。自分は悪いことをしたわけじゃない。

彼はたいへん言い訳のうまい男だったが、そう考えると、痺れたようになっていた頭の一部にようやく感覚が戻ってきた。

和志はボウガンをすっと下ろすと、矢が詰まった義生のデイパックをほとんど無意識に拾い上げた。そのまま足を動かしかけ、しかし、立ち止まると、天堂真弓のデイパックも拾い上げた。それから、急いで走り始めた。

【残り38人】

10

十分近くも走っただろうか。秋也は典子の体に回した腕から典子に制止の意図を伝え、同時に足を止めた。頭上を覆う梢を通して落ちてくる不鮮明な月明かりの下、典子が自分の顔を見上げるのがわかった。自分たち二人分の荒い息遣いがほとんど圧倒的な音の壁のように感じられたが、秋也はその壁を通して、闇に包まれた四方に別の物音を聞き取ろうと耳をそばだてた。

追跡者の足音はなかった。ぜいぜい喘(あえ)いでいてため息をつく余裕はなかったが、とにかく少し安堵してもいいようだった。

右肩に担(かつ)いでいた二人分の荷物を下ろすと、肩がぎしっと悲鳴を上げた。運動不足だ。エレクトリック・ギターはバットよりは重いが、しかし始終振り回すわけじゃない。そうしておいてから、少しひざに手をついて、休んだ。

秋也は典子を促して、闇に包まれたそのやぶの中に腰を降ろさせた。もうしばらく四方の音に注意をめぐらした後、秋也も典子の隣に腰を落とした。尻の下で、分厚い草がひしゃげる音が、小さく、した。

随分走ったように感じられたが、やぶの中をジグザグに、しかもどちらかというと山を登るように迷走してきたことを考えると、あの分校からは数百メートルも離れていないかも知れない。しかし少なくとも、あの建物から洩れる人工的な光はもう、確認できなかった。ゆるやかな山の起伏のせいか、あるいは折り重なった木々のせいかはわからなかったが、とにかく今は、より深い闇の中にいる方が安全なような気がした。一瞬の判断だったが、少なくとも開けた海側へ出るよりは安全なはずだ。

典子の方を見やり、ささやくように訊いた。

「大丈夫か？」

典子は「うん」とかすかに答え、小さくあごをひいた。

秋也はしばらくそのまま座っていたいという欲望を感じたが、そうもいかなかった。まず自分に支給されたデイパックを開いた。手を突っ込んで探ると、水らしいボトルの奥で、何か硬い、細長いものが手に触れた。

秋也はそれを引っ張り出した。革らしい感触の鞘と、そこから突き出した革巻きのグリップ。軍用ナイフだった。坂持は〝武器が入っています〟と言っていたが、これがそうなのだろうか。もう少しデイパックを手探りしたが、パンらしき包みや懐中電灯があるだけで、ほかにそれらしいものはなかった。

秋也は鞘のスナップを外してナイフを抜き出し、刃渡りが十五センチ程度であることと、一応使えることを確かめると、鞘に戻し、スナップを外したまま学生ズボンのベルトに差し込んだ。学生服の一番下のボタンを外し、グリップをすぐに握れるようにした。

秋也は典子のデイパックを引き寄せ、勝手にジッパーを開いた。女の子の持ち物を覗くのはご法度だが、別に、典子が用意したものじゃない。

妙なものが出て来た。V字形に湾曲した、全長四十センチほどの棒だった。硬い、なめらかな木の手触りだった。ブーメラン、というやつだろうか？　未開人が使う戦闘・狩猟用の投げ棒だ。アボリジニ辺りの村内狩猟チャンピオンが使えば風邪でふらふらしているカンガルーぐらいは仕留められるのだろうが、こんなもので何をしろというのだろう。秋也は息をついて、それを典子のデイパックに戻した。

瀕死の病人のようだった息がようやく落ち着いて来た。

「水、飲む？」と秋也は典子に訊いた。

典子は頷き、「少し」と答えた。

秋也はとりあえず自分のデイパックからプラスチックボトルを取り出し、ねじ込み式の封を切って、匂いを嗅いだ。少し手にこぼして、慎重に嘗めた。さらにひと口飲み、異常がないことを確かめてから、典子に渡した。典子はボトルを受け取り、ほんとうにひと口だけ、こくっと飲んだ。恐らく水が貴重になるかも知れないことを、わかっているのだろう。ボトルは、わずかに一リットル程度の容量で、一人に二つずつしかなかった。坂持が電話は使えないと言っていたが——水道は、どうなんだろうか？

「脚の具合、見せてくれ」

秋也が言うと、典子は頷いて、スカートの下に畳んでいた右脚をゆっくり伸ばした。秋也はデイパックの中から懐中電灯を取り出し、光が広く洩れないように用心しててのひらで囲みながら、それで典子の脚の傷を見た。

傷は、ふくらはぎの外側にあった。上から下へ、肉が深さ一センチ、長さ四センチほどにわたってこそぎとられている。ピンク色の肉がのぞく傷口の端から、血はまだ細い流れになってあふれていた。本当なら、縫合が必要な傷に見えた。

秋也はすぐに懐中電灯を消すと、デイパックではなく、自分のスポーツバッグを引き寄せた。バーボンの入ったスキットルと、旅行のため予備で持ってきた清潔なバンダナを二枚取り出して、スキットルの蓋を開けた。

「ちょっと痛いぞ」

「うん、大丈夫」

典子はそう言ったが、秋也がスキットルを傾けてバーボンで傷口を消毒すると、小さく息を洩らした。秋也は一枚のバンダナを畳んだまま傷口に押し当て、もう一枚を広げて帯状に畳み、包帯代わりに強く巻き始めた。当座の止血だけなら、これで何とかなるだろう。

ひと通り巻きつけたバンダナの両端をぎゅっと絞り、結びながら、秋也は「ちくしょう」と呟いていた。

典子が静かに訊いた。「――ノブさんのこと?」

秋也はぎりっと歯を嚙んだ。

「慶時のことも赤松のことも、それもこれもみんなだ。俺は気に入らないよ。最高に気に入らない」

秋也は手を動かしながら典子の顔をしばらく見つめた。すぐに視線を下げ、バンダナを結び終えた。典子がありがとう、と言ってそっと脚を引いた。

「真弓は――あれは、赤松くんが――」典子の言葉が少し震えた。「――やったのね?」

「そうだ。あいつは出口の上にいて、俺が矢を投げたら落ちてきたんだ」

秋也はそのことについて考え、そしてようやく、赤松義生をそのまま放置してきたことに思い当たった。気絶して当分起きないと、さっきは多分、ほとんど無意識にそう思ったのだが――しかし案外、すぐに起き上がったのかも知れない。そしてまたあのボウガンを手に屋根の上に上り、人殺しを続けているかも知れなかった。

またしても、俺は甘かったのではないだろうか？　俺はいっそ――やつをあそこで殺しておくべきだったのか？

秋也はそれで気づいて、腕時計を月明かりにかざした。国産の服部半蔵時計店謹製の古い型のダイヴァーズ（これはもらいものだ、施設で暮らしている秋也の持ち物の多くがそうだが）は、二時四十分過ぎを示していた。もう、ほとんど全員が教室を出たかも知れない。残っているとしても二、三人だ。赤松義生があの後どうなったのかはともかくとして。少なくとも、三村信史はもう――信史は、少なくとも赤松にやられるようなことはないはずだった。それはほぼ、確信できる――もう、出発してしまっただろう。

秋也は少し頭を振った。今さらながら、みんなでまとまって何とかしよう、などと考えていた自分が、ひどいバカのように思えた。

「あいつがあんなやつだとは思わなかった。自分が生き残るためにみんなを殺そうとするなんてな。このゲームのルールなら俺もわかってるよ。だけど、本当にやるやつがいるなんて、俺は思わなかった」

「それは——ちょっと違うのかも知れないわ」と典子が言った。

「えっ？」

秋也は月明かりだけでよくうかがえない典子の顔を覗き込んだ。

典子が続けた。「ほら——赤松くんって気が小さいじゃない。怖かったんじゃないかしら。きっと。だって、誰が自分に向かってくるかわからないのよ。ううん、赤松くんは、間違いなくみんなが向かってくると思ったのかも知れない。すごく怖かったんだと思うわ。それできっと、じっとしてたら殺……されるだけだと思ったんじゃ——」

それで、秋也は典子がそうしているように手近の木の幹に背を預け、ゆっくり脚を伸ばした。

脅えた者は殺し合おうとするかも知れない——その論理自体は秋也が考えた通りだったが、ただ、秋也は脅えたやつは基本的には隠れるものだとばかり思っていた。しかし、もっと極度に脅えたら、ほかのやつに自分から向かっていくことだって確かにあるかも知れなかった。

「——そうか」

「うん」典子が頷いた。「それにしたって有無を言わせずっていうのはひどいと思うけど」

しばらく、二人とも何も言わなかった。

　それから、秋也は思いついて言った。

「なあ、じゃあもし、俺たちが二人でいるのを見たら、赤松は攻撃してこなかったかな？二人でいたら、やる気はないっていう証明になるだろ」

「そうね。そうかも知れない」

　それで、秋也はちょっと考えた。典子の話どおり赤松も単に疑心暗鬼になっていただけだったのだとしたら——。

　あのとき一瞬、自分は、やる気になっているやつがいるのだと思った。だから、逃げた。しかし、やっぱりそれは違うのかも知れない。クラスメイトを殺すなんて、そんなばかなことがどだいできるわけがないいんじゃないか？　だとしたらやはり、自分はあそこでほかの連中を待っているべきではなかったのだろうか？　赤松をどうするかはさておくにしても？　だがそれは、今どっちにしても済んだことだった。今から戻っても、全員が出発した後だろう。——それに、ほんとうにそうか？　赤松はほんとうに脅えていただけなのか？

　わけがわからなくなってきた。

「典子サンさ」

　典子が顔を上げた。

「どう思う？　俺——赤松と同じようなやつがいたら困ると思って、さっき、とにかくあの分校を離れなきゃと思ったんだ。けど――あいつだって脅えてただけだとするんなら――つまり、ほんとにこんなゲームに乗るやつなんているとと思うかい？　つまりさ、――俺、みんなを集めてこのクソゲームから脱出できないかと思ってたんだ。どうだろう？」

「みんな？」

「うん」

典子は押し黙り、スカートの膝を引き寄せた。それから、「あたしっていやなオンナなのかな」と言った。

「え？」

「とても、だめ。幸枝とか――」

典子は委員長の内海幸枝の名前を出した。秋也も、幸枝のことは小学校のころから知っている。

「いつも一緒にいるこなら信用できる――と思う。けど、他のこはとてもだめだわ。とても一緒になんか、いられないわ。――そうじゃない？　赤松くんがほんとにどんな気持ちだったのかわからないけど、あたしだって、ほかのみんなが怖いわ。だって――あたし、初めて気づいたけど、何も知らないわ。みんなのこと。ほんとはどんな人なのか。だって――心の中なんて、覗けないじゃない」

何も知らないわ。みんなのこと。

——その通りだった。学校で昼間一緒にいるだけの連中の、一体俺は何を知ってる？　秋也はまたにわかに、やはり敵がいるのか？　という気がしてきた。

典子が続けた。「だからあたし——きっと疑ってしまう。よっぽど信用してるこじゃなかったら、一緒にいたりしたら、疑ってしまう、そのこが——あたしを殺そうとしてるんじゃないかって」

秋也はため息をついた。ろくでもないゲームだ。しかし、あまりにもよくできている。結局、確信を持てないのなら、誰でもかれでも仲間に引き込むべきじゃないのだ、もし——もし万一、寝首をかかれるようなことがあったら？　自分だけじゃなく、典子まで危険にさらしてしまうことになる。そう——先に出発した連中が早々に姿を消したことこそ、当然だったのだ。現実的だったのだ。

——。

「ちょっと待てよ」

秋也が言うと、典子がすっと秋也の方に視線を上げた。

「——ってことは、俺たち二人でいても、敵意がないってことの証明にはならないな。俺も疑われる、いつか典子サンも——殺そうとしているって」

典子が頷いた。「そうね。あたしも疑われるわ、同じように。二人でいたら向かってはこないかも知れないけど、一緒にいようって言っても、向こうも嫌がるわ、多分。人によるけど」

秋也は唾を飲み込んだ。「怖いもんな」

「うん。とても怖いもの」

結局、分校の前から逃げたのは正しかったのかも知れなかった。少なくとも、自分にとって重要なのは、中川典子を、慶時の好きだった女の子を、ここから無事に救い出すことだった。それで、今、中川典子が無事に自分のそばにいるのだから、そのことだけでも満足すべきなのかも知れない。自分は、最も安全な方法をとったのだ。しかし――。

「けど俺――」言った。「最低、三村だけでも一緒にって思った。三村ならきっと、何かうまい手を思いつくはずなんだ。――典子サンだって、三村なら心配ないだろ?」

典子は「もちろんよ」と頷いた。普段秋也とよく話している分、典子も三村信史と話す機会が結構あった。それに――

秋也は、信史が典子を立たせ、自分に落ち着け、とサインを送ってくれたことを思い出した。今考えてみれば、信史があそこであしてくれなかったら、自分も典子も、ぼうっとしたまま、慶時と同じように撃たれていたのかも知れなかった。

典子が、そのことを、そして当然それに至る経緯を思い出したのか、俯いた。静かに言った。

「ノブさん――もういないのね」

「――ああ」秋也も不思議に、静かに答えた。「そうだな」

それで、またしばらく、二人とも黙った。思い出話をすることはできるが、多分そんな場合じゃないんだろうし、それに、秋也にしてみれば、慶時のことはいいかげんな思い出話で語るには重すぎた。

「どうしたらいいかな、これから」

典子が口元を引き締め、黙って首を傾けた。

「何とか三村とか、ほかの――信用できそうな連中を集められないかな」

「それは――」

典子はしばらく考えたようだったが、結局、そのまま黙ってしまった。そう――そんな方法は思いつけなかった。少なくとも、当座は。

秋也は結局また、ため息をつかざるを得なかった。

頭上の梢の間、月明かりでぼうっとグレーがかったような夜空が見えた。八方ふさがり、というのはこういうことを言うのだろう。誰でも仲間にできるのなら、大声を上げて歩けばいい。しかし、それでは、〝敵〟に殺してください、と言っているのと同然だ。もちろん、そんなやつはいないことを祈ってはいるのだけれど。だが――俺も、やっぱり、恐ろしい。

それで、ちょっと思い当たったことがあった。典子の方に向き直り、訊いた。

「俺のことは、怖くなかったの？」

「え？」

「俺が君を殺そうとするとは思わなかったのかい？」

月明かりだけでよくうかがえなかったが、典子は少し、目を見開いたようだった。

「秋也くんがそんなことするわけないもの」

秋也は少し考えた。それから、言った。「けど――人間の心なんて、わからない。さっき君が言ったぜ」

「ううん」典子は首を振った。「あたしにはわかる、秋也くんだけはそんなことしない」

秋也は正面からその典子の顔を見た。多分、ねぼけた表情だったに違いない。「わかる――の？」

「うん――わかる。――あたしは」典子はちょっと言葉を切った。しかし、続けた。「秋也くんのことを、ずっと、見てる――から」

それは、本来だったらもう少し、硬い口調で口にされたはずの言葉だったかも知れない。

できればもうちょっと、ぜいたくは言わないが、もう少しばかりは、ロマンチックな状況で。

とにかく、それで、秋也の頭に、ライトブルーの便せんに綴られた、差出人名のないラブレターのことが浮かんだ。それは、四月のある日、自分の机の中に投げ込まれていたのだ。かつてのリトルリーグの天才ショートとしては、あるいは、現在の自称(ときたま他称)城岩中のロックンロールスターとしては、ラブレターをもらうのは初めてではなかったが、幾分、それは印象に残ったし、大事にとってあった。多分、書いてあった詩のような言葉が気に入ったからだと思う。

〝嘘でもいいから、夢でもいいから、どうか振り向いて〟と、それは始まっていた。〝嘘じゃない、夢じゃない、ある日のあなたの笑顔は/でも私の嘘かも知れない、でも私の夢かも知れない、それが私の方に向けられていたというのは/けれど嘘にはならない、夢にはならない、あなたが私の名前を呼んでくれた日には〟。そして、〝嘘だったことはない、夢だったことはない、私は、あなたが、とても、好きです〟。

あれは――典子の手紙、だったんだろうか? そもそも字が似ているし、あるいはそのような詩みたいな言葉は――とは思ったけれど、やはり?

秋也は一瞬、その手紙のことを今ここで訊いてみようかと思ったが、――やめた。そんな場合じゃないし、大体、自分にはそれを話題にする資格はないだろう、何せ、自分といえば、新谷和美に、ライトブルーの便せんから言葉を借りれば、決して〝振り向いて〟くれるはずのない女の子にすっかりのぼせていて、大方ほかの女の子のことも、当然そのラブレターのことも眼中になかったのだから。そして、今の自分にとって大事なことというのは、そう、〝国信慶時が好きだった女の子〟のことだ。その彼女を、無事に守ることだ。〝自分を好きでいてくれる誰か〟のことじゃない。

それで、また、いつかの慶時のはにかんだ表情が蘇った。〝秋也、俺ちょっと、好きな子、できた〟。

今度は逆に典子が訊いた。「秋也くんこそ、あたしが怖くない？　ううん、どうしてあたしを助けてくれたの？」

「そりゃ――」

秋也はまた一瞬考えた。慶時のことを言おうかと。君は俺の一番の友達が好きだった女の子なんだぜ。だから俺、君だけは助けないわけにはいかない。当然だ、そんなの。

これもやめておいた。いつか、ゆっくり話すべきことだ、それは、多分。いつか、があればだけれど。

「典子サン怪我してたしさ。ほっとけるわけないじゃんか。それに俺、典子サンなら信用してるよ、少なくとも。典子サンみたいなキュート・ガールを信用しなかったらバチが当たるよ」

典子がちらっとかすかに笑ったように見え——秋也も少し努力して笑顔を返した。ひどい状況にもかかわらず、笑いの形に筋肉が動くことに少し安心した。

秋也は言った。「とにかくよかった。俺たちだけでも、一緒にいられて」

典子が「うん」と頷いた。

しかし——一体これからどうすればいいのか？

秋也はとにかく荷物をまとめ始めた。仮に一時休息して何か考えを練るとしても、見通しのいい場所がいい。繰り返しだが、ほかの連中がどんなつもりでいるのかわからない。しかし、少なくとも用心だけは、しなければならなかった。それが現実的だ、ということなのだ。ろくでもない話だが。

地図と磁石、懐中電灯を手元に残した。史上最悪のオリエンテーリングだ、とちらっと思った。

「まだ歩けそうかい？」

「大丈夫」

「じゃあ、もう少し動こう。落ち着ける場所を探そう」

【残り38人】

11

沼井充（男子十七番）は、月明かりに照らされた幅十メートルくらいの狭い砂浜と、その砂浜に迫る林の狭間を慎重に進んでいた。支給のデイパックと自分のバッグを肩からかけ、右手にはそのデイパックの中にあった小型のオートマチックピストルを（これはワルサーＰＰＫ九ミリで、このゲームで支給された武器の中ではアタリの部類だったと言ってよい。当節のプログラムで使われる銃器のご多分にもれず、この国の側、対する〝米帝〟ほか敵国側、いずれにもくみしない第三国経由で大量・安価に輸入されたものだった）握り締めていた。充はその銃のモデルガンを見たことがあったので、添付のマニュアルを読むまでもなく、使い方は十分わかっていた。引き金をひく前に撃鉄を起こす必要がないことすら知っていた。弾丸も一箱分ついており、既に装塡していた。

拳銃の感触はささやかな安心感を与えてくれたが、もっと重要なものが左手の中にあった。これも支給された磁石だ。秋也が手にしたのと同じ安物のブリキ製だが、当座の役には立った。充自身より四十分以上早く分校の教室を出る前、彼の偉大なリーダー、桐山和雄（男子六番）が手渡したメモにはこうあったのだ、〝ここが本当に島なら、南の端で待っている〟と。

もちろん――このゲームでは、誰一人として味方になるものはない、それがルールだ。しかし、〝桐山ファミリー〟には、絶対の絆があった。たとえ〝ワル〟というレッテルを貼られていようとも、それがその絆の強さについて何ほどの意味を持つものでもない。

とりわけ、沼井充と桐山との関係には特別なものがあった。なぜなら――現在の桐山和雄をつくったのは、ある意味で充だったからだ。それこそ、七原秋也のような一般の生徒は与かり知らないところだろうが、桐山和雄は――少なくとも中学に上がるまでは、〝不良〟などではなかった。充の知る限り。

充は、初めて桐山和雄に会った日のことを鮮明に憶えている。それは、忘れようとしても忘れられない、鮮烈な、記憶だった。

充自身が小学生のときから相当なワルだった。ただし、暴虐な君主であったことはない。ただ、つまらない家庭に育った彼にとって、そして、勉強もできず何の才能もなかった彼にとって、ケンカをすることが唯一の自己証明だった。〝強さ〟ということだけが、彼の価値基準だったのだ。そして、彼は、その証明をし損ねたことはなかった。

その彼が、中学に上がったその日、町内の他の小学校から入学してきた連中の中の〝はねっかえり〟を抑え込むことに力を傾けたのに無理はない。もちろん、それ以前にも街の小さな盛り場で出会ったやつらの力量から、他の小学校に大したやつがいないのはわかっていた。しかし、まだ自分のことを知らないやつがいるかも知れない。王は一人でいい、それが秩序というものを保つ方法だから。――もちろん彼がこのような言葉で考えたわけではなかったが、しかし、そういうものだ、ということはわかっていたのだ。

案の定、そういうはねっかえりが二、三おり、それは入学式が終わり、教室でのガイダンスも終わった、放課後、最後の一人を片づけているときだった。

人通りのない美術教室の前で、充はそいつの胸ぐらをつかみ、壁に押しつけていた。既に、そいつの目の上には青痣ができており、目元には半分涙がにじんでいた。全然問題にならなかった。たった二発のパンチで、コトは済んだのだ。

「わかったかよ。いいか、俺に向かってえらそうにするのはやめろ」

そいつは、いやいやをするように首を動かした。要するにもう放してくれと言いたかったのだろうが、はっきり言質(げんち)をとっておく必要がある。

「わかったのかって訊いてんだよ！」

言いながらぐっとそいつの体を強靭な左腕一本で持ち上げた。

「返事しろよ。この学校で一番強いのは、俺だ。わかったのか？」

充は、なお相手が返事をしないので苛立ってさらに高く持ち上げようとしたが、そのとき、そいつの目が、自分の後ろを見ているのに気づいた。

充はばっと振り返った。急に手を放されて、締め上げていたやつは床に落ちた。それから、すぐに逃げ出したが、追うわけにはいかなかった。

自分よりずっと背の高い連中が四人、充を取り囲んでいた。着崩した詰め襟の首のところ、バッジは、それが三年生だということを示していた。一目で、〝それ〟とわかる連中だった。つまり、自分と似た生き方をしているやつ。

「坊やさ」薄気味悪い笑みを浮かべたニキビづらの一人が、充に言った。「弱い者いじめしちゃだめだぜ」

肩まで伸ばした茶髪のもう一人が、妙にぶあつい唇を丸めて続けた。「だめじゃないの、このこは」

ちょっとカマっぽいその言い方に、四人全員が声を上げて笑った。きひひひ、という、何だか狂人じみた笑いだった。

「おしおきしなきゃあ」

「そうよねエ」

またきひひひ、という笑いが上がった。

意表をついて、充が正面のニキビづらに前蹴りをたたき込もうとする前に、左側にいた一人が充の脚を払っていた。

尻餅をついた充の顔に、正面にいたニキビづらがいきなり蹴りを入れた。充の前歯が折れ——後頭部が、さっきまで自分が同級生を押しつけていた壁にごん、とぶつかった。頭がくらっとした。自分の頭の後ろを、何か熱いものが濡らす感触が、した。充は四つんばいになって立ち上がろうとしたが、今度は右側のやつにその腹を下から蹴られた。充はぐっとうめいて、一気に胃の中のものを戻した。「キタネエなあ」という声がした。

くそ、と思った。卑怯な——卑怯な連中——一対一なら、負けやしねえのに——

そうは思ったが、もはやどうすることもできなかった。もともと自分が、同級生を締め上げるためにひとけのない場所を選んだのだ。教師が通りかかる可能性も少なかった。

そして、自分の右手首が床に押さえつけられ、そこから伸びた人差し指を一人がていねいに曲げて革靴の下に押さえ込んだとき、充は、生まれて初めて、心底の恐怖を感じた。

——まさか——まさか——

まさかではなかった。靴底に力が込められ、充の指がぼぎっ、といやな音を立てた。充ののどから、声が絞り出された。味わったことのない、激痛だった。「きひひひ」という笑い声がした。

充は思った。こいつら——こいつらはアタマがおかしい——俺と似ているなんてとんでもない、こいつらはアタマがどうにか——

今度は中指がセットされた。

「や——やめ……」

もはやプライドも何もかも捨てて哀願しようとした充の声は無視された。ぼぎっ、と同じ音がして、充の中指はもう、いかれていた。充はまた叫び声を上げた。

「さ、もう一本ぐらいいこうか」

ようやく、そのときだった。

美術教室の戸ががらっと開いて、「静かにしてくれないか」という、それこそ静かな声がしたのは。

一瞬、充は、教師が美術教室にいたのか？　と思った。しかし、それならもっと早くに止めに入っているはずだし、それに、静かにしてくれないか、という物言いはいかにもおかしかった。

それで、充は、背中を押さえつけられたまま、そっちを見た。

そんなに体が大きいわけでもない、しかし恐ろしくハンサムな少年が、そこに、立っていた。手に絵筆を持っていた。

それは、充が、クラスのガイダンスで見た顔だった。自分のクラスメイトなのだ。確か、町外から引っ越してきたとかで、誰もその顔を知らず、しかし、無口で大人しくて、充の目に特にとまることもなかったやつだ。そのお上品な顔からして、どっかのお坊っちゃんだろう、きっとケンカなんてからきしに違いない、相手にするまでもないと思ったやつだ。

だが、入学初日から、そいつは一体美術教室で何をしていたのか？　もちろん、絵でも描いていたのだろう、しかし、そいつはちょっとヘンってもんじゃないか？

そんなことはとにかく、例のニキビづらが、「何だおまえ」とその、少年に近寄っていった。少年の前に立った。

「何だおまえ？　一年か？　なんでこんなとこにいるんだ？　え？　さっきのもっかい言ってみろよ？　え？」

それで、少年の持っていた絵筆を、床にはたき落とした。筆の毛先に着いていた深い青色の絵の具が、ぴっと散った。

少年が、ゆっくりニキビづらを見上げた。

あとの説明は、要らないと思う。ただ、四人の三年生が、その小さな少年にたたきのめされた（事実、床に転がっていた、動けなくなっていたのだ）。

少年はそのあと充に近づき、しばらく充を見ていた後、「病院に行った方がいい傷だな」

とだけ、言った。それで、すぐに美術教室に戻っていった。

充は、しかし、しばらく、床に尻をつけたまま、その四人が転がっている場所を、ぼうっと見ていた。全く違うものを見たのだ、という思いに、とらわれていた。要するに、十年やってもせいぜい六回戦しか戦えないだろう駆け出しのボクサーが、眼前に世界チャンピオンを見たときの驚愕に、それは、似ていた。

天才を、見たのだ。

それ以降、充は、その少年――桐山和雄に仕えることになった。試すまでもなかった。桐山和雄は、自分が一対一なら、と思ったその相手を、四人まとめて片づけたのだ。そして、王は一人でいいし、そうでないものは、それを助けるべきなのだった。これは、彼がもうずっと前に決めていたことだった。というのは、彼が愛読していた少年マンガでは、そういうことになっていたので。

桐山和雄は、不思議な男だった。

一体どのようにしてあのようなケンカの方法を身につけたのか――。充が訊くと、「習ったんだよ」とだけ言い、それ以上何を訊いても答えようとはしない。それで、小学校にいたころはさぞ名前が売れてたんだろうと水を向けると、いや、そんなことはない、という。じゃあもしかして空手かなんかの大会で優勝を？　――それもナシ。また一方、充が初めて会ったその日も、勝手に美術教室に入り込んで、絵を描いていたのだ、と知った。なんでまた？　充が訊くと、桐山は、ただ、「そうしてみようかと思ったんだ」と答えた。そんな、ちょっと不可思議なところも含めて、桐山は、充を惹き付けた（なお、その絵は美術教室から見た誰もいない中庭の風景で、中学一年生が描いたとはとても思えない出来栄えだったが、充がそれを目にすることはなかった、桐山が描いた後すぐクズカゴに捨ててしまったので）。

とにかく、充は、桐山をいろんなところへ案内した。小さな町、仲間のたまり場の喫茶店や、盗んできたものをストックしてある秘密の場所や、ちょっとやばいものも売ってくれる怪しいバイヤーのところや――。自分はどちらかというとケンカ専門だったのだが、まあ、とにかく、知っている限りのところだ。桐山は、いつも静かな表情で、しかし興味はあるのか、ついてきた。そのうちに、あの日たたきのめした連中以外の上級生や、他の学校の連中や、あるいは高校生とも、ぶつかる場面に出くわすことになった。

桐山は、そのことごとくを一瞬のうちに地に這わせた。充はもう、桐山に夢中になっていた。それは一種、そう、チャンピオンボクサーを育てるトレーナーの喜びに似ていたかも知れない。

しかも、桐山はそれだけではなかったのだ。頭はいいし、何をやらせても秀（ひい）でていた。酒屋の倉庫やなんかに盗みに入るときにも、実に鮮やかに計画を立て、そして、実行してみせた。桐山のおかげで、充は何度も窮地を救われもした（桐山と一緒にいるようになって警察にパクられたためしがない）。おまけに、親が県内、いや中国四国地方一帯でもトップクラスにランクされる企業の社長だということらしかった。こわいものなしだった。充は、本当に、王に生まれついた男がいるのだ、と思った。きっとこいつは、将来、すごいやつになる――俺の想像もつかないような、すごいやつになる――と。

ただ、そんなふうに自分たちのグループの首領に桐山を据え、いろんな悪さを繰り返しながら、一度だけ、桐山にこんなことをさせていていいのだろうか、と思ったことがある。桐山は自分の家（屋敷だ、はっきり言って）に充たちが入ることだけは拒み続けたので（はっきりそうは言わなかったが、雰囲気でそれと察せられた）、桐山の親が一体桐山の行動を知っているのかどうかもわからなかったが、どう考えてもお坊っちゃんの桐山に、悪いことばかり教えるのはまずいのではないか、と。充は、迷った末、それを口に出した。

しかし、桐山は、「いいんだ。こういうのもおもしろいんじゃないか」と言っただけだった。それで、充も、納得することにした。

とにかく――そんなこんなで、自分と桐山は、ずっと一緒にやってきたのだ。王と――よき参謀として。

だからこそ、ことこういう事態に至っても、ほかのクラスメイトならいざ知らず、桐山と自分たちファミリーのメンバーが殺し合うなどということは考えられなかった。だからこそ、桐山も自分たちにメモを渡したのだ。桐山のこと、既に今の状況にどう対応すべきか、頭の中ではとっくに計算されているに違いなかった。あの坂持をどうやって出し抜き、ここから逃げ出すのか。桐山和雄が本気になったら、政府なんてメじゃないはずだ。

——そんなふうに考えながら、分校を出て南へ約二十五分ばかり進んでくるうち、一度だけ、人影を見た。分校の南東にあったごちゃごちゃした集落の方へ消えたそれは、恐らく倉元洋二(男子八番)だったのではないかと思う。もちろん、緊張しなかったわけはない。出発した分校の外、既に天堂真弓と赤松義生が死んでいるのを見たのだから。ゲームは始まっているのだ。

しかし、充は、とにかく桐山との約束の場所に急ぐことにした。ほかのやつのことなんて、どうでもいい。要は、自分たちがこれから逃げ出すことだった。

南へ向かうに連れて遮蔽物が少なくなり、充の体と心はますます張り詰めていた。今や学生服の下、全身を冷や汗が濡らし、やや短いパーマをかけた髪の中からも、額に汗が流れ出していた。

少し先で海岸線が向かって右、西へ向かって湾曲しており、そのカーブの途中に、ごつごつした岩が山の方から東へ突き出して、海の中に没していた。恐竜だか怪獣だかが背中だけ出して埋まっているかのようだった。岩は充の身長よりもだいぶ高く、その向こうは見えない。顔をちらっと海に振り向けると、横たわる暗い水の連なりの向こうに、島や——あるいはもっと大きな陸地を示す小さな明かりがいくつも見えた。恐らく、これは瀬戸内海のどこかの島——それだけは間違いなかった。

充は慎重に辺りを見回してから、砂浜と林の境界線を離れ、月明かりの下に身をさらして、岩場に歩み寄った。きつい傾斜を示す岩にとりつき、登り始めた。岩は冷たい、なめらかな感触で、右手の拳銃と肩の荷物が邪魔になって登りにくかった。

苦労して岩の上まで上がると、岩の幅はわずかに三メートルばかりで、さらに向こうには、また砂浜が広がっているのがわかった。充は岩の向こうに降りようと足を踏み出しかけた。

「充」

背後から突然声がかかり、充は一瞬飛び上がりかけた。反射的に振り返りながら右手の銃を持ち上げかけ——

ほうっ、と息をついた。銃口を、下ろした。

盛り上がった岩の陰に、桐山和雄がいた。岩のでっぱりに腰を落として。充は「ボス——」と、安堵の声を出した。

だが——

充はその桐山の足元、三つの塊が転がっているのに気づいた。

闇に目をこらそうとし——すぐにその目を見開くことになった。

その塊は、人間だったので。

仰向けになって天をにらんでいるのは笹川竜平（男子十番）、横向きに体を曲げて横たわっているのは黒長博（男子九番）、紛れもない、充と同じ、桐山ファミリーのメンバーだった。もう一人はセーラー服の女で、俯せになっていてよくわからなかったが、どうやら金井泉（女子五番）であるらしかった。そして、——三人の体の下には、水たまりがあった。黒く見えるけれど、充にはもちろんわかった、陽の光の下で見たら、その水たまりは大東亜共和国の国旗に使われるのと同じ、クリムズン・レッドなのに、違いなかった。

充は何が何だかわからないまま、震え上がった。一体——一体これは——

「ここが南の端だ」

桐山はオールバックの髪の下から、いつもの冷静な目で充を見上げた。試合後のボクサーがガウンをまとうように、学生服の上着を、袖を通さず肩から羽織っていた。

「こっここ、こいつは——」充のあごががくがく震え、それが声に伝わった。「こいつは、い一体——」

「これかい？」桐山はごくごくプレーンな（しかし上等な）ストレイト・チップの革靴のつ

ま先で、手近にあった笹川竜平の体をちょんと蹴った。自分の胸の上にあった竜平の右腕がぶうんと二の腕の長さの半径の弧を描いて、ぴしゃっと水たまりに落ちた。小指と薬指が水たまりの中に入って、見えなくなった。

「俺を殺そうとしたんだよ。黒長も——笹川も。だから俺が——やったんだ」

まさか——。

充は耳を疑った。黒長博は特に何の能もない、ただグループにくっついているだけのやつだったし、それだけに桐山和雄には絶対の忠誠を誓っていた。笹川竜平はやたら虚勢を張りたがるちょっと粗暴なやつだったが（ときどき赤松義生辺りのケツを蹴りたがるのを止めるのに苦労した）、しかし、一度弟の万引きが見つかったときに桐山のコネで警察に手を回してもらって以来、桐山にはひどく感謝していたのだ。その二人が桐山を裏切るというようなことが——

そのように考える充の体の周りに、気がつけば、ものすごい、ねばねばしたものがまとわりついていた。血だ。血の匂いだ。あの分校の教室で嗅いだ国信慶時の血の匂いよりも、それは数段凄まじかった。量が違うのだ。多分、風呂桶いっぱいぐらいの血がここにはぶちまけられているに違いなかった。

その匂いに気圧（けお）されるように、充はがくがく頷いていた。確かに——そうだ、一人の人間が何を考えているかなんてわかったものじゃない、それに、黒長も笹川も、自分が殺されるかも知れないという状況で、頭がおかしくなったのかも知れない、要するに、連中はそれだけの小物だったのだ。この約束の場所に現れはしたが、不意をついて桐山を倒そうとしたのだ。

だが——もう一つの死体に、充の目がくぎづけになった。俯せに転がっている金井泉は、小柄な、かわいらしい女の子だった。町議の娘で（まあ、この極端な中央集権官僚国家で町議、町評議会議員というのは何の実権も無いただの名誉職だが）、町内でも、桐山ほどじゃないにせよ、五本の指に入るぐらいの金持ちのお嬢さんだった。しかし、気取ったところはなく、充自身、ちょっとかわいい女だな、と思ったことすらある。もちろん、身分違いの恋に身を焦がす、なんてことをするほどばかではなかったが。

その金井が——

充は、何とか口を動かした。

「そ、その、ボス、その——金井は——」

桐山の、冷たく冴えた目がじっと自分を見ていた。その視線に気圧され、充は自分で回答を探し出した。

「か、金井も——金井もボスを殺そうとした——のかい？」

桐山は頷いた。

「たまたまここにいたんだ、金井は」

充は少し躊躇したが、しかし、もしかしたらそういうことだってないわけじゃない、と自分を無理やり納得させた。現に、ボスがそう言ってるじゃないか——。

すぐに勢い込んで言った。

「おっ俺は大丈夫だよ、ボスを殺そうなんて思ってない。こ、こんなろくでもないゲームなんてクソくらえだ。坂持とあの専守防衛軍の連中をやるんだろう？　やるぜ、俺は——」

もちろん、〝禁止エリア〟とやらのおかげで、もうあの分校には近づけない。坂持がそう言った。しかし、桐山のこと、それに対処する方法ぐらいは既に考えているはずだった。

しかし、充は、言葉を止めた。桐山が首を振っているのに気づいたのだ。

口の中、妙にねばつき出した舌を動かして、続けた。「じゃ、じゃあ脱走するんだな、ここから？　いいぜ、船を探して——」

桐山が「聞いてくれるかな」と言ったので、充はまた言葉を切った。

桐山が、それで、続けた。

「俺は、どっちでもいいと思っていたんだ」

そのようにそれは聞こえたが、充は、また目をしばたたかせざるを得なかった。桐山の言う意味がわからなかった。桐山の目の表情を読み取ろうとしたが、それは顔にできた影の中、相変わらず静かに光っているだけだった。

「——ど、どっちでもいいって?」

桐山は少し首を伸ばすようにあごを夜空へ向けて持ち上げた。月が明るく輝いていて、端正な桐山の顔に微妙な陰影をつくった。

その姿勢のまま、桐山が言った。「俺には、時々、何が正しいのかよくわからなくなるよ」

充にはますますわけがわからなかったが、そこまで聞いたとき、全く別のあるものが、頭をかすめた。何かが足りない、という感じ。

そして、その正体に気づいた。

自分や、そしてそこに転がっている笹川や黒長と同じ、ファミリーの一員のはずの、月岡彰(男子十四番)が、いなかった。自分より先に出たはずのあいつが——なぜ——もちろん、月岡彰は脅えてここまでたどり着くのに手間取っているだけかも知れない、あるいは、もしかしたら、ここまで来る間に誰かにやられたのかも知れない、しかし——その事実は、極めて不吉な感じがした。

桐山が続けていた。「今回もそうだ。俺にはわからない」

言葉を吐き続ける桐山は、不思議にとても、哀しそうに見えた。

「とにかく」

桐山が充に向き直った。そしてそこから、桐山の口調が、どこかにアレグロのサインでも見つけたようにこころなしか早まっていったのだ。

「俺はここに来た、金井がいた、金井は逃げようとした、俺はとりあえず金井をつかまえた」

充はごくりと唾を飲んだ。

「そこで俺はコインを投げたんだ。表が出たら坂持と戦う、そして——」

桐山の言葉が終わらないうちに、充はようやく気づいていた。

まさか——そんな——

信じたくはなかった、そんなことはないはずだった、桐山は王であり、自分はそのよき参謀であったのだから。それは永遠に変わらない忠誠と、そして恩寵であるはずだったのだから。そう——桐山の今の髪型——オールバックのその髪型だって、自分のあの日の指の骨折が癒えたそのころ、桐山に勧めてそうさせたのだ。「その方がいいよ、コワそうでさ、ボス」。そして、桐山は、ずっとその髪型を変えていない。それは、つまらないことではあるけれども、しかし、充にとっては、自分と桐山の関係を示す一つの象徴だった。

だが――充はようやく気づいたのだ、もしかしたら、桐山は、もっと別の髪型にするのがただ、めんどうなだけだった、のではないのか？　ほかにいろんなことを考えるあまり、そんなことには特に構わなかっただけではないのか？　いや、それだけじゃない、確かに自分たちと桐山はずっと一緒に行動し、自分はそれを一種神聖なチームスピリットだと思っていたけれど、桐山にとっては、それは、ただの気慰みか、あるいは〝ただの〟――そう、ただの経験、何の感情も伴わない、ただの経験に過ぎなかったのではないか？　そう、桐山自身がいつか言ったではないか、こういうのもおもしろいんじゃないか、と。

今、充の脳裏に、随分前からたった一つだけ気がかりだったことが蘇っていた。それはずっと、大したことではないと思って、ずっと心の隅っこで埃をかぶらせていたことだった。

つまり、

彼は、桐山和雄の笑顔を一度も見たことがなかったのだ。

充の次の思考は、さらに核心に迫っていたかも知れない。

――そして、確かに頭がよくいろんなことを考えているふうに見えた、いや、それはその通りだと思う、しかし、その心の奥、実は、自分などには想像も及ばない深い闇が、あったのでは、ないだろうか？　いや、それは、闇というのもふさわしくない、全くの無、何もない空間――が――

あるいは、月岡彰は、もしかしたら、そのことに、気づいていたのだろうか。

もう、そこまで充の思考が及ぶ余裕はなかった。充の全神経は、右手に提げたワルサーPPK、その引き金にかかった人差し指（そう、あの日折られたそれ）に集中していた。

潮風が舞い、血だまりから立ち上る匂いがそれに混じった。打ち寄せる波の音が、続いていた。

充の右手の先、ワルサーPPKの銃口がぴくりと動き――しかしそのときにはもう、桐山が、肩から羽織った学生服を揺らしていた。

ぱらら、と小気味よい音がした。もちろん全く音の質は違うが、一分間に九百五十発のスピードで火薬を発火させるその音は、一種、骨董屋で見つかるような昔風のタイプライターに感じがよく似ていた。金井泉、笹川、黒長の三人はナイフで絶命していたので、それは、このゲーム開始以来、島に初めて響いた銃声となった。

充はまだ立っていた。学生服の下、よく見えなかったが、腹から胸にかけて、四つの、指が入るぐらいの穴が開いていた。一方の背中側には、缶詰でもしまっておけそうな大きな穴が、こちらはどういう加減か、二つ、開いていた。ワルサーPPKを握った右手は、腰の辺りで揺れていた。目はどこか、北極星の辺りを見つめていたが、月明かりのさやかなその日は、多分その星は見えはしなかった。

カステラか何かの箱に握りをつけただけのような無骨な金属の塊――イングラムM10サブマシンガンを手中にした桐山が言った。「裏が出たら、このゲームに乗ると――」

その桐山の言葉を待っていたように、充がどっと前のめりに倒れた。体が完全に水平になった後、頭が岩にぶつかって、一度だけ、五センチばかり跳ね上がった。

桐山和雄は、しばらくじっと座っていた。それから、すっと腰を上げると、沼井充の死体に近寄り、弾痕がうがたれたその体に、左手指の先でそっと触れた。何かを確かめるように。

ただし、彼が何かを感じていたわけではない。良心の呵責だとか、哀惜だとか、同情だとか――それらの感情の何一つ、感じていたわけではない。

彼は単に、銃弾が入った後の人間の体について、知りたかった――否、〝知るのも悪くないと思った〟のだ。

ほどなくその指を戻し――それから、桐山和雄は、その同じ指をつと左のこめかみ――正確にはその少し後方へ、上げた。知らないものであれば、それは単に、オールバックの髪のほつれを直しているように見えたかも知れない。

しかし、そうではなかった。それはある奇妙な感覚――痛みでもない、痒みでもない奇妙な感覚であって、それがほんのときたま、年にほんの数回ばかり生じた際に反射的にそこに触れてしまう指先の感触とも対をなして、桐山本人にはなじみ深いものだった。

ただ――〝親〟の施した徹底的な特殊教育のもと、この歳にして、既におよそ世界中のほとんどありとあらゆることを知っていた桐山も、その感覚の原因だけは、知らなかった。無理もなし、そこにあった傷は桐山が自分で鏡を見てみるころにはほぼ完全にその痕跡を消していたし、即ち、自分がなお母親の胎内にあったころ、その傷を生ぜしめたある特異な事故によって自分が死にかけたことも、無論それで母親の方は即死したことも、月満ちる寸前だった自分のその頭蓋に食い込んだ鋭利な破片をめぐってある高名な医師と父親が交わした会話も、あるいは、父親も、そして完璧なオペを遂行したと自負したその医師も与かり知らぬところ、その破片が抉り取ったほんの微細な神経細胞のひと塊のことも、今は昔の話。医師はほどなく肝臓を患って死に、父親、つまり彼の〝本当の父親〟もこれまた複雑な事情から今はこの世におらず、彼にそうしたことごとを話してくれる者は、もはや誰もいなかったのだから。

ただ、一つだけ確かなことがあるとすれば、――桐山本人には当たり前のことだったし、彼本人がそれをそのように特に認識したわけではないにせよ、いや、そういう認識そのものが不可能だったとも言えるのだが――こういうことだ。

彼、桐山和雄が今、沼井充を含めた四つの死体を前に良心の呵責だとか、哀惜だとか、同情だとか、それらの感情の何一つ、感じているわけではなく――いやそもそも、そのように

〝生まれ落ちた〟ときからこれまで、彼が何かを感じるなどということがありえた例しは、なかったと。

【残り34人】

12

桐山らとはちょうど反対側、島の北端は、切り立った崖が海へ向かって落ち込む急峻な地形だった。高さはざっと二十メートル。崖の上には小さな広場が開け、生え放題の草が冠のように覆っている。打ち寄せる波の音が崖を伝い登り、波のかけらが小さな霧となってかすかな風に舞っていた。

小川さくら（女子四番）と山本和彦（男子二十一番）は、その草に覆われた崖の端に、並んで腰を下ろしていた。月明かりが二人を照らしている。二人の脚の膝から下は、ぶらんと崖の下へ向かって投げ出されていた。さくらの右手と和彦の左手が、そっと重ね合わされていた。

二人の周りには支給のデイパックと荷物が転がっていた。二個の磁石も。桐山らが島の南端で待ち合わせたのと同じように、さくらが和彦に握らせた紙片には（〝私たちは殺し合いをする〟の隣に）〝北の端で〟とあったのだった。この場合、桐山らと方角がかちあわなかったのは、一応幸運だったということになるのだろう、少なくとも、二人は二人きりで話し合う時間を持つことができた。和彦のズボンのベルトにはコルト社の３５７マグナムリボルバーが差し込まれていたが、和彦は既にもう、それを使うこともないという予感がしていた。

「静かね」

さくらが呟いた。女の子にしてはかなり短く切り詰めた髪の下、広い額に始まる美しい横顔のラインがそっと笑顔をたたえているように見えた。背が高く、全体にスリムな印象の体、いつものように背筋がすっと伸びている。さっき和彦がようやくそこにたどり着き、二人がしばし抱き合ったときには、その体は傷ついた小鳥のように小刻みな震えを伝えてきたのだけれど。

「ああ、そうだな」と和彦は答えた。少し鼻梁が太い以外は端正に整った顔をまた、さくらから前方に戻した。月明かりの下、黒々とした海が広がり、その中に点々とさらに黒い島影が、そしてその向こうにはもっと大きな陸地がうかがえた。島にも陸地にもきらきらと明かりが灯っていた。大きな陸地は多分、本州の方だと思う。午前三時半、少し前。闇の中に浮かぶ光のその狭間では、さまざまな人たちの安らかな眠りが続いているに違いなかった。

あるいは、夜更かししている自分たちと同年輩の受験生もいるかも知れない。そんなに遠くには見えなかったが、しかしもはや、今の二人には手の届かない世界だった。

和彦は少し手前に視線を引き寄せ、島の沖合い二百メートルほどのところに小さな黒い点があるのを認めた。どうやらそれは、坂持が言っていた〝逃げ出した人を撃ち殺す大事な役目の船〟らしかった。普段は夜間でも船の航行がひきもきらない瀬戸内海のはずなのに、他の船影が発する光は周辺には全く見えない。政府が航行制限をしているのだろう。

悪寒がしたが、和彦はその黒い点から目を引きはがした。自分が分校を出るとき、天堂真弓と赤松義生の死体を見た。さらには、ここにたどり着くまでに、どこか遠く、銃声のようなものすら聞いた。ゲームは始まっており、それは最後まで続くだろう。そのことも先程さくらと話したけれど、しかしそれも、もうどうでもいいような気がした。

「これ、ほんとにありがとう」

さくらが和彦とつないでいる手とは反対側の手に握った小さな小さな花束を見つめて言った。和彦がここにたどり着く途中で見つけて適当に手折ってきた、シロツメクサか何か、そんなふうな花の何本かだった。ひゅうと細い茎の上にチアガールのポンポンみたいに小さな花弁が密集している。あまりぱっとした花ではないが、とりあえずこれしかなかったのだ。

和彦は笑ってみせた。「どういたしまして」

さくらはその小さな花束にしばらく目を落としていたが、そのうちに、言った。

「私たち、もう二人で一緒には帰れないのね。もう、二人で街を歩いたり、アイスクリームを食べたり、できないのね」

「いや――」

和彦が言いかけるのを、さくらが幾分強い調子で遮った。「抵抗できないのよ。私はよく知ってるの。私のお父さんは政府のやり方に反対していたらしいわ。そしてある日――」

さくらの体がぶるっと震えるのが、つないだ手を通して和彦に伝わった。

「警官が来て、お父さんを殺したわ。逮捕状とか、そんなんじゃなかったわ。何も言わずに、ただ撃ち殺したの。今でも憶えてるわ、うちの狭い台所の中だった。小さな私はテーブルについていたの。お母さんが私を抱き締めていた。そして、それからずっと、私はそのテーブルでご飯を食べ続けて、大きくなってきたの」

さくらが和彦の方に顔を向けた。

「抵抗なんてできないのよ」

付き合って二年を過ぎるけれども、初めて聞く話だった。ほんのひと月前、その、まさにさくらの家で初めて体を合わせた後も、さくらはそんな話はしなかった。

和彦は、ほかに言うべきことがあるのかも知れないと感じながらも、言った。我ながら陳腐なせりふ。

「つらかったね」

しかし、さくらは思いがけなく、小さく、にこっと笑った。

「優しいね。和くん、ほんとうに優しいんだ。私は、和くんのそういうところが、とても好きよ」

「俺だって君が好きだ。めちゃくちゃ好きだよ」

和彦は、もし自分がこんなにも幼く、口べたでもなかったなら、そのことについて説明したかった。さくらの表情や言葉、あるいは優しいしぐさ、一点の汚れも無い美しい魂がどんなに自分に響いたか。彼女の存在それ自体が自分にとって大切なものとなっていたか。でも、うまく言えそうになかった。彼は何といってもまだ中学三年生に過ぎなかったし、ことに国語の点数はよくなかったのだ。

「とにかく」さくらが目を閉じ、少し、ふっきれたように息を吸い込んだ。吐いた。「私はあなたに会っておきたかったの」

和彦は黙って聞いていた。

さくらが続けた。「これから、恐ろしいことが起こるわ。いや、さっきのあなたの話だと、もう始まっているのね。昨日までみんな友達だったのに、――殺し合うのね」

さくらが自分でそう口にして、またぶるっと震えた。さくらの手から和彦の手へと、再びそれが伝わった。

さくらはその和彦に、恐れと——あるいは自分たちを見舞ったこのろくでもない運命への皮肉が入り交じったような、複雑な感じの笑みをみせた。「私は耐えられない、そんなのは」

そうだ、もちろんそうだろう。さくらは、とても優しい女の子だった。和彦が知っているどんな女の子よりも、そうだった。

「それに——」さくらがまた口を開いた。「私たち、もう二人一緒には帰れないわ。万一私たちのどちらかが帰れるとしても、一緒には帰れないわ。それで私は——たとえ万一私が生き残っても、あなたがいないなんて耐えられない。だから——」

さくらはそこで言葉を切った。和彦には、さくらが何を言おうとしたのかわかっていた。だから、死ぬわ、私。ここで。誰にも邪魔されないうちに、あなたの前で。

さくらはその先は言わず、代わりに「でもあなたは生きて」と言った。

和彦は苦笑いし、それからぎゅっとさくらの手を握って、首を振った。「そりゃひどいぜ。俺も同じだ。たとえ俺が生き残っても、君がいないなんて耐えられない。俺をひとりぼっちにしたりしないでくれ」

それで、和彦の目を覗きこむさくらの大きな目から、ふいにぽろっと涙がこぼれた。

さくらは和彦から顔をそむけ、シロツメクサの花束を握った左手で目を拭うと、ちょっと唐突なことを言い出した。

「この間のあれ、見た？　木曜九時のやつ。『今夜、いつもの場所で』最終回」

和彦は頷いた。民放のＤＢＳ系のドラマで、この大東亜共和国のテレビ局がつくるドラマのこと、たわいもないラブストーリーではあるのだけれど、でも、中々よくできた話で、ここ数年ではダントツの高視聴率をとったらしかった。

「ああ。見たよ。さくらがイチオシで見ろっていったじゃんか」

「うん。それで、あのね、――」

さくらが言うのを聞きながら、和彦は思った、ああ、こういうのは、いつも自分たちが話していたことだ。ごくありふれた、無意味な会話だが、それでもとても幸福だった。さくらは――最後までいつもの二人でいたいんだな。

そう考えると、和彦も不覚にも泣きそうになった。

「それで、主役の二人が結ばれるのはいいのよ、お決まりなんだから。でも、美樹の友達のみずえって子が――北川安奈がやってる役よ。みずえがどうして好きになった人のこと追いかけなかったのかって、私そこだけが不満だったな。私だったら、絶対あそこで追いかけてた」

　和彦はにやっと笑ってみせた。

「さくらならそう言うだろうと思ってたよ」

　それで、さくらも、照れたようにふふっと笑った。

「和くんには何でもばれちゃうね」

　さくらはそれから、とても幸福そうに言った。

「私、中学に入って、初めて和くんと同じクラスになったときのこと、今でも憶えてるの。あなたは背が高くて、かっこよくて、でも、それ以上に思ったわ、この人はきっと、私をわかってくれる人だって。私のことを、心からわかってくれる人だって」

「俺、うまく言えないけど」

　和彦は、唇を口の中にちょっと巻き込み、考えた。続けた。

「うまく言えないけど、同じように感じていた、多分」

　うまく言えた。

　それから、少しさくらの方に体を傾けた。左手はさくらの右手とつないだまま、右手をさくらの肩に伸ばした。

　二人は体をそのまま寄せ合って、口づけを交わした。ほんの数秒、いや、数十秒だったのか、いや、あるいは永遠？

それでも、二人は唇を離した。二人の耳に、がさっという音が、届いていた。背後の茂みから。明らかな人の気配。そして、それは合図だった。お客さん、もう列車が出ますよ。早く乗ってよね、ほんと。

もう言うべきことはなかった。そう、抵抗することもきっとできるだろう。銃を握り、背後の何者かに立ち向かうこともできるだろう。でも、それは彼女が望んでいることじゃない。彼女が望んでいることは、くそやくたいもない殺し合いに巻き込まれる前に、静かにこの世界から消えることだ。彼女は、彼にとって何より大切なものだった。もはや何ものとも引き換えにできなかった。その彼女の震える魂が、望んでいる、だったら自分はそれに従う。彼にもうちょっと作文の能力があったら、それを、〝彼女の価値観に殉じるのだ〟というように認識したかも知れない。

二人の体が、断崖の向こう、黒々とした海を背景に、空に躍った。手をしっかりつないだまま。

茂みの中から半分だけ顔を突き出し、内海幸枝（女子二番）は、息を呑んでその光景を見守った。彼女には、誰かを、少なくとも自分の方から傷つけようなどという気は毛頭なかったので、自分が立てた物音が二人に出発時刻を知らせたなどということは、思いもよらなかった。ただ、クラスで一番のカップル、その二人の体が、並んで、草に覆われた崖の向こうに消えるのを、茫然と見送っていた。切り立ったその岩壁に波が打ち寄せる音が静かに続き、ゆるやかな風に吹かれて、さくらの手からこぼれたシロツメクサの小さな花が草の上を転がった。

背後から、谷沢はるか（女子十二番）が「どうしたの、幸枝？」と訊くのが聞こえても、幸枝は、しばらくただ、震えていた。

【残り32人】

13

江藤恵（女子三番）は、闇の中に座り込み、膝を抱えて小柄な体をがたがた震わせていた。島の東岸沿いにあるこの島唯一のまとまった集落の外れ近く、一軒の家屋の中だ。電灯は点けられるのかも知れないが、恵はもちろんそんなことを試みはしなかった。恵が身を隠している古びたキッチンのテーブルの下は、窓から射し込む月明かりも届かず、ほとんど真っ暗闇に近かった。その暗さの中では腕時計も確認できなかったが、恵がそうしてそこに腰を落ち着けてから、恐らくもう、二時間ぐらいは経っている。午前四時近くだろうと思えた。遠く小さく、何か花火のような音が聞こえたのは、もう一時間ほど前になるだろうか。だが、恵は、それが一体何であったのかなど、考えたくもなかった。

顔を上げると、窓際に近いところにある流し台の上、食器棚やケットルが並んでいるのが月明かりでシルエットになって見えた。ここに住んでいた人たちはきっと、政府がどこかの仮設住宅にでも押し込んだんだろう。それはわかっているのだけれど、家の中にまだ漂っている生活の気配は、どこかしら不自然で不気味だった。小さいころ聞いたあの海の怪談――食事や何かをそのままに忽然と乗組員全員が消えてしまったマリー・セレスト号の話を思い出し、恵はあらためてぞっとした。

出発した直後、彼女は自分がどちらへ走っているかもわからない状況だったが、気がつくと集落の中に紛れ込んでいた。とっさに考えたのは、まだ出発している人間はそう多くはないということだった。自分は六番目にあの分校を出た。五人が先に出ているが――たった五人だ。ざっと五、六十軒はあると見える集落の中、どこかの家に飛び込んでも、出くわす可能性はほとんどないだろう。そしてカギをかけて言わば籠城してしまえば――少なくとも、例の禁止エリアとやらの件で動かざるを得なくなるまでは、安全でいられる。〝エリアに入ると爆発する〟という首輪の存在は重苦しかったが、それはいかんともしがたかった。坂持がこうも言ったのだ、〝外そうとしても爆発しますよ〟。とにかく、重要なのは、禁止エリアとその時間を告げる坂持の定時放送を聞き逃さないことだった。

そう考えて手近な家屋に入ろうとした恵だったが、一軒目はカギがかかっていた。二軒目も同じだった。三軒目に至って結局、裏庭のサッシ戸を転がっていた石で割った。あんまり大きな音がしたので思わず縁側の下に伏せたが——誰も近づいてくる気配はなかった。中へ入り、その戸だけはカギをかけても仕方がなかったので、苦労して雨戸を閉めた。閉めて真っ暗闇になったその瞬間も、たちの悪いおばけ屋敷に紛れ込んだような気分になったが、それでも支給の懐中電灯を持って家の中を探し、しっかりした釣竿を二本見つけて、それで雨戸につっかい棒をした。

そして今、キッチンのテーブルの下にいる。殺し合いなんて、とてもできない。けれどもし——もし、ここ（地図で確認すると、この集落のほぼ全体がH＝8というエリアに含まれていた）が最後まで禁止エリアに含まれることがないならば、自分は生き残れるかも知れなかった。

しかし——。恵は、相変わらず体を震わせながら、考えた。それは、とても恐ろしい。もちろん——このゲームのルールでは全員が敵だし、誰をも信じられるかというと、とてもそんなのは無理だ。だからこそ、ここで自分は震えている。——けれど、けれど、そのとき、ゲーム終了の笛が鳴ったとき、もし自分が生き残っていたとしたら、当然、後のみんなは死んでしまったということになるのだ。親しい何人かの友達（稲田瑞穂や南佳織だ）、あるいは恵がその顔を思い浮かべるたびどきどきする、七原秋也すらも。

恵は闇の中、膝を引き寄せて秋也のことを思った。一番恵をとらえたのは、秋也のその声だった。少しかすれた、高くも低くもないトーン。彼はほんとうはロックとかいう禁止されている音楽が好きらしく、音楽の時間、政府や総統を持ち上げる歌を歌っているときにはとても不満そうな表情だったけれど、それでも、その歌のうまさは格別だった。アドリブでギターを奏でるその音ときたら、恵が聞いたこともない、体が自然に踊りだすようなリズムで、それにもかかわらず、何か美しい教会の鐘が鳴っているような軽やかさだった。そしてウエーブのかかった長めの髪（「ブルース・スプリングスティーンの真似なんだ」と秋也はいつか言っていたが、恵には何のことだかさっぱりわからなかった）、少しねぼけたような感じの（かわいらしい猫みたい、と恵は時々思った）二重の優しい目。小学校のころリトルリーグの中心選手だったというだけあるしなやかな身のこなし——。

秋也のその顔や声を思っていると、少し体の震えが止まった。ああ、今、七原秋也がそばにいてくれるのなら、どんなにいいだろう——。

そして——そして、自分はなぜ、秋也に想いを告げておかなかったのだろう。ラブレターで？　どこかに来てもらって面と向かって？　それとも電話ででも？　今となっては、それすらかなわない。

そこまで考えて、恵の頭に何かが引っかかった。

電話。

そう、坂持が言っていた、家に入っても電話は使えないぞ、と。しかし――

恵は慌てて、支給のデイパックと並べて置いてあった自分のナイロンバッグを引き寄せた。ジッパーを開き、必死で着替えや洗面用具をかき分けた。

手の先に、四角い、硬いものが触れた。引き出した。

携帯電話だった。恵の母親が、旅行中に何かあったら困るしと（何かあったどころじゃないが）、これを機会に買い与えてくれたのだ。確かに、クラスでも一人か二人だけが持っている携帯電話は羨ましかったし、何か自分だけの秘密の通路を手に入れるというような感じは心躍るものでもあったが、一方で、恵は、前々からどうにもうちの両親は過保護なんじゃないかと思っていたし、ママは心配性だなあ、中学生にこんなの要らないのにとも思いながら、ぴかぴかのその電話をバッグの奥へと詰め込んで、今の今まですっかりその存在を忘れていたのだった。

恵は震える手で電話のフリップを引き開けた。

自動的に着信待機状態から発信待機状態に切り替わり、小さな液晶のパネルとダイアルボタンに、ぼう、と緑色の明かりが灯った。その明かりで恵には自分のスカートの膝や荷物が見えたが、それより何より、まごう方ない、パネルには、通話可能を示すアンテナと電波のマークがきちんと表示されているではないか！

「ああ——神様——」

恵はもどかしくダイアルボタンを押した。城岩町の自宅の番号。0、8、7、9、2、——。

一瞬の沈黙の後、電話に押しつけた恵の耳に呼び出し音が届いてきた。恵の胸に希望が膨れ上がった。

一回、二回、三回。早く出て。パパでも、ママでもいい。そりゃあ非常識な時間だけど、娘がとんでもないことになってるのは知ってるはずよ、早く——。

ぷつっと音がして、『もしもし』という声が聞こえてきた。

「ああ、パパ！」

恵は窮屈な姿勢のまま目を閉じた。安堵でほとんど気が狂いそうだった。あたしは助かる、助かるんだ！

「パパ！　あたし！　恵！　ああパパ！　助けにきてほしいの！　パパ、助けに来て！」

ほとんど錯乱状態で電話に向かって喚き続けた恵だったが、相手が何も言わないのでふと我に返った。何か——おかしい。何か——どうしてパパは——いいえこれは——ようやくその電話が言った。『パパじゃないよ、江藤。坂持だよ。電話、使えないって言ったろ、江藤』

恵はひっとうめいて、電話を放り出した。それから慌てて、床に落ちたその電話をほとんど叩きつけるように、通話終了ボタンを押した。

心臓がどくんどくんと脈打ち、そして、恵の胸はもう一度絶望に押しひしがれていた。ああ——だめだった——やっぱりだめだった——あたしここで——死ぬんだわ——死ぬんだわ——

しかし、恵のその心臓は、さらにもう一段階ジャンプさせられることになった。

かしゃん、という音が耳に届いてきたので。

ガラスの割れる音だった。

恵は顔をさっと音の方に振り向けた。さっき施錠をチェックした居間の方だった。誰かが来たのだ、誰かが！　どうして？　家はいくつもあるのにどうしてここに！

恵は慌てて、ぼんやりした緑色の光を放っている携帯電話のパネルを閉じた。ポケットに押し込み、デイパックの上に置いてあった支給の武器——両刃のダイヴァーズ・ナイフをプラスチックの鞘から出して握った。逃げなくちゃならない、一刻も早く。

しかし、体は硬直して動かなかった。恵はただ、息をひそめた。どうか、どうか、どうか神様、この心臓の音が聞こえませんように。

窓が開く音、また閉じる音、そしてそろそろと動く静かな足音が聞こえてきた。

足音は、しばらく家の中をあちこち歩き回っている様子だったが、やがて、まっすぐ恵のいるキッチンに近づいてきた。恵の心臓がますますどきどきと高鳴った。

細い懐中電灯の光が、さっとキッチンに射し込んだ。流しの上のヤカンや鍋の上を、その光が滑った。

ふう、と息をつく音がした。「よかった、誰もいないのね」その誰かが言った。

足音はそのままキッチンに入ってきたが、その声で、恵はほとんど恐慌状態に陥っていた。誰か親しい友達だったら、話し合えるかも知れないなどというあえかな望みは、木っ端微塵に打ち砕かれていた。なぜなら——それは、〝あの〟相馬光子（女子十一番）の声だったからだ。学校一の不良少女、愛くるしい天使みたいな顔だちをしているくせに、先生たちなんか視線一つで震え上がらせるあの相馬光子の。

恵にとって相馬光子は、いろいろ噂のあるあの桐山和雄や川田章吾以上に恐ろしい存在だった。それは、光子が恵と同じ女だったからかも知れないし、そう、二年になって初めてクラスが一緒になったとき、恵自身が光子のグループの清水比呂乃にちょっといじめられたことがあったからかも知れない。廊下で近くを歩いていたら足をかけられ転ばされたり、スカートをカッターで切られたり——。最近は比呂乃がもう恵なんかに興味をなくしたのかそんなこともなくなっていたし（それでも三年に上がるとき、クラス替えがなかったのは憂鬱だった）、光子自身は恵をいじめたりはしなかったけれど、しかし、光子はその比呂乃すら逆らえない相手なのだ。

そう——相馬光子なら、自分なんかは喜んで殺してのけるだろう。

恵の体が再び小刻みに震えはじめた。ああ——なんてこと、やめて、震えないで——音が伝わったら——。恵は自分の体を両腕でぎゅっと抱き締め、懸命にそれを押さえ込もうとした。

恵のいるテーブルの下から、懐中電灯を握った光子の手と、その光に浮かび上がったスカートの腰の辺りが見えていた。流し台の抽出しを、ごそごそ探る音がした。

早く——どうか早く出ていって——。少なくともこの部屋から出てくれたら——そう、あのおふろ場の方へ走ればいい。あそこなら中から施錠できるし、窓から逃げられる。どうか早く——。

るるるるる、といきなり電子音が響き、恵の心臓がほとんどのどの後ろまで跳ね上がった。

　相馬光子も、びくっと震えたようだった。さっと懐中電灯の光が消え、光子のスカートのラインも消えた。すっと部屋の端へ動く気配がした。

　恵は、電子音がポケットから出ているのに気づくと、慌てて携帯電話を引っ張り出した。ほとんど何を考えることもできず、反射的にフリップを開いた。ボタンをめちゃくちゃに押した。

　声が流れ出した。『えーと坂持だけど、それと江藤さ、電源切っといた方がいいよ、この電話。先生がこうやって電話したりしたらさ、江藤の居場所がほかのみんなにばれちゃうだろ？　な？　だから——』

　恵の指が通話停止ボタンを探り当て、坂持の声はぷっつり切れた。

　息苦しい沈黙が、しばし続いた。それから、

「恵？」という光子の声がした。「恵なの？　そこにいるの？」

　光子は闇に沈んだキッチンの隅にいるようだった。恵は床に携帯電話をそっと置き、ナイフだけを握り締めた。その手はなお震えていて、ナイフはまるきり自分の手から逃げ出そうとする魚か何かのように思えたが、しかし、強く、強く、握り締めた。

　光子の方が恵より背は高いが、力ではそんなに遜色ないはずだった。光子の〝武器〟は

――まさか拳銃とか――いや、それなら光子はもう、自分のいる辺りへ向けて撃っているはず、拳銃でないのなら――勝ち目はある。そうだ、殺さなければならない、殺さなければ、光子は自分を殺すに違いなかった。

殺さなければ。

かちっと音がして、再び懐中電灯の光が戻ってきた。テーブルの下に光が射し込み、恵は一瞬目がくらんだ。しかし、今だ――立ち上がり、光の奥に向かって、ナイフを伸ばせばいい。

しかし、恵のその考えは、予想もしなかった展開で唐突に中断させられることになった。懐中電灯の光が低い位置に落ち、その光の中、相馬光子がぺたんと床に腰を落として自分を見つめていた。光子の目から、涙がこぼれていた。

「よかった――」ぶるぶる震える唇がようやく動いて、その弱々しい言葉を押し出した。「あたし――あたし――とても怖くて――」

光子の声に、嗚咽（おえつ）が交じった。恵の方に救いを求めるように両手を伸ばした。その手には、武器なんか何も握られてはいなかった。

一気に後を続けた。「あなたなら、あなたなら、大丈夫ね？　あたしを殺そうなんて、そんなことしないでしょ？　ねえ、あたしと一緒に、いてくれるでしょ？」

恵は一瞬、茫然としていた。あの相馬光子が泣いている。あたしに、助けを求めている――。

ああ――。すうっと体の震えが消え去るうちに、恵の胸の中、一種形容しがたい感情の塊が膨れ上がった。

そうだ。ああ、そうだったのだ。いくら悪いと言われていたって、どんな噂があったって、相馬光子もまた、自分と同じ中学三年の女の子に過ぎないのだ。まさか相馬光子だって、クラスメイトを殺すなんて、そんな恐ろしいことをできるわけがなかったのだ。ただ、独りぼっちで、恐ろしくて恐ろしくてたまらなかったのだ。

そして――ああ、なのに、自分は考えてしまった。彼女を殺すことを考えてしまった。

自分は――自分はひどい人間だった。

その自分への嫌悪と――そして、同時に、誰かと一緒にいられるのだ、自分はもう独りぼっちじゃないんだという安堵感が、恵の胸をいっぱいにした。恵の目からも、どっと、涙がこぼれ出していた。

恵の手からナイフが滑り落ちた。床に膝を這わせてテーブルの下から出ると、差し出された光子の手を握った。胸の奥で何かの堰が切れたように、高ぶった声があふれ出した。「相馬さん！　相馬さん！」

今度は別の感情で、自分の体が震えているのがわかった。しかし、そんなことはどうでもよかった。あたしは――あたしは――

「大丈夫よ。大丈夫よ。あたし、あなたと一緒にいるわ。あたしたち、一緒よ」

「うん。うん」光子が涙に濡れた頬をくしゃくしゃにして、その恵の手を握り返した。「うん。うん」ただ、頷いた。

恵はそのまま、キッチンの床で光子と抱き合った。光子の体温が伝わり、頼りなげに震えている光子の体を腕の中に感じるうちに、罪の意識が強まった。

あたしは――あたしはほんとうにひどいことを考えていたんだ――何てひどいことを――この子を殺そうだなんて――。

「あの――」恵の口をついて、言葉がこぼれ出た。

「私――私――」

「え？」光子が涙に濡れた目を恵の方へ上げた。

恵は嗚咽をもらしそうになる唇をきゅっと引き結んで左右に首を振った。

「私――私、自分が恥ずかしいわ。一瞬、あなたを殺そうとしたの。殺そうって、思ったのよ。とても――怖かったから」

それを聞いて、光子は一瞬目を丸くしたが――しかし、怒り出したりはしなかった。ただ、涙でくしゃくしゃになった顔のまま、何度も小さく頷いた。それから、にこっと笑って言った。

「いい。いいの。気にしないで、そんな、こと。無理ないもの。こんなひどいことになって。気にしないで。ね。あたしと一緒にいてね。お願いよ」

光子はそう言うと、恵の顔を左手でまたそっと抱き締め、恵の左頰に、自分の左頰を押しつけた。光子の頰を濡らした涙が、恵の肌に伝わった。

ああ。恵は思った。あたしは何もかも誤解していたんだ。相馬光子というのは、こんなにも優しい心を持った女の子だったのだ。自分を殺そうとしていたという人間すら、いいの、と優しいひとことで許せる心を。ああ、あの、もう殺されてしまった林田先生がいつも言っていたわ、噂やなんかで人を判断しちゃいけないって。それは醜い心の人間がすることだって。

恵はそう思うとまた胸がいっぱいになった。ただ、光子の体をひしと抱き締めようとした。自分に今できるのはそれだけだった。ごめんなさい、ごめんなさい、あたしは本当に醜い人間だったわ、あたしは、ほんとうに――

ざくっ、という、レモンを切るような音が恵の耳に聞こえた。

とても、いい音だった。テレビの料理番組、真新しい上等な包丁、採れたてのレモンでなければこうはいかない。いいですか、今日はレモンとサーモンのマリネを——。

　何が起こったのか理解するまでに、二、三秒かかった。

　恵の目には、光子の右手が見えていた。自分のあごの下辺り、左側だ。そして、その手から、懐中電灯の光を鈍く撥ね返す、何かバナナのようにゆるやかにカーブした刃物が伸びていた。カマだ——稲刈りにでも使うような——。そして、その先端が自分ののどに入っている——。

　光子が恵の頭の後ろに左手をあてがったまま、右手に握ったカマをさらに奥へ押し込んだ。またざくっという音がした。

　恵ののどが猛然と熱くなり始めたが、それも長くは続かなかった。声は出ず、ただ、胸の辺りが自分の血でとても温かくなる感触を最後に、恵の意識は途切れていた。自分ののどに刃物が食い込んでいるという事態——一体それが何を意味するのかも、正確には理解しない、ままだった。最後に家族や、あるいは七原秋也の面影を思うことさえなく、恵は光子の腕の中で、事切れた。

　光子が手を離すと、恵の体が横ざまにどっと倒れた。

　光子は素早く懐中電灯を消すと、立ち上がった。うっとうしい涙を目から拭い（涙なんかいつでも流せる。得意ワザの一つだ、はっきり言って）、右手に握ったカマを窓から射し込む月明かりにかざすと、ひゅっと振って血を払った。血の雫が床に跳ねるぱしぱしという、小さな音がした。

悪くはない、滑り出しとしては——。光子は思った。それに、もっと扱いやすい包丁かなんかを探そうと思っていたのだけれど、このカマも存外悪くはない。ただ、誰かいるかも知れない家の中に入るには、ちょっと不注意過ぎたようだ。今度からはもっと用心しなければならない——

それから、恵の死体を見下ろして、ごくごく静かに言った。

「ごめんなさいね。あたしもあなたを殺そうとしていたのよ」

【残り31人】

第2部

中盤戦

14

白々と、最初の夜が明け始めていた。

七原秋也は、顔を上げて、青から徐々に白みを帯びていく空を、木立を透かして見た。ウバメガシや、ツバキや、恐らくサクラの一種や、そのほか何種類かの木の枝と葉が周囲に複雑な網目を作り出して、典子と二人、自分たちのいる場所を覆い隠してくれていた。

地図で再確認した島はおおむね丸みを帯びたひし形で、島の南北にそれぞれ山が盛り上がっている。二人がいる場所は北側の山の南寄り、西側斜面のすその方だった。地図を区切る網の目に従えば、エリアC＝4に当たるはずだ。地図は等高線のほか、集落やその他の人家(これらは薄いブルーの点で示されていた)、各種の施設（といっても診療所や消防団屯所や灯台や――そのぐらいのマークと、あとは自治会の集会場とか、漁協とか、そんなものぐらいだったが)、大小の道路が描き込まれたかなり詳しいもので、一体どこがどのエリアに当たるのかは、地形や道路、まばらに散らばった人家の位置などから、何とか判断することができた。

同時に、ここが紛れもなく地図通りの島であることも、夜のうちに山のやや高い位置から確認していた。黒く沈んだ海の中、大小の島影が点々と見え――そして、坂持の言った通り、明かりを消した見張りの船らしい影が（そちらがちょうど真西の方角だった）浮かんでいるのも見えた。

秋也たちがいる茂みからすぐ西側では、木立が途切れて急な斜面へと切れ落ちていた。その下にはちょっとした野原があって、その向こうはまた海へ向かって傾斜が続いている。夜のうちに通った野原に、小さな、床を上げた小屋のような建物があった。十メートルほど離れたところに木製の古びた鳥居が建っているのをみると、それはどうも小さな小さな神社らしかった（地図にもそのマークがあった）。正面の扉が開いていて、中には誰もいなかった。

しかし、その祠に隠れるのは、途中で見かけた他の家屋に隠れるのと同じく、やめておいた。同じことを考えるやつがいないとは限らないし――、入口が一つしかないから、誰かに気づかれたら逃げようがない。

秋也は結局、比較的海に近いその場所に、茂みに囲まれた、二人が横になれるだけの空間を見つけ、腰を落ち着けた。山の上の方が緑は深いように思えたが、多分――多くのやつがそこに集まるような気がしたし、もし敵になるやつが現れたとき、逃げるのに足元のアップダウンがきつくない方がいいと踏んだのだ。典子の脚の傷のこともある。

秋也は、直径十センチぐらいの木の幹に背を預けていた。すぐ左側に、典子がいた。秋也と同じように木の幹に背を預け、怪我をした右脚はだらんと伸ばしている。二人ともとっくに疲労困憊(こんぱい)していて、典子は、目を静かに閉じていた。

これからのことについて、秋也はいくらか典子と相談したのだったけれど、結局、大したことは思いつかなかった。

脱出のため、船を探すことをまず考えた。しかし、すぐに、それはほとんど無意味だと気づいた。海上には見張りの船がいるし、それ以上に——

秋也はまた自分の首筋にそっと手を伸ばして、〝それ〟の冷たい表面に触れた。感触自体はすっかり慣れてしまったが、自分たちを縛りつけるやくたいもない運命それ自体のように重苦しく居すわっているそれ。

そう——首輪だ。

分校にある装置が特定の電波を送ってきたら、この中の爆弾が爆発する。坂持のルール説明では禁止エリアに入ったらということだったが、もちろん、海上に逃走した生徒にそれを応用できないわけはない。むしろ、これがある限りは見張りの船など必要ないのだとすら言える。船を入手できたとしても、この首輪をどうにかしないことには脱出などとても無理なのだ。

だとすると――やはり、分校にいる坂持を襲撃して、この首輪のロックをまず解除させるしか手がない。しかし、それにしたところで、もうあの分校のあるエリアG＝7はゲーム開始直後から禁止エリアに指定されており、近づくことができないのだ。それでなくても、こっちの位置はばれている。

そんなこんなの考えをめぐらせるうちに、辺りはすぐに明るくなってしまった。陽の光のもとで、あちこち動き回ることは危険だった。何とかもう一度夜が訪れるのを待って、と思った。

しかし、もう一つ、時間切れの問題があった。〝二十四時間誰も死ななかったら〟と坂持が言ったが、秋也が最後に誰かが死んだのを見たのは、要するに自分が出発したときで、それから、もう三時間以上が経っていた。もし誰も殺し合うことなく時間が経過すれば、あと二十時間余りで自分たちはおしまいになる。脱出を考えるにしても、夜に入ってから準備したのでは遅すぎるかも知れない。皮肉なことに、ほかのクラスメイトが死ねば死ぬほど、生き延びる時間が増えるわけだが、しかし、秋也はそのことは考えたくなかった。

とにかく、八方ふさがりだった。

秋也は、三村信史と何とか合流したい、と何度も思った。あの広範な知識とそれを生かすだけの縦横無尽な知恵を持つ男なら、何とかこの状況を切り抜ける方法を考え出せるはずだった。

同時に、あのとき、赤松義生に襲われたとき、やはり危険を冒してでも信史を待つべきだったのではないかという後悔に何度も襲われた。本当に俺は正しかったのか？　あそこで〝敵〟に襲われる可能性というようなものが本当にあったのか？　赤松義生はただの例外ではなかったのか？

いや——。そんなことは、やはり言い切れはしなかった。〝敵〟はまだまだいる可能性がある、一体誰が敵だか、そんなことはわからない。果たして一体誰がマトモでいるのか、誰がマトモじゃなくなったのか？　しかし——このゲームでは自分たちこそマトモじゃないんじゃないのか？　狂っているんじゃないのか？

頭が変になりそうだった。

結局、今は、ここでじっとしているしか、少なくともしばらく様子を見るしか手がないのだ。そして何かを思いつくことができるだろうか？　あるいは、それがだめなら、夜を待って、三村信史を探すことが、——しかしそれでも、できるだろうか？　周囲六キロの小さな島とは言え、この状況で誰かを探し出すというのは容易じゃない。そして、夜になってから、〝時間切れ〟まで、果たしてどれだけの時間が残されているだろうか？

さらに、——万一（いやな言葉だ）うまく信史と合流し、あるいは自分たちだけで脱出できたとしても、自分たちは犯罪者にほかならなくなる。どこかに亡命するのでもない限り、一生逃亡生活を続けることになる。そしていつか、人通りのない路地で政府の手先に撃ち殺されるだろう。指の先は太ったネズミにかじられ始めている――。

要するに――やっぱり早めに気でも狂った方がラクなのかも知れない。

秋也は国信慶時のことを思った。自分は慶時の死を哀しんだが、この狂った状況を体験せずに済んだ慶時は実は極めて幸せだったのではないだろうか？　ほとんど絶望的なこの状況を？

いっそ自殺でもするか？　典子は心中に賛成してくれるだろうか？

秋也は顔を傾け、満ちてくる穏やかな光の中、初めて、典子の横顔をまじまじと観察した。はっきりした眉、閉じた瞳の柔らかなまつげのライン、先が丸めの、愛らしい鼻梁、ふくよかな唇。とてもかわいらしい女の子だった。慶時がいいな、と思ったのも無理はないかも知れない。

しかし、今、その顔には細かな砂がくっつき、肩より少し長い髪は、随分もつれていた。そして――もちろん、首輪だ。まるで彼女が古代の奴隷か何かででもあるかのように、その首にいやらしい銀色の首輪が巻きついている。

このくそやくたいもないゲームが、彼女の彼女ゆえの美しさを損なっている。

そう思うと、秋也はまた、にわかに、猛然と腹が立ち始めた。おかげで正気が戻ってきた。

——絶対に負けない。生き残って、こんなひどいゲームに自分たちを投げ込んだ連中にカウンターをくらわせてやる。そこらへんのカウンターじゃないぞ。右ストレートを出してきたら、バットでぶんなぐってやる。

ふいに典子がぱちっと目を開き、秋也と視線が合った。

そのまましばし見つめ合った後、典子が静かに言った。

「どうしたの？」

「いや——うん、あのさ」

秋也は自分が典子の顔をじっと見ていたということ、それに気づかれたことにまごつき、適当に何か喋ろうとした。

「——いや、変なこと言うようだけど、自殺しようなんて、思ってないだろう？」

典子は視線を落とし、笑みのように見えなくもない、あいまいな表情をした。それから、言った。

「まさか——でも」

「でも？」

典子は少し考えた様子だったが、続けた。

「――そう、もし、最後にあたしたち二人だけ残ったら、あたし、自殺したくなるかも知れないわ。そしたら少なくとも秋也くんは――」

秋也は驚いて首を振った。ぶるぶる振った。自分がちょっと口にしてみただけのいい加減な話題に、まさかそんな答えが返ってくるとは、予想もしていなかった。

「そんなくだらないことを言うなよ。そんなことは考えてもいけない。いいか、最後まで君と一緒にいる、こいつは絶対だ。絶対だぞ」

典子はそっと笑んで右手を伸ばし、秋也の左手にふれた。「ありがとう」と言った。

「いいかい、俺たち、絶対に生き残るんだ。死ぬことなんて考えちゃだめだ」

典子はまた少し笑んだ。それから、言った。

「あなたはあきらめてないのね、秋也くん」

秋也はやや力を込めて頷いた。「もちろんだ」

典子はそれで首を少し傾けると、「いつも思ってたけど、秋也くんにはプラスのエネルギーがあるわね」と言った。

「プラスのエネルギー？」

典子が笑んだ。

「うまく言えないけど――生きることに対する積極性みたいなもの。今の状況で言うと、絶対生き残るっていうその意志。それで——」かすかに笑んだまま、秋也を正面から見た。「あたしは、秋也くんのそういうところが、とても好きだな」

秋也は少し面映ゆく、「多分、俺がパーだからだよ、それは」と答えた。

それから、言った。

「あのさ、脱出できたとしてもさ、うん、俺は、いいんだ、親もいないし。だけど、君は、もう、お父さんやお母さんに——弟さんにも、会えなくなるんだ。そのこと、大丈夫かい？」

典子はまた小さく笑んだ。

「そんなことなら覚悟してる、これが——始まったときに」ちょっと間を置いて、付け足した。「あなたは、いいの？」

「何が——？」

典子が続けた。「あのひとに会えなくなっても？」

秋也は唾を飲み込んだ。そう、典子は秋也のことをよく知っていたのだ。〝あたしは、あなたを、ずっと、見てる〟、典子自身がそう言った通り。

それがつらくないと言えばウソだった。ずっと——ずっと、和美さんを——新谷和美ばかりを想い続けてきたのだから。彼女の顔をもう見られないなんて——。

しかし、秋也は首を振った。

「そんなのは――」

どっちにしたってただの片思い、自分の思い込みでしかなかった、と続けようとしたのだが、その言葉は途中で中断された。唐突に、坂持の大きな声が辺りに響いたので。


【残り31人】

15

『皆さんおはようございまーす』

坂持の声だった。拡声器がどこにあるのかわからないが、金属的な歪みは別にしてはっきり聞こえた。多分――あの分校のみならず、少なくとも島の何箇所かに拡声器が備えつけてあるのに違いなかった。

『担任の坂持でーす。午前六時になりましたー。みんな元気にやってるかあ?』

秋也は顔を歪める以前に、その坂持の明るい口調にあぜんとした。

『それじゃこれまでに死んだ友達の名前を言うからなー。男子からでーす。まず一番、赤松義生くん』

それで、秋也の頬がぐっとこわばった。また死人が出たのだ、ということもあったが、その名前には、別の意味があった。

赤松義生はあの時、死んではいなかったと思う。すると――あの後また誰かを殺そうとし、逆に誰かにやられたのだろうか？ それともまさか――気絶したままあそこにずっと倒れていて――すぐに分校の周囲に設定された〝禁止エリア〟とやらのおかげで、このありがたい首輪を吹っとばされたとでも言うのか？

秋也が義生を気絶させたのである以上、それは気分のいい話ではなかった。

しかし、そうした思考も、それから後に累々と積み上げられた死者の名前に呑み込まれてしまった。

『続いて九番、黒長博くん、十番、笹川竜平くん、十七番、沼井充くん、二十一番、山本和彦くん。えーそれから、女子でーす。三番、江藤恵さん、四番、小川さくらさん、五番、金井泉さん、十四番、天堂真弓さん――』

もちろんその名前の羅列は、〝時間切れ〟が多少とも遠のいたことを意味していたのだが、秋也はそんなことには全く思い及ばなかった。めまいがしそうになっていた。名前を読み上げられたクラスメイトの顔が、頭の中に浮かんでは消えた。みんな死んでしまったのだ、そしてもちろん、同じ数だけの殺人者がいるはずだった。そう――それこそ、名前を呼ばれた者たちが自殺したのでもない限り。

〝これ〟は続いている、まぎれもなく続いている。長い葬列、黒い服を着た人々の群れ。分別臭い陰気な顔の黒服の男が告げる、あれ、七原秋也くんと中川典子さん？　あなたたちは、そうそう、まだでしたよね？　でも、ほら、あなたたち、今、自分の墓の前を通り過ぎたところですよ――。そろいの出席番号、十五番、刻んどきましたよ、何、サービス、サービス。

『――いいペースだぞー。先生うれしいなあ。それじゃ次に、禁止エリアについてでーす。今からエリアと時間を言いまーす。地図出してチェックしろよー』

死者の多さにショックを受けてもいたし、坂持の口調にむかつきもしたが、秋也もとにかく地図を取り出した。

『まず、今から一時間後。七時な。七時にJ＝2エリアです。七時までにはJの2を出ること－。わかったかー？』

J＝2は、島の南端やや西寄りに当たっていた。

『次、三時間後。九時から、Fの1』

F＝1は、秋也たちがいる島の西岸だったが、かなり南に離れた区画だった。

『次、五時間後。十一時から、Hの8』

H＝8には、島の東岸にある集落がほとんど大方含まれていた。

『以上です。じゃ、今日も一日、がんばろうなー』

最後にそれだけ言って、坂持の〝放送〟はぶつっと切れた。

坂持が告げた禁止エリアは、当座秋也と典子のいるところとは関係がなかった。禁止エリアはランダムに選ばれると坂持が言っていたがとにかく、集落の中に逃げ込まなかったのは正解だったようだ。しかし、次は、秋也たちがいるここかも知れない。

「さくらと――」

典子が言い、秋也はそっちを見やった。

「さくらと、山本くんの名前があった」

「うん――」秋也はのどの奥で小さく唸った。

「――自殺、したのかな?」

典子は視線を足元に落とした。

「わからないわ。でも、きっと一緒にいたのね、あの二人なら、最後まで。どこかで何とか、待ち合わせたのね」

確かに秋也自身、さくらが和彦にメモを渡すのを見た。だが、それでもそれは、希望的観測に過ぎなかった。二人は別々の場所、別々の狂ったクラスメイトに殺されたのかも知れない。

そのメモの受け渡し、触れ合った二人の手の映像を追い払うと、秋也はポケットからクラス名簿を引っ張り出した。デイパックに地図と一緒に入っていたものだ。悪趣味だが、情報は確認しておかなければならない。ペンを取り出し、今、放送された名前の上に線を――引こうとしてやめた、それじゃまるで、まるで――とにかく、ひどい。

名前の横に、小さくチェックを入れた。国信慶時と藤吉文世の名前もチェックした。秋也は、自分自身がさっきの妄想の中の、黒服の男になったような気がした。えーと、あなたと、あなた。それにあなた。棺桶のサイズ、いくつですか？　この8号で我慢していただくと売れ筋ですんで安いんですけど――。

そんなことはともかく、それで、桐山和雄の仲間の四人のうち、三人が死んでいるのに気づいた。黒長博、笹川竜平、それに沼井充。ただ、月岡彰――あの、〝ヅキ〟というあだ名でちょっとクセのある月岡彰の名前はない。桐山自身の名前もない。

あの教室で、桐山和雄が出て行ったときの沼井充の取り澄ました表情が思い出された。自分は、桐山はきっと、仲間を集めて脱出するつもりなのだと推測した。しかし、この結果は一体、何を意味するのだろうか？　もしかして、待ち合わせはしたものの、その場でやはりお互いに疑心暗鬼になって、戦闘状態になってしまったのだろうか？　そして、月岡彰と桐山は無事にそれから逃げた――あるいは、月岡彰と桐山は今も一緒にいるのか――いや、もっと違ったことが起こったのかも知れない、わからない。

それから、一度だけかすかに聞こえた、銃声のようなものが鼓膜の奥に蘇った。あれが銃声だったとしたら――この十人の中の誰の命を奪ったのだろう？

しかし、そのとき、がさがさという音が耳に入り、秋也は考えを中断した。典子の顔が一気に緊張するのがわかった。秋也は名簿とペンをさっとポケットに入れた。

秋也は耳を澄ました。音は続いている。しかも――近づいている。

典子にささやくように言った。「静かに」

秋也はデイパックを手にとった。いつでも動けるようにしておかなければならないと考えて、荷物はもう、そのデイパック一つにまとめてあった。いくらかの衣類などは自分のスポーツバッグに残していたが、こっちは捨ててもいい。典子も同様に荷づくりしてあった。

秋也はその二つのデイパックをまとめて左肩にしょった。典子が腰を上げるのに手を貸し、二人並んで中腰の姿勢になった。

秋也は支給のナイフを抜き出し、右手に逆手に持った。だが、思った。果たしてギターピックならともかく、自分がこんなものをうまく使えるのか？

がさがさという音はますます大きくなっていた。もう、数メートルぐらいに迫っているのではないか？

またしても、あの分校の前で感じたのと同じ焦燥が秋也の頭を占めた。典子の腕を左手でつかみ、後ろへ引いた。立ち上がり、茂みの中へ後ずさりした。早い方がいい、できるだけ早くだ！

身を隠していた茂みを割って、踏み分け道に出た。山の斜面に沿ってそれはうねうねと延びており、頭上では、両側に伸びる木々の梢のサンドイッチ、空のブルーが帯になっている。秋也はそのまま典子をかばいつつ、踏み分け道に沿って数メートル後ずさりした。自分たちが出てきた茂みから、がさがさと音が続いている、音はますます大きくなる、そして――

秋也は目を丸くした。

茂みを割ってぴょこんと現れたのは、一匹の白い猫だった。ひどく汚れて、やせて、そして毛はあちこちもつれていたけれど、とにかく――猫だった。

秋也は典子と顔を見合わせた。典子が「猫ね」と言い、ぱっと笑った。秋也も苦笑いした。それでようやく注意を惹かれたように、猫がこっちを見た。

猫はしばらく二人をじっと見つめていた後、とたたた、と走り寄ってきた。

秋也がナイフを鞘に仕舞ううちに典子が怪我をした脚をそうっと折り畳んで屈み込み、その猫に手を伸ばした。猫は、典子の手の中に飛び込み、典子の足元にまとわりついた。典子がその猫の前足の下に両手を差し込み、抱き上げた。

「かわいそうに、やせちゃって」典子がきゅっとキスをするように唇をすぼめ、猫の方に伸ばしてみせて、言った。猫がうれしそうに口を開き、にゃあぁ、と鳴いた。

「飼い猫だったのかしら。すごくよく慣れてる」

「さあ――」

政府は、このゲームをやるために島の住民をすべて追い立てたのだ（〝プログラム〟はその終了までは隠密裏に行われるので理由は知らされなかっただろうが）。典子の言う通り、どこかの家で飼われていた猫が、飼い主がいなくなって取り残されたのかも知れなかった。この近くに人家はなかったはずなのだが、ずっと山の中をさまよっていたのだろうか？

そんなことを考えながら、秋也は、猫を抱いている典子から何げなく視線を外した。首を回して――

ぎょっとした。

踏み分け道の向こうほんの十メートル、あたかも地面に固着したかのように、学生服姿が、立っていた。秋也と同じぐらいの中背ながらハンド部で鍛えたがっちりした体、日焼けした浅黒い肌、刈り込んで前を立てた髪は、大木立道（男子三番）だった。

【残り31人】

16

典子が秋也の視線を追って、振り返った。その顔がみるみるこわばるのがわかった。そう――果たして立道は〝どう〟なのか？　敵なのか、そうではないのか？

大木立道は、ただじっと、こちらを見ていた。秋也は、緊張感に視覚が半ば硬直していく――高速で走る車に乗っているように硬直していく――のを感じながらも、そのひと隅、立道の右手に大ぶりなナタが握られているのを、認めた。

それで秋也は、ズボンのベルトに差し込んだナイフへと、ほとんど無意識に、手を上げた。それが引き金になった。ナタを握った立道の手がぴくっと動き――次の瞬間、まっすぐ突っ込んできた。

秋也は猫を抱えた典子を、そのまま茂みの方に突き飛ばしていた。

立道はもう、眼前に迫っていた。

秋也はとっさに手にしたデイパックを上げ、そのナタを受けた。デイパックがざっくり割れ、中身が地面に撒き散らされた。水のボトルに当たったせいで、ばしゃっとしぶきが跳ねた。刀身は秋也の腕にまで達し、ちりっと皮膚の表面が熱を感じた。

ちぎれたデイパックを捨て、後ろへ飛びすさって距離を取った。今や立道の顔は引き攣り、黒目のまわりにぐるりと白い部分が見えた。

秋也は信じられない思いだった。それは、確かにこの状況だ、一瞬自分も疑いもした、しかし、なぜだ？　なんであの陽気で快活な立道が、こんなことをするんだ？

立道はちらっと視線を横に飛ばし、草むらの中に倒れた典子の方を見やった。秋也もその視線を追って、典子を見た。立道の視線を受けた典子の顔、口元が引き攣った。猫は、もうとっくにどこかに逃げ出し、身を隠していた。

いきなり立道は秋也の方に振り向いた、同時にナタが横なぎにふるわれていた。

秋也はベルトから逆手に抜き出したナイフでそれを受けた。間の悪いことに革の鞘に収まったままだったが、とにかく、がちっと音がして、そのナタの襲撃はブレーキをかけられ、止まった。秋也の右の頬の辺り、五センチ手前で。秋也には、ナタの表面、焼き入れしたときに生じたのだろう、青い波紋のような模様がはっきり見えた。

立道がまた振りかぶろうとする前に、秋也はナイフを捨て、その立道の、ナタを持った右手に組みついた。にもかかわらず、立道はもう一度強引にナタを振って、それはやや緩慢ながら、秋也の右側頭部に当たった。秋也の、ややウエーブのかかった長い髪が耳の上でいくらかぱらりと引きちぎられ、耳たぶにざっくり割れ目が入る感触が伝わった。あまり痛くなかった。まあ、三村みたいにピアスするやつがいるぐらいだもんな、場違いにのんきなことが頭をよぎった。

立道がナタを持った右手に左手を添え、もう一度振りかぶろうとする前に、秋也は左足を立道の左足に、内側から飛ばしていた。立道の足がぐらっと崩れた、よし、倒れろ！

ところが立道は倒れず、よろけて半回転し、秋也の方に体重を預けてきた。秋也は退がった。海側の茂みに背中が突っ込んだ。周りでばきばきと枝が折れた。

秋也はそのまま後ろへ退がった。立道のめちゃくちゃな力に押し込まれ、足はそのまま、ほとんど後ろ向きに走っていた。典子の顔が遠ざかる。ほとんど現実感のないこの状況で、秋也はまたまた場違いにリトルリーグでの練習を思い出した。七原秋也、背面競走チャンピオン。イエー。

ふいに、足元の感じが変わった。

秋也は、あの、小さな神社のある野原に向けて、そこから急な傾斜になっていたことを思い出した。——落ちる！

二人はもつれたまま、その、灌木に覆われた傾斜を転げ落ちた。秋也の視覚の中、早朝の澄んだ空と木々の緑がぐるぐる回った。ただ、その間も、立道の手首を握った手は離さなかった。

ものすごい距離を落ちたような気がしたが、実際にはほんの十メートル程度だったかも知れない。どん、と全身に衝撃がきて、体の動きが止まった。周囲に光が満ちていた。あの、野原まで落ちてきたのだ。

秋也は立道の下敷きになっていた。立ち上がらなければならない、立道よりも先に！　ところが、秋也は一瞬、妙な感じにとらわれた。圧搾機みたいな圧力で自分に向かっていた立道の腕の力が、ふいに消失していたのだ。それはただ、ぐたっと動かなかった。

秋也の顔は立道の胸の下辺りになっていたのだが、秋也は視線を上げ、そのわけを悟った。すぐ眼前で、立道の顔面に、ナタが食い込んでいた。ナタの刃のかっきり半分が、クリスマスケーキの上の板チョコレートよろしく、立道の顔から突き出していた。額の上から入り、きれいに左の眼球を割って（ねばねばした液体が血と一緒に流れ出している）、開いた口の中で、ナタの刃が薄青く光を撥ね返している。

そしてそのナタはというと、もちろん立道が握っているのだけれど、その手首は秋也が握っていた。立道の顔面から秋也の手首へ、何かとても気味の悪い感覚が光の速度で走り抜けた。

その感覚を追うように、ナタの表面を滑って、ゆるゆると立道の血が流れ出し、立道の手首を握る秋也の手にまで伝わってきた。秋也は低くうめくとその手を離し、立道の体の下から出た。立道の体がごろんと仰向けになり、その凄惨な死に顔が朝の光にさらされた。ぜえぜえと肩で息をしている秋也の胸の奥から、鈍い吐き気が波のように突き上げてきた。その立道の顔、これ以上ないだろう凄惨さは確かに些末な事情とは言えなかったが、それにもまして、秋也にとっては自分のことの方が問題だった。そう、自分は人を殺したのだ。それも、昨日まで仲間だったクラスメイトを。

事故だと思おうとしても、だめだった。何せ――転がり落ちている最中、自分は必死で、ナタの刃が自分の方に向かないように、即ちつまり、立道の方に向くように、立道の手首を思い切りねじ上げていたのだから。

すごい吐き気だった。

しかし、秋也はぐっと唾を飲み込んでこらえた。首を持ち上げ、自分が転げ落ちてきた斜面を見上げた。

灌木に覆われ、上は見えなかった。典子を一人、置いてきてしまったのだ。そう、今は、典子を守るのが一番大事なことだった。ゲロを吐いてる場合じゃない。早く、早く典子のところへ戻らなくては――。

むしろ自分を落ち着かせるためにそのように考え、秋也は立ち上がった。立道の顔とナタを、しばらく見つめた。

それで、ちょっと躊躇したが、しかし、唇を引き結ぶと、立道の顔を割っているナタの柄から立道の手を引きはがした。いくらなんでも、立道をこのまま放ってはおけなかった。埋葬なんてとてもできないが——少なくとも、ナタが刺さったままの立道の顔は、ひどすぎた。生理的に、耐えられなかった。秋也はナタの柄をつかみ、抜き取ろうとした。

立道の頭がナタにくっついて持ち上がった。あまりにも深く食い込んでいて、抜けないのだ。

秋也は大きく息をついた。ああ、神様。

いや、と思い直した。神様がなんだってんだ、この際？　安野先生は熱心なクリスチャンだったが、神様を信じていたおかげで坂持金発に強姦されました、めでたしめでたし。

秋也の中にまた怒りが噴き上げた。

歯を食いしばると再び立道の頭の横に膝をつき、幾分震えている左手をその額にかけた。右手でナタを引くと、ばしゅっ、といやな音がして、立道の顔から血がしぶき、ナタは抜けた。

一瞬、悪い夢でも見ているような感じにとらわれた。立道の頭は今や真ん中の裂け目から左右の部分が少し上下にずれていて、あまりにも非現実的だった。プラスチックのつくりものみたいだった。秋也は、人間の形がこうも簡単に歪むのだと、初めて悟った。

目を閉じさせるのも、あきらめた方がよさそうだった。眼球とまぶたが一緒に割れてしまった左目はまぶたが収縮してめくれ上がっており、どうしたって閉じそうになかった。右目だけなら何とかなるが——誰が死体にウインクさせたい、特にこのような場合？

また吐き気がきた。

だが、再び立ち上がり、踵を返した。典子のいる場所までは、踏み分け道をたどって大回りしていかなければならない。

しかし、秋也は再び目を見開くことになったのだった。なぜなら——

眼前わずか十五メートル、野原の真ん中に学生服の男が——元渕恭一、あのメガネの委員長が、立っていたので。

そして、その委員長は、拳銃を握っていた。

【残り30人】

17

委員長の銀縁メガネの奥の目が秋也の目とかちあった。いつもはきっかり七三に分けている髪は今はもつれてぐちゃぐちゃだったし、メガネはレンズが幾分汚れているように見えたが、その下の目。見開かれ、血走った目。大木と全く同じ目だった。顔色はあの教室で見たのと同様極度に青ざめており、人間の顔色というよりは、やはりアンディ・ウォーホル作品に近かった。

その拳銃の銃口が動く気配に、秋也は身をひねりざま、仰向けになり、身を低くした。瞬間、ぱん、という破裂音がして、拳銃が小さな火炎に包まれるのが見えた。自分の頭のすぐ上を何か熱いものがかすめた。もっともこれは、気のせいかも知れない。とにかく、弾は当たっていなかった。

秋也は何を考える余裕もなく、ただ、仰向けの姿勢のまま、後退しようとした。背中の下で丈の高い草がさりさりと音を立てた。

——到底間に合わなかった。逃げられるわけがない。元渕恭一は、もはや秋也の眼前三、四メートルにまで近づき、秋也の胸の辺りに狙いを定めていた。

秋也の顔の筋肉が、石膏彫刻にでもなったように固く固くこわばった。典子を守らなければならないということより何より、体の中に、今度こそ本物の恐怖が膨れ上がった。あの銃口が次に吐き出す小さな小さな鉛玉が俺を殺すのだ——俺を——殺すのだ！

「やめろ！」という別の声がした。

恭一がびくっと顔を斜め後ろへ振り向けた。秋也もぼんやりその視線を追い――あの神社の祠の陰に、ゆらりと大柄な影が立っていた。短く刈り込んだ、いいやほとんど〝丸めた〟と言った方が正しい頭、眉の上に目立つ傷痕、テキ屋のお兄ちゃんのような強面は、川田章吾（男子五番）だった。ポンプ式ショットガン（銃床を切り詰めたレミントンM31だった）を手にしていた。

いきなり、恭一がその川田に向けて撃った。秋也は川田がすっ、と腰を落とすのを見た。川田が膝立ちの姿勢で保持したショットガンが吠えたと思うと、火炎放射器みたいな火花が銃口から伸び、次の瞬間、恭一の右腕が消失していた。血の霧がぼう、と空を流れ、恭一が、唐突にそこに出現した学生服の〝半袖〟を、一瞬不思議そうに見つめていた。拳銃を握った肘から先だけが、残りの〝袖〟をまとって草の上に落ちていた。川田が素早くショットガンの下のポンプを動かし、次の弾を装填した。散弾を吐き出し終えた赤い色のプラスチック・シェルが水平に勢いよく飛び出した。

「あああああああ」

恭一が思い出したように動物のような叫び声を上げ、秋也は、恭一がそのままそこに膝をつくのだと思った。

しかし、そうではなかった。委員長は、地面に落ちた自分の腕へ向かって走っていた。左手で自分の右手から銃をもぎとった。バトンリレーだ、まるで。一人二役、グレイト。秋也はまたまた、できの悪いホラームービーを見ているような気分になった。あるいは、できの悪いホラー小説。

ちくしょう、ほんとうにできが悪い。

「やめろと言ってるんだ!」

川田が叫んだが、恭一はやめなかった。銃を川田へ向けて構えた。

川田がもう一度撃った。恭一は体の真ん中からくの字に折れ曲がって、走り幅跳びの選手のような姿勢で、ただし、後ろに吹っ飛んだ。ぶらりと伸びたつま先から接地して、次の瞬間、こま落としのようにがくんと仰向けに倒れていた。ぼうぼうと茂った草に沈んで、それきり動かなかった。

秋也は慌てて身を起こした。

草の波の間、委員長の体が見えた。学生服の腹部が大きく裂け、その中身はほとんど、ソーセージ工場のクズカゴみたいに、なっていた。

川田が、その死体にはほとんど目を留めず、ショットガンを構えたまま、すぐに秋也に近づいてきた。またショットガンのポンプを動かし、空薬莢を排出した。

秋也は目の前で立て続けに起こった事態、それに、立道と恭一の凄惨な死に様にまだ圧倒されていたが、とにかく荒い息のまま、口を開いた。「ちょっと待ってくれ俺は――」

「動くな。持ってるものを捨てろ」

恭一の少し向こうで足を止めた川田が言い、秋也はようやく、自分がナタを握ったままだったことに気づいた。

言う通りにした。血に染まったナタが地面に当たって、どすっと音がした。

そのとき、典子が急なスロープになった踏み分け道の上に現れた。脚を引きずりながらもやぶをかき分けて、秋也と立道が傾斜面を転がり落ちた、そのあとを追ってきたのだろう（それで秋也は、大木立道と格闘を始めてから、まだせいぜい一分も経っていないことに気づいた）。さっきの銃声を聞いてか既に顔は青ざめていたが、転がった大木立道と元渕恭一の死体、向き合った秋也と川田を見てとって、息を呑むのがわかった。

川田がその典子に気づき、さっとそちらにショットガンを向けた。典子の体がびくっと緊張した。

「やめてくれ！」秋也は叫んだ。「典子は俺と一緒なんだ！　戦う気なんかない！」

それを聞いて、川田は首を秋也の方にゆっくり戻した。妙に、きょとんとした表情になっていた。

秋也は典子の方へも叫んだ。「典子！　川田が助けてくれたんだ。川田は敵じゃない！」

川田が典子の方を見、また秋也に目を戻して、それから、ゆっくり銃口を下げた。

典子がしばらくじっとしていた後、手を上げて何も持っていないことを川田に示し、急な踏み分け道をほとんど滑るようにして降りてきた。右脚を引きずりながら歩き、秋也のそばに寄り添って、秋也と一緒に川田を見つめた。

川田が、その秋也と典子を、何だか双子のアルマジロでも見るような感じで見ていた。秋也は、その頰とあごを覆った不精髭が、また少し伸びているのに気づいた。

川田は、それからようやく、「先に言い訳しとくぞ」と言った。「元渕を撃ったのは、仕方がなかったんだ。それはわかるな?」

秋也はそれで恭一の死体の方に目をやり、それから川田の言った言葉も突き合わせて、ようやく、もしかしたら、と思った。もしかしたら、委員長は混乱していただけなのかも知れない。そう――自分が大木立道を倒したのを見て、何か勘違いしたのかも知れなかった。典子もそばにいなかった、誤解しても無理はない。

だが、川田の言う通り、いずれにしても、川田の行為はとがめられなかった。川田は撃たなければ、恭一にやられていたに違いない。そう――自分だって、大木立道を倒したのだ。

川田に顔を戻した。

「ああ――わかる。ありがとう。助けてくれたんだな」

川田は少し肩をすくめた。

「元渕を止めただけなんだがな。しかし、そういうことになるかな」

「よかったよ――」まだ体に戦闘の興奮が残っている中で、何とか言葉をまとめた。「マトモなやつがいてくれて、よかった」

秋也は実際、かなり意外な気がしていた。あの分校の教室で、自分はこう考えたのだ、川田だけはこのゲームに〝乗る〟かも知れない、と。しかし、その男が、敵に回るどころか、自分を助けてくれたのだ。

川田は何か考え事をするように秋也と典子をしばらくじっと見ていた後、「おまえたち、一緒にいたのか？」と訊いた。

秋也は眉を持ち上げた。

「そうだ。言っただろ」

川田がまた訊いた。「何で一緒にいるんだ？」

秋也は典子と顔を見合わせた。二人して川田に向き直った。秋也は「それはどういう意味……」と訊きかけたが、典子が「それどういう……」と同じタイミングで言ったので、口をつぐんだ。典子も口をつぐんだ。秋也は典子とまた顔を見合わせた。秋也は典子がゆずったように思えたので、再び川田の方へ向いて口を開いたが、またしても典子と「それ……」とハモってしまった。秋也はもう一度典子と目くばせを交わした。結局、黙ったまま、また二人で川田に向き直った。

それで、川田の顔に、ちらっと笑みのようなものが走った。それがもし笑顔なのだとしたら、秋也は川田の笑顔を、初めて見たような気がした。

川田が言った。「いいよ、オーケイ、わかったよ。とにかくちょっと隠れようぜ。わざわざ無防備に突っ立ってる理由はないだろ」

【残り29人】

18

榊祐子（女子九番）は、茂みの中をざざざ、と走っていた。やみくもに走るのは危険だったが、とにかく今は逃げなくてはならなかった。とにかく、何としてもだ。

祐子の頭の中で、今見たばかりの映像がフラッシュバックした。茂みの中から見たそれ。ぱかんと割れた大木立道の頭。血染めのナタをその顔から抜き出した七原秋也の姿。

ぞっとしていた。七原秋也は大木立道を殺してのけた。実に完璧に。

秋也が立道の頭からナタを抜き出すまで、祐子は魅入られたようにそのシーンから目を離せなかったのだが、そのナタについた赤い色を見て、ようやく恐怖の感情が祐子を打ちのめしたのだった。デイパックをひっつかみ、ただ、放っておくと自分の意志とは関係なく声を上げかける自分の口を押さえて、逃げ出した。目に涙がにじんでいた。

背後で銃声が交錯したが、祐子はそれもほとんど認識できなかった。

【残り29人】

19

秋也と典子が最初にいた茂みに戻り、荷物を拾い上げたあと、川田がここはちょっと見通しが悪いな、と言った。秋也はそれでもかなり考えて場所を選択したつもりだったのだが、川田が奇妙にこういう事態に慣れている様子に見え、その言葉に従って、三人で少し山側へ移動した。あの汚れた猫は、どこかへ姿を消してしまっていた。

「ちょっと待ってろ。元渕と大木の荷物を探してくる」

手近な茂みに入った後、川田がそう言い残して出ていくと、秋也はとにかく典子に腰を下ろさせ、自分も隣に座った。川田が恭一の死体からとって秋也に渡したリボルバー（スミスアンドウエスンのチーフスペシャル三八口径だった）を握っていた。秋也はどうにも気味が悪くそれを身につけていたくなかったのだが――何せ、あの、世にもできの悪い〝バトンタッチ〟を見てしまったのだ――しかし、我慢して握っていることにした。

「秋也くん、これ」

顔を上げると、大木立道のナタで切り裂かれたデイパックから取り出したのか、典子がピンク色のバンドエイドを秋也に示して見せていた。秋也は左手で右耳の傷に触れた。ほとんど血は流れていなかったが、ちりっと痛みが跳ねた。

「じっとしてて」

典子が少し体を寄せ、バンドエイドの封を切った。

秋也の耳たぶに慎重にそれを貼りながら、典子が言った。「みんな、どうしてこの辺に固まってたのかしら。あたしたちと川田くんも入れたら、五人よ」

秋也は典子を見つめ返した。ありがたいアクション場面の連続でそんなことは思い付きもしなかったが、そう言えば確かにそうだった。

首を振った。

「わからない。でも、俺たち、とにかくできるだけ遠くへ行きたくてここまで来ただろ。山へ登るのは避けたし、見通しのきく海岸線を移動するのもやめといた。同じようなことを考えて同じ所でもう大丈夫だと思ったのかも知れない。委員長も――大木も」

立道の名を口にした途端、秋也の胃に再びひょいと吐き気が跳ねた。あの、ピーナッツのように左右半分ずつが上下にずれた顔。そしてその死体は、ほんのすぐそこに転がっている。ごらんください、世にも不思議なピーナッツ男です――

その吐き気とともに、戦闘の興奮でどこかぼうっとしていた秋也の頭の中が急速に冷え、半ば麻痺していた感覚が――マトモな感覚が戻ってくるのがわかった。

「秋也くん――顔が青いわ。大丈夫？」

典子が訊いたが、秋也はこたえられなかった。体を戦慄が走り抜け、すぐに震えに変わった。小刻みにがたがたと、体が揺れ始めた。歯が狂ったタップダンスのように、不規則にかちかち鳴った。

「どうしたの？」

典子が秋也の背中に手を置いて、訊いた。

秋也は歯を鳴らしながら答えた。「怖い」

秋也は、首を左にねじ曲げ、典子の顔を見た。典子が心配そうにその秋也を見つめ返した。

「怖いんだ。めちゃくちゃに怖い。俺、ひとを殺してしまった」

典子はしばらく秋也の目を覗き込んでいたが、痛い右脚をかばうように動くと、秋也の斜め前に膝を折って座り込んだ。それから、そっと腕を広げて、秋也の肩を包み込んだ。上下に小刻みに揺れている秋也の頬に、典子の頬が触れた。典子の体温が伝わり、すっかり血の匂いがこびりついた秋也の鼻腔に、何かかすかな、コロンみたいな、シャンプーみたいな、匂いが届いた。

秋也はちょっとびっくりしたが、ただ、その安らかな温度と匂いがありがたく、膝を抱えた姿勢のまま、じっとしていた。

それは、かつて、幼いころ、事故で死ぬ前の母親に抱かれていたころの感じを、思い出させた。典子のセーラーの襟のラインを見ながら、ぼんやり、母のことを思い出した。はっきり喋って、きびきび体を動かして、子供心にも、何だかかっこいい、と思う、母だった。顔は――ああ、それはそうなのだ、新谷和美と、よく似た感じだった。そして、あの、鼻の下にヒゲをはやした、ちょっと普通のサラリーマンっぽくない父と(それはその通り、「パパはね、ほうりつのおしごとを、してるのよ。困ってるひとを助けるのが、仕事なの。この国ではね、それはとても大切なことなの」、腕の中の秋也に母が言っていた)、いつも、笑顔を交わしあっていた。いつか、お母さんみたいな人とケッコンするんだ、それで、いつも、お父さんとお母さんみたいににこにこしてるんだ、それは、秋也にそう思わせる笑顔だった。

——やがて震えが小さくなり、それから、消えた。

「もう大丈夫?」典子が訊いた。

「——うん。どうもありがとう」

典子がゆっくり、体を離した。

しばらくして、秋也は言った。

「いい匂いがした」

典子が、恥ずかしげに笑んだ。

「やだな。昨日お風呂にも入れなかったから」

「いや。いい匂いがしたよ」

典子がまたちらっと笑んだとき、がさっと茂みが揺れた。秋也は典子を左腕でかばい、スミスアンドウエスンを構えた。

「俺だ。撃つな」

うっそうと茂った葉を割って、川田がその空間に入ってきた。秋也はスミスアンドウエスンを下げた。

川田はショットガンをスリングで肩から吊り、二つのデイパックを抱えていた。一方から紙箱を一つ取ると、秋也に投げて寄越した。

秋也が空中でそれを受け止めて開くと、拳銃弾が金色の尻を見せて規則正しく並んでいた。五発分が、虫歯みたいに抜けている。

「その銃の弾だ。装填しとけよ」

川田はそう言うと、ショットガンを傍らに置き、古びたたこ糸のようなものを手に取った。一本を取り上げてぴんと引っ張ると、それが茂みの奥へとまっすぐに伸びているのがわかった。それから、ポケットから小さなナイフを取り出し、柄の中に折り畳まれていた刃を起こした。川田に支給された武器はショットガンだろうから、これは自前で持っていたのだろう。

川田は手近な、コーラ缶ほどの太さの木の幹にそのナイフで刻み目をつけると、そこに、その糸をぴんとはったまま挟み込んで、残った部分をナイフで切った。残りの糸も、同様の手順で木の幹に固定した。

「何だい、それは?」秋也は川田を見上げて、訊いた。

「これか?」川田はナイフをポケットに仕舞いながら答えた。「まあ、原始的な防犯装置だ。ここを中心に半径二十メートルの円を描くように糸を張ってある。二重にしてある。こいつがそれにつながってる。誰かが糸をひっかけたら、こいつが引っ張られてこの木から落ちる。大丈夫、落としたやつは気づきもしないさ。とにかく、そのときは警戒せよってわけだ」

「――そんな糸、どこから見つけてきたんだ?」

川田は首をちょっと揺らした。

「港の近くに雑貨屋があったよ。いろいろ欲しいものもあったんで、最初に寄ったんだ。そこで、見つけた」

秋也はぽかんとしていた。当然、いくら小さい島だって商店の一つぐらいはあるはずだ。そこなら、役に立つものもいろいろ揃えられたかも知れない。しかし自分は、そんなことはこれっぽっちも考えつかなかった。ただもちろん、典子を抱えてはウロウロできなかった、そのことに変わりはないけれども。

川田は、秋也と典子に向かいあう位置に腰を下ろすと、元渕か大木か、とにかくどちらかのものだったデイパックを探り始めた。水のボトルとパンを取り出し、「メシ食っとくか？朝飯の時間だ」と秋也たちに訊いた。

秋也は膝を抱えたまま、首を振った。とても食欲はなかった。

「どうした？　大木を殺したから気分が悪いのか？」

川田は秋也の顔を覗き込み、こともなげに言った。

「気にするなよ。仮に順番に一人が一人を殺していくとしたら、トーナメントみたいなもんだ、四十二人、いや四十人だろ、五、六人殺してまだ生きてたらおまえの優勝だ。あと四、五人でいい」

秋也は、もちろん川田がそれを冗談で言っているのはわかってはいたものの、いや、冗談だったゆえに、きっと川田をにらみつけた。

川田は秋也の剣幕に臆したように体を引いた。

「悪かったよ。冗談だ」

秋也は訊いた。語調がとがった感じになった。

「あんたは気分が悪くないって言うのか？　それとも、委員長の前にもう誰か殺したのか？」

川田はただ、肩をすくめた。

「とにかく、今回、初めてさ」

秋也はその言い回しがちょっとおかしいような気がしたが、どこがおかしいのか、そのときはわからなかった。頭が混乱してもいた。とにかく、川田がウワサされている通りの不良少年なら、多少肝の据わり方が秋也なんかとは違うのかも知れない。

頭を振り、代わりに、別のことを口に出すことにした。

「あの――俺にはちょっとわからないことがあるんだ」

川田は眉毛を持ち上げた。その左眉の横、醜い刀傷が、それに合わせて動いた。「何のことだ？」

「委員長は——元渕は——」

「おい」川田が幾分あごを傾け、遮った。「さっき確認しただろ。俺はああするしかなかったんだ。黙って殺されたらよかったってのか？　俺はキリストの趣味はないぜ。復活する能力もないしな、試したことはないが」

「いや、そうじゃないよ」

言葉を継ぎながら、秋也は、今のは冗談なのかな、と思った。川田章吾というのは、冗談を言うようなタイプなのだろうか？

「元渕が俺を撃ったのは多分——俺が大木を……とにかく、目の前で倒したところを見たからだと思う。いや、俺が、大木を、やったんだ。その、大木が向かってきたから——」

川田が小さく頷いた。

「だから、元渕が俺を倒さなければと思ったとしても、それはおかしくないんだ」

「そうだな。そうだったかも知れん。しかし、それでも俺は——」

「いや」今度は秋也が遮った。「そのことはもういいんだ。そうじゃなくて、大木は——大木は、俺が何もしないのに向かってきたんだ。それに、俺は典子サンと——典子と一緒にいたし——何もいきなり向かってくることはないはずだろ？」

川田は肩をすくめ、水ボトルとパンを足元に置いた。

「大木はやる気だったのさ。そういうことだろ。何が不思議なんだ」

「いや、だから——論理的には、そうなんだ。けど——俺にはどうも、うまく飲み込めないんだ。わからないっていうか——あの大木が——」

言い淀む秋也を遮るように、川田が「わかる必要なんかないぞ」と言った。

「え?」

川田はちょっと苦笑いに近いような感じにきゅっと口元を歪め、それから、続けた。

「俺はまだこのクラスに入って日が浅いから、おまえたちのことも含めて誰がどんなやつだかよくは知らない。しかし、おまえだって大木の何を知ってる? そうだな、もしかしたらやつには難病の家族でもいて、どうしても自分が死ぬわけにはいかなかったのかも知れない。あるいは、単に、あいつがエゴイストだったたってだけの話かも知れない。それとも、恐怖感で発狂して正常な判断を失ったのかも知れない。いや、あるいはこういう可能性もあるな。おまえはおねえちゃんと一緒にいた、どうやら仲間を組んでいるようだ、しかし、自分をその仲間に入れてくれるとは限らないだろ? その二人は、あいつは危ないってことで、すぐにも殺そうとするかも知れない、自分を。あるいは、おまえが実はやる気になっているのだとしたら、そういう理屈をつけて自分を殺すこともできる。おまえ、何か大木を挑発するようなことをしなかったか?」

「そんなことは……」

秋也は言いかけ、思い出した。大木と向かい合った時、自分はナイフに無意識に触れた、確か。秋也自身も、怖かったのだ、大木立道のことが。

「何か思い当たるか？」

「ナイフに――触ったよ」川田の顔を見た。「しかしそれぐらいで――」

川田は軽く首を振った。

「理由としちゃそれで十分だ、七原。大木は考えたのかも知れない、とにかく目の前で武器を手にしているおまえを倒さなければならないと。このゲームじゃみんな導火線がかなり短くなってる」

それから、締めくくるように言った。「しかし、やっぱり、大木はやる気になってた、というのが一番わかりやすい説明だ。いいか、わかる必要なんてないんだ。とにかく、相手が自分に武器を向けたら、容赦するな。そうでなきゃ自分が死ぬ。相手のことをつらつら考えるよりは、まず疑うことだ。あまり人を信用しない方がいい、このゲームじゃな」

秋也は息をついた。大木立道は、本当に〝やる気〟だったのだろうか？　もっとも川田が今言った通り、それを考えるのは愚かなことなのかも知れないけれども。

――。

秋也は、もう一度、川田の方へ顔を上げた。

「そうだった」と言った。

「何だ？」

「それを訊き忘れてたよ」

「だから何だ？　早く言え」

秋也は続けた。「何であんたと俺たち、一緒にいるんだ？」

川田は眉を持ち上げた。唇をちょっとなめた。

「そうだな。俺も、おまえらの敵かも知れないな」

「そうじゃない」秋也は首を振った。「あんたは俺を助けてくれたじゃないか。いや、とにかく、元渕を止めようとしたじゃないか、危険を冒して。俺は、あんたを疑ったりしてないよ」

「そりゃ違うな、七原。おまえはまだ、このゲームがよくわかってないぞ」

「——どういう意味だ？」

川田が続けた。「生き残るために仲間がいると有利だな、このゲームは」

秋也はちょっと考え、それから頷いた。それは、そうだ。交代で見張りを立てて休息をとることができるし、誰かに襲撃されても、複数の方が有利だ。

「それが？」

「考えてみろ」川田は膝の上に寝かせたショットガンを手で少し動かした。「果たして俺が元渕を止めたのが、それほど危険なことだったと思うか？　俺が元渕にやめろ、と静止を命じたからといって、やつがやめたと思うか？　俺はいずれにしても錯乱したあいつを撃ち殺すつもりだったとは言えないか？　俺は本当にあいつを殺さざるを得なかったのか？　元渕は大方仲間になんてできそうになかったが、俺が元渕に静止を命じたのは、おまえを仲間にできるかどうか確かめるまでの演技だったとは思わないか？　俺は単に仲間がほしいだけで、結局いつかおまえたちを殺そうとするとは？」

秋也はしばし、川田の顔を見つめた。先程から繰り返されるその明解で論理的な喋り方に、半ば驚きに近いものを覚えながら。確かに、川田は歳が秋也たちより一つ上だ。それでも、それは全く、大人の――それもよくできた大人の喋り方だった。そういう印象を与える点で三村信史にちょっと似ている、とも思った。

秋也は首を振った。

「疑い出すときりがないよ。俺は、あんたは敵じゃないと思う」典子の方を見た。「俺はそう思う」

「あたしも」と典子が頷いた。「誰も信じられなくなったら、あたしたち、負けるんだわ。

あたし、そう思う」

「その考え方は立派だ、おねえちゃん」川田が頷いた。「おまえたち、それでいいなら、それでいい。だけど、このゲームではいつも、用心した方がいいとは付け加えとく」

川田はそれから、「で？」と言った。秋也はそれでようやく、自分の方が質問を始めたのだということを思い出した。

「そうだ。問題はあんたの方なんだ。何であんたは俺たちを信用するんだ？　俺たち二人で組んでるからって、俺たちのどちらかが、あるいは両方が、敵意を持ってないとは言えない、あんたが言った通りじゃないか。あんたに俺たちを信頼する理由はない」

「ハハア」川田はおもしろそうに言った。「応用問題だな、七原。だいぶわかってきたじゃないか」

「ごまかさないで答えてくれよ」

秋也が拳銃を持った手を広げると、川田はおいおい、危ねえぞというように身を引いた。

「なあ」

秋也がねばると、川田はまた眉毛を持ち上げ、それからまたあのかすかな笑みみたいなものを見せた。しばらく梢に覆われた頭上を見上げ、それから、顔を秋也と典子に戻した。真顔になっていた。

「いいかまず――」

秋也は、その川田の静かな目に、ちらっと激しいものがかすめるのを見た。何かはわからないが、とても激しいものだ。

「俺は、ちょっと理由があって、このゲームのルールには、いや、このゲームには異議がある」

川田は言葉を切った。続けた。

「それで、確かにおまえの言う通りなんだが、――こんなことを言うのは恥ずかしいが、俺はいつも俺の良心にしたがって判断するんだ、つまり――」

川田は膝の間に立てたショットガンの銃身を両手で杖のようにつかんで、二人を見ていた。木立の奥で、ちちち、と小鳥が鳴いていた。川田は厳粛な表情だったので、秋也は緊張して耳を傾けた。

「おまえたち、いいカップルに見えたんだ、さっき。それと、今も」

秋也は一瞬、ぼけっとしていた。

カップル？

典子が先に言った。真っ赤になっていた。

「違う、あたしたちは、そんな。あたしなんて、秋也くんとは――」

川田は、その秋也と典子を見て、にやっと笑った。それから、いきおい破顔した。思いがけない、人懐(ひとなつ)こい笑みで、くくく、と声を上げた。

「だから、俺はおまえたちを信用するよ。それにおまえたち、言ったばかりだ、疑い出すときりがない。それでいいだろう？」

秋也はようやく、苦笑いした。それから、言うべきことを言った。

「ありがとう、うれしいよ、信用してくれて」

川田は笑みを残したまま、「どういたしまして、おにいちゃん」と言った。

「あんたは個人主義者に見えたよ、転校してきて以来」

「難しい言葉使うなよ。俺の愛想が悪いのは生まれつきだ、おにいちゃん」

典子がにっこり笑って、言った。「よかった。一緒にいてくれる人が増えて、心強いわ」

川田は、その典子の言葉に指先で不精髭ののびた鼻の下をこすり、意外な行動に出た。秋也に向かって右手を差し出したのだ。

「俺もよかった。一人じゃさびしくってな」

秋也はその手を握り返した。川田のてのひらは分厚く、その物腰同様、まるきり完全な大人の男のもののように感じられた。

川田は上半身を伸ばして、秋也の体ごしに、典子にも手を差し出した。「おねえちゃんも」

典子が手を握り返した。

それから、川田がバンダナの巻かれた典子の脚に目を落として、言った。

「忘れてたよ、とりあえず、おねえちゃんの脚の傷を見せな。それから、今後の話だ」

【残り29人】

20

表面に細かな模様を施した、不透明な窓ガラスに映る陽の光が徐々に強く、白みを帯び始めていた。ガラスの上端に、ちかっと直射日光が射し込むと、日下友美子（女子七番）は、壁に背を預けたまま、少し目を細めた。彼女の親が――そして当然彼女が、役所に名前も届けられないうちから入信している〝光輪教〟の地区主教が、説教で繰り返していた陳腐な文句を思い出した。〝いつの日にも光は巡り来て、万物に恵みをもたらすのです〟。

――全く、あたしは恵まれてるよ、こんな楽しいゲームに参加できるなんて、あはは。

友美子はボーイッシュに短く切った髪を少し揺らして皮肉な笑みを浮かべると、傍らで毛布にくるまり、同じように壁に背を預けている北野雪子（女子六番）に目をやった。雪子は、やはりぼんやり目を開いて、光に覆われ始めた板張りの床を見つめていた。入口に書いてあった〝沖木島（おきしま）観光協会〟という仰々しい名前にしては、そっけない、自治会の集会場のような建物だ。一段下がった入口の方には、事務机と椅子、それにあちこちサビのわいた書類ケースが一つずつだけあって、机の上には電話が載っている（試してみたがもちろん、坂持が言った通り、受話器は何の音も伝えてこなかった）。書類ケースからは、あまりぱっとしない印象の観光チラシが二、三枚、その端をのぞかせていた。

友美子と北野雪子は、幼稚園のころからの友達だった。幼稚園のときはクラスが違っていたし、別に家が近所というわけでもなかったのだが、実を言うとこれも光輪教がからんでいて、最初に会ったのは、親に連れられていった教会でのことだ。友美子の方は三度目の教会だったけれど、雪子は初めてのようで、声明（しょうみょう）に合わせる銅鑼（どら）の音やらごたごた装飾された教会の雰囲気やらに、おどおどしているように見えた。友美子はそこで、お祈りの後、何か用事のあるらしい両親から離れて一人ぼっちでいる、その大人しそうな女の子に近づいて、言った。

「ここ、ばかみたいだと思わない？」

女の子はちょっとびっくりしたようだったけれども、――にこっと笑った。それ以来の、付き合いだ。

二人は名前こそ似ていたけれども、あまり共通点は無かった。友美子は小さいころから「男の子みたいねー」と言われるぐらい活発だったし、今も（もっとも、どうもその〝今〟が無事に戻ってくる見込みは少ない、とても、少ない）ソフト部で四番を打っている。雪子はごく家庭的なことが好きな女の子で、よく友美子に手作りのケーキやなんかをふるまってくれた。身長だって今や友美子の方が十五センチたっぷり高い。よく雪子は友美ちゃん背が高くていいなあ、顔だって彫りが深いしさあと言っていたけれども、友美子にとっては、雪子の小柄な体やふっくらした頬の方がよっぽどうらやましかった。そう、全然違うタイプだ。でも、今でも一番の友達だ、それだけが変わっていない。

幸運だったのは（というのも失礼な話だが）、国信慶時（男子七番）が出発前に死んだことで、二人の出発がわずかに二分の間隔で並んでいたことだった。友美子が教室を出ると、分校の出口の柱の陰で、青ざめた顔の雪子が待っていた。二人はとにかく一緒に逃げ（ほんの二十分ぐらい後に赤松義生が戻ってきて殺戮を始めたのだが、二人は知らなかった）、集落のずっと北、島の東岸の道路から北の山へ向けて少し上がった高台に一軒だけぽつんと建っているここを見つけると、鍵をかけて閉じこもった。

——それから、もう四時間以上が経っている。極度に緊張したせいで二人とも疲れてしまい、ただ、並んで床に座ったまま、時間が過ぎていた。

友美子はまた雪子から視線を外すと、自分も床を見つめた。

ぼんやりしながらも、ずっと考えていた。一体、自分は今、何をするべきなのだろう？

午前六時の坂持の放送は、建物の中にいても聞こえてきた。国信慶時と藤吉文世を別にしても、既に、九人が死んでいる。小川さくらと山本和彦はともかく——ほかのみんなが自殺したとは思えなかった。誰かが別の誰かを殺しているのだ。今、この瞬間にもまた誰かが死んでいるかも知れない。そう言えば六時の放送のすぐ後にも、遠く銃声のようなものが聞こえた気がした。

一体、クラスメイトを殺すなんてことができるもんだろうか？　いや、もちろんそれはルールなのだが、友美子にはそんなルールに乗る人間がいるということが、どうにも信じられなかった。しかし、
しかし、相手が自分を殺そうとしているとしたら、少なくともそう考えたとしたら、やるだろう。そう、思う。

だとしたら、——

友美子は、部屋の隅に転がっている、メガホン型のハンドマイクに目をやった。あれは、使えるんだろうか？　もし使えるなら——

やれることはあるんじゃないか？ ただ、自分はそれが怖いだけだ。それをするのが。というのも、このゲームに乗る人間がいるとはとても信じられないその一方で、やはり、一抹の恐怖が拭いきれないからだ。だからこそ、雪子と二人、とにかく一目散にここまで逃げてきた。もし——もし、そんな子がいたら？

でも——

友美子の中で、ある光景が蘇った。雪子を別にして、小学校のころ、一番仲のよかった友達の顔だ。友達は、泣きべそをかいていた。妙なことに友美子は、その友達のそのときの服装のうち、ピンクのスニーカーだけを、はっきり憶えている。

「友美ちゃん」

雪子が呼びかけたので、友美子は考えを中断し、雪子に向き直った。

「パン、食べよう。何か食べないと、いい考えも出ないよ」

雪子が穏やかに笑いかけていた。ちょっと無理に笑った感じもあるけれども、それでもいつもの、優しい雪子の笑顔だった。

「ね」

雪子がもう一度言い、友美子は笑みを返して頷いた。

「うん。そうしようか」

二人はそれぞれのデイパックからパンと水を取り出した。友美子は、そのデイパックの中、二個の丸い缶詰みたいなものに、一瞬目をとめた。その缶詰は緑がかった銀色で、一番上に親指ぐらいの太さの棒が突き出し、それにレバーみたいなものと、直径三センチぐらいの金属製の輪が付いていた。手榴弾、というやつなのだと思う(雪子の方の〝武器〟はどういう冗談なのかダーツセットで、ありがたいことに木製の丸い的まで付いていた)。

しばらくして、パンを一個の半分かじり終え、水を一口飲んでから、友美子は言った。

「少し、落ち着いた、雪子?」

雪子はパンを噛みながら、丸い目をもう少し丸くした。

「ずっと震えてたから」

「ああ」雪子は顔をほころばせた。「うん、大丈夫よ。友美ちゃんが一緒にいてくれるんだもん」

友美子は笑んで、頷いた。それで、食事をしながらでも、〝やるべきこと〟について雪子に相談しようかと逡巡したが、——口を閉じた。やっぱりまだ、自分の考えに確信が持てなかった。自分の考えていることは、ある意味では、とても危険なことなのだ。それをやるということは、自分だけでなく、雪子をも危険にさらすことになる。しかし、一方では、危険だと思っていることこそが、自分たちを徐々にデッドラインに向けて追い込んでいくことになるのかも知れない。どっちが正しいのか——まだ、友美子には、確信が持てなかった。

しばらく二人とも黙っていた。それから、雪子がふいに言った。「ねえ、友美ちゃん」

「ん？　何？」

「こんなときにばかなこと言ってるって言われるかも知れないけど」

雪子はふっくらした小さめの唇を少し噛んだ。

「何よ」

雪子はなお少しためらったようだったが、結局言った。

「友美ちゃん、クラスに好きなこととか、いた？」

友美子は目をちょっと丸くした。

すごい。これってまるきり、修学旅行の夜の話題だ。トランプも枕投げも旅館の探検もひと通り終わった深夜、先生についての悪口とか、将来のこととかをダントツで引き離すナンバーワンの話題。夜の闇、その中にいる自分たちのささやかな祝祭のための神聖な話題だ。もちろんあのバスで眠りにつくまでは、多分この旅行のうちにそういう話もするんだろうと考えてはいたけれど。

「それって、男の子のこと？」

「そうよ」

雪子は恥ずかしそうに、伏し目がちの視線を流すような感じで友美子を見た。

「うーん」

友美子は少し詰まったが、正直に答えることにした。

「いるよ」

「そう」雪子は視線を自分のひだスカートの膝辺りに落として、続けた。「あのね。ごめん、今まで友美ちゃんにも話さなかったけど、あたし、……七原くんが好きなんだ」

友美子は静かに頷いた。何となく、わかっていたことだったので、それは。

友美子は、頭の中から七原秋也に関するファイルを引っ張り出した。身長百七十センチ、体重五十八キロ、視力は右一・二、左一・五、やせ型だけど筋肉質。小学校のころはリトルリーグでショート、一番を打っていたけど、今は野球はやめていて音楽の方が好き、ギターとうたがすごくうまい。あだ名は無いが、そのリトルリーグ時代にチームの切り札的存在だったことと、姓の〝七〟を引っかけて、〝ワイルドセブン〟という煙草の銘柄と同じ通り名がある。血液型B型で十月十三日、名前の通り秋の生まれ。しかし、小さいころに事故で両親を無くして、今は城岩町の外れにある〝慈恵館〟というカソリック系の施設に住んでいる。同じく慈恵館に住んでいる国信慶時とは親友（ああ、でも彼は死んだ）。――勉強は、どっちかというと英語とか国語とか、文系の方が得意で、まあまずまず。顔は唇を曲げたような感じにちょっと癖があって、でもはっきりした二重の目が優しくて、十分かっこいい。髪はウエーブがかかっていて、襟足の部分が肩口まで、ちょっと女の子のように、長い。

そう、友美子の七原秋也に関するファイルケースは、大方あふれかえっていた（自信がある、雪子のファイルケースより資料は多いはずだ、多分）。そして、ファイルの中で殊に身長のことは重要事項だった。なぜなら、――このまま七原くんの背が伸びなかったら、あたしはハイヒールは履けないな、一緒に歩いたらあたしの方が高くなっちゃうもの、と思っていたから。

しかしどうやらはっきりした、このことは雪子には言えそうにない。

「へえ」友美子はできるだけ平静を装って言った。

「そうなの」

「うん」

雪子は目を伏せた。それから、言った。要するに、それが言いたいところだったのだと思う。

「会いたいな。すごく。七原くん、どうしてるだろ」

スカートの両腿の脇に手をついた姿勢のまま、その目にじわっと涙があふれ出した。

友美子はそっとその雪子の肩に手をふれた。

「大丈夫よ、七原くんなら。どんなことになったって」

それから、その言い方はちょっとまずいかな、と思って慌てて付け足した。

「ほら、七原くんって、運動だってクラスで一番できるし、何か、度胸あるって感じじゃない、あたしはよく知らないけど」

雪子は涙を拭って、「うん」と頷いた。それから、気を取り直したように訊いた。

「友美ちゃんは？　誰が好きなの？」

友美子はとりあえず天井を見上げて「うーん」と唸ってみせ、同時に、考え込んだ。ヤバい。誰か、適当な名前を出してお茶をにごしてしまおうか。

大木くんはハンド部のエースで、ちょっと顔がごついけど気のいい感じがするこだ。三村くんはバスケ部の天才ガードと言われていて、何でもよく知っていて、〝追っかけ〟がいるぐらい、一部の女の子には熱狂的な支持がある（ただしB組の中ではそうでもなかった。プレイボーイだ、というのが、ほぼ統一されたB組女子の見解だったからかも知れないが）。沼井くんは悪ぶってるけど、そんなに悪いこじゃない気がする。女の子には、優しい（ああ、でも彼は死んだんだ、もう）。杉村くんはちょっとニヒルな感じでよかったな。何か、武道場に通ってるとかで、こわいっていうこが多いけど、あたしは、そういうの、かっこいいと思うし。でも、彼は確か、千草貴子と仲がいいんだっけ。しかられちゃうな、貴子、きついから。でも、貴子もいいこだけど。そうだな。みんないいこばっかりだったな。男の子も、女の子も。

——。

また、あの問いが戻ってきた。あたしは彼らを、信じていないんだろうか？

「ねえ。誰？」

雪子がまた訊いた。

友美子は雪子に向き直った。

最後にもう一度だけ逡巡し——しかし、結局、言ってみることに決めた。とにかく、相談してみることだ。そして、何か相談するのに、雪子は、自分にとってはもっともありがたい相手なのだから。

「ねえ、ちょっと、いい？」

雪子は不思議そうに首を傾げた。「何？」

友美子は考えをまとめるために少し腕を組み、それから言った。

「ねえ、ほんとに、誰かを殺したいと思ってる人、いると思う？　今、あたしたちのクラスに」

雪子はちょっと眉をひそめた。

「それは——だって、事実、死んで——」〝死んで〟を発音するとき、雪子の声が震えた。「——るわ、みんな。朝、放送があったじゃない。もう、出発してから九人も——。みんながみんな自殺したとも思えないし——それに、さっきだって、鉄砲の音みたいなの、聞こえたじゃない」

友美子は雪子の顔を見ながら首を傾けた。両手を広げてみせた。それで、セーラーの左袖口がちょっと破れているのに初めて気づいた。

「それはね、ほら、あたしたち、ここでこうやって怖がってる。二人そろって。そうよね?」

「うん」

「それで多分、ほかのみんなもおんなじじゃないかと思うんだ。きっとみんな怖がってる、そう思わない?」

雪子は少し考え込んだ様子だったが、しばらくして言った。

「うん。そうかも知れない。あたし、自分が怖いってことばっかりで、そんなことよく考えなかったけど」

友美子は一つ頷き、続けた。「で、あたしたち、一緒にいられたからまだそうでもないけど、一人だったら、きっともっとものすごく怖いと思うんだ」

「うん。そうね」

「で、そうやって怖がってるとこにさ、もし誰かと出くわしたら、どうする、雪子?」

「逃げるわ。もちろん」

「逃げる余裕がなかったら?」

雪子は随分考え込んだ様子だった。それから、ゆっくり言った。

「あたし――うん、あたし、戦っちゃ――うかも知れない。何か持ってたら投げつけるだろうし――、うん、もしかしたら、鉄砲みたいなの持ってたら、もしかしたら、撃っちゃうかも知れない――もちろん、話はするわよ。だけど、とっさのことで、どうしようもなかったら」

友美子は頷いた。

「そうでしょう? それでね、あたし、だけど、本当は、誰かを殺したいと思ってる人なんていないんじゃないかと思うのよ。怖いから、相手が自分を殺そうとしてると思い込んじゃうから、戦おうとするんじゃないかと思うんだ。それで、そうやって思い込んだら、相手が向かって来なくても、自分の方から向かって行くことだって、するかも知れない」

一旦言葉を切り、組んでいた腕をほどいて、両手を床についてから、続けた。

「みんな、怖がってるだけなんじゃないかしら、きっと」

　雪子は、また小さめの、ふっくらした唇を結んだ。ややあって、視線を床に落とすと、ためらいがちに言った。「──そうかしら。あたし、信用できないな。相馬さんのグループとか──あと──桐山くんとかさ──」

　友美子はちょっと笑ってみせると、ひだスカートの下の脚の位置を動かして、座り直した。

「あたしの考えを言うね、雪子」

「うん」

「このままでいたら、あたしたち、死ぬわ。時間切れ？　二十四時間誰も死ななかったとき？　それまで生きていたとしたって、殺されるんだから」

　雪子がまたちょっと怯えた表情で頷いた。

「それは──そうね」

「それで、あたしたちに何かできるとしたら、全員で協力して、なんとか脱出する方法を考えることだけよ。そうじゃない？」

「それは──そうだけど。でも──」

「あたしね」

　友美子は雪子の言葉を遮り、それから首をこころもち傾けた。

「人を信じなかったことで、いやな思いをしたことがあるわ。小学校のとき」

雪子が友美子の目を覗き込んだ。

「何かあったの？」

友美子はちょっと天井をあおいだ。あの、泣きべそをかいている友達の顔が蘇った。それにピンクのスニーカー。

雪子に目を戻した。

「そのころ大事にしてた――ほら、〝たまごねこ〟って流行ったの、憶えてる？」

「うん。キャラクターグッズでしょ。あたしも下敷き、持ってた」

「そう。あたし、その三色ボールペン持ってたんだ、限定販売のやつ。今から考えたらつまんないもんだけど、でもすごく大事にしてた」

「うん」

「それで、あるときそれがなくなって――」友美子は視線を落とした。「あたし、友達がそれを盗んだんじゃないかって、疑ったの。そのこ、すごくそれ欲しがってたし、それに、なくなったって気づいたのが一時間目の体育の授業の後で、その子、具合が悪いって体育休んで、一番先に教室に帰ってたから。それに、ああ、いやね、とにかく、その子はお父さんがいなくって、お母さんがスナックに勤めてて、あまりよく思われていなかったわ」

雪子はゆっくり頷いた。「うん」

「あたし、その子問い詰めたけど、彼女は知らないって言った。それであたし、先生にまで言ったわ。先生も、そう、偏見があったのかも知れないわね、その子に、ほんとうのことを言いなさいって言ったの。だけど、彼女は知らないって泣いてた」

友美子は雪子に視線を戻した。

「家に帰ったら、机の上に置き忘れてるのが見つかったわ、その三色ペン」

雪子は黙って聞いていた。

「あたし、彼女に謝った。彼女もいいのって言ってくれた。でも、何となくぎくしゃくしちゃって、その子も結局――お母さんが再婚したのだったかしら、しばらくしたら転校して、それっきりよ。あたし、その子とはすごく仲がよかったのよ。それこそ、雪子と同じぐらいね。だけど、あたし、その子を信じてあげられなかった」

友美子は肩をすくめ、続けた。

「以来、あたしは、できるだけ人を信じてあげられるように努めてるわ。あたしは、人を信じたいわ。そうしなければ、きっと何もかも駄目になる。これは、あのろくでもない光輪教のおじさんおばさん連中が言うのとは別のことよ。あたしの信念。わかってくれる？」

「うん。わかる」

「それで、今のことよ。そりゃあ、相馬さんとかは、悪そうに見える。そう言われてる。でも、自分のために喜んで人も殺そうなんて、そんな悪い人じゃないはずよ。そんな人、あたしたちのクラスにいなかったはずだわ。そうでしょ？」

「……うん」雪子はややあって頷いた。

「だから」友美子は続けた。「きちんと話しかけたら、みんな戦うのをやめてくれるはずよ。そしたら、今の状況をどうにかできるかどうか、みんなで話し合えるわ。いいえ、たとえどうにもできなくても、少なくとも、みんなが殺し合うなんてことは避けられる。そうでしょう？」

「うん……」

雪子は頷いたが、まだためらいがちだった。友美子は少し喋り疲れて息をつき、また脚の位置を直した。

「とにかく、それがあたしの意見。それで、雪子の意見を聞かせて。雪子が反対するなら、あたしはそれはやらない」

雪子はしばらく、床に目を落として考え込んでいた。

たっぷり二分ばかり経ってから、ぽつりと口を開いた。

「友美ちゃんね、あたしにいつか言ったね、あたしが人の意見聞きすぎるって」

「うん？ ——そう、言ったかな」

友美子は雪子の顔を見つめた。雪子が顔を上げ、視線がかちあった。

雪子がにこっと笑った。

「あたしは、友美ちゃんの言うことはとても正しいと思うわ。これは、あたしの意見よ」

友美子は笑みを返した。「ありがとう」と言った。雪子が、自分で考えてそう言ってくれたのが、うれしかった。それで、そのことは、自分の考えの正しさをもまた、証明しているように思えた。

そうだ。やっぱり、やるべきなんだ。何も努力しないで死んでいくなんて、そんなのは、あたしは、ごめんだ。可能性があるなら、試してみよう。そう、雪子に言った通りだ、あたしは、人を、信じたい。試して、みよう。

それから、雪子が訊いた。

「でも、どうやってやるの？　みんなに呼びかけるなんて」

友美子は、部屋の隅に転がっているハンドマイクを指さした。

「あれが使えるかどうかね」

雪子は何度か小さく頷き、それから天井を見上げると、しばらくして、ぽつりと言った。

「うまくいったら、七原くんに会えるなあ」

友美子は頷いた。これは、いささか、心から。

「そうよ。きっと会える」

【残り29人】

21

「よし、いいぜ」

川田がかたわらのデイパックの上に糸と針を放り出し、秋也に「もっぺんウイスキー貸せ、七原」と言った。

川田の前、典子が曲げた右脚を横へ伸ばしていた。右ふくらはぎの傷は今、ごつい木綿糸で縫い留められていた。川田が縫合手術をやってのけたのだ。もちろん麻酔はなかったが、その約十分ばかりの間、典子は泣き言を言ったりはしなかった。

秋也はスキットルを川田に差し出した。かたわらに石を組んだ小さなかまどがあって、炭の上に置いた空き缶の中、こぽこぽと湯が沸き続けていた（その炭も、針と糸も雑貨屋で調達したのだと川田は説明した）。針と糸はそれで消毒したのだけれど、まさか傷口に直接湯をかけるわけにはいかないということだろう、川田は縫合を始める前にも、傷口を秋也のウイスキーで洗っていた。再度の消毒ということになるが、一旦息をついた典子が、それでまた顔を歪めた。

秋也は時計を見た。湯が十分沸騰するまでに時間がかかったため、既に八時を過ぎている。

「オーケイ」川田は、これも湯で消毒したバンダナをガーゼ代わりに押し当て、手早く上からもう一枚のバンダナを典子の脚に巻き直して、言った。「もう終わりだよ、おねえちゃん」

それから、ちょっと心配そうに付け加えた。

「これまでに妙な雑菌が入ってなきゃいいんだけどな」

典子が脚を引っ込め、「ありがとう」と川田に礼を言った。「うまいもんね」

「お医者さんごっこは得意でね」

川田は言い、ポケットから〝ワイルドセブン〟の銘柄の煙草を出して一本咥え、百円ライターで火を点けた。これも雑貨屋で勝手に徴用してきたのだろうか、それとも私物だろうか。

〝バスター〟とか〝ハイナイト〟と同じ大衆銘柄だ。

秋也はその、理由は知らず、バイクとライダーのシルエットをあしらったパッケージをぼんやり眺めた。およそあだ名の付いたことのない秋也だったが、しかし、その煙草の名前が自分の通り名として使われることがあったからだ。理由は至って単純、リトルリーグ時代、秋也は常にチームの切り札だった。チャンスには必ず打ち、塁に出たら後が続かなくても盗塁でチャンスを広げ（一シーズンにホームスチール三回というちょっとした記録も持っている）、満塁のピンチ、ヒット性の当たりもその美技で併殺に仕留めた。ピッチャーがへばったら、ショートからマウンドに上がることもあった。ワイルドカード・〝七〟原。ワイルドセブン。あらまあそうですか。

二年になってバスケ部の天才ガード、あの三村信史と同じクラスになった。信史にも、〝第三の男〟という通り名がある。それは、信史がまだ一年のころ、バスケ部のいわゆるシューティングガードのポジション、第二補欠だったころのことに由来しているらしい。彼が――〝第三の男〟が残り五分でコートに入った後、城中バスケ部は優勝候補だった相手チームとの二十点差をあっさり撥ね返したのだ。以来彼はレギュラーになったし、城中バスケ部は県大会上位の常連になっているが、それでも今も、そのときのインパクトと〝三村〟の姓になぞらえて、そう呼ばれている。

そう、四月にあった今年のクラスマッチでは、女の子が冗談で七番と三番のゼッケンを用意してきて、秋也と信史はそれを着けて試合をした。なんだか遠い世界の話だった。秋也はまた思った。三村信史はどこにいるのだろうか？　あいつならきっと、頼りになる。

川田が思い出したようにもう一度ポケットを探り、革製の小銭入れのようなものを引っ張り出した。そしてその中から——薬を、プラスチックと銀紙で包装された白い錠剤をつまみ出すと、典子に差し出した。

「鎮痛剤だよ。飲んどくといい」

典子は目をぱちくりした。それでも、受けとった。

秋也は「おい」とその川田に声をかけた。

「何だ」川田は煙をうまそうに吐き出して、秋也を見た。「そう非難がましい目をするなよ。中学生だって煙草ぐらい吸うぜ。大体、俺、ほんとは高校生の歳なんだ。それに、おまえなんか酒を持ってきてたんじゃないか」

高校生なら吸ってもいいみたいな言い方だったが、とにかく、秋也は「違う」と首を振った。「その薬も雑貨屋にあったのか？」

川田は肩をすくめた。

「まあそうさ。もっとも、売り物じゃなくてレジの後ろの薬箱からかすめたんだがな。なんてこたない、ただの頭痛薬さ。ゴメスってやつ。どうでもいいが頭痛がひどくなりそうな名前だよな。とにかくまあ、気休めにはなる」

秋也は唇をすぼめた。まあ、それは事実かも知れない。しかし——

「——準備がよすぎやしないか？　それに、何で傷を縫ったりできるんだよ？」

川田は口の両端を持ち上げて唇できれいな弧をつくって笑い、肩をすくめた。「おれ、医者の息子だ」と言った。

「何だって？」

「それも、神戸のスラムの小汚い診療所だ。ガキのころから親父が人を縫い合わせるの、見てたんだ。いいや、我ながら優秀な看護助手だったし時々は似たようなことやってましたって言った方が正確だな。親父には看護婦雇う金なかったから」

秋也は二の句が継げなかった。本当だろうか？

川田は指の間に挟んだ煙草を持ち上げ、秋也を遮るような仕草をした。「嘘じゃない。ちょっと考えれば、この状況で薬が必要になることだって、わかるだろう？」

秋也は一旦黙ったが、もう一つ不思議に思っていたことをようやく思い出した。

「そうだ」

「なんだ？」

「あのときあんた――」

「おまえ、でいいよ、七原。どうも他人行儀でいけない」

秋也は一つ肩をすくめると、言い直した。

「おまえ、バスの窓を開けようとしていただろ。気づいたんだな、催眠ガスが出てるってことに？」

それを聞いて、典子が川田の方をもの問いたげに見た。

今度は川田が肩をすくめた。

「見てたのか。手伝ってくれりゃよかったのに」

「悪いけど手伝えなかったよ。けど、どうしてわかったんだ？　匂いもしなかったし――」

「匂いはしたよ、七原」川田は言って、半分ほど吸った煙草を地面に押しつけた。「かすかなもんだがな。知ってる者なら、わかることだ」

「どうして知ってるの？」と今度は典子が訊いた。

「俺の叔父が実は政府の化学研究所にいて――」

「おい」秋也は遮った。

川田は苦笑いすると、言った。「必要があれば後で話そう。まあ、俺にしてみればあれは最大の失態だな。気づくのが遅すぎたんだ。まさかこんなことになるとは思わなかったしな。

――それより、今のことの方が大切だ。何かプランはあるのか？」

必要があれば話す？　その言い方も引っかかったが、しかし、確かに川田の言う通り、逃げ出すための相談が先決だった。それ以上追及するのはやめて、言った。

「俺たちは逃げるつもりだ」

川田はまた煙草に火を点けながら、頷いた。それから、思い出したように、石積みのかまどの中の炭に土をかけた。典子が、水と一緒に薬をこくっと飲み込む音が聞こえた。

秋也は続けた。「難しいと思うか？」

川田は首を振った。

「可能性はあるか、と訊くべきだな、七原。それなら俺はこう答える、とても可能性は小さい。だが、それで？」

「俺たち、この」秋也は自分の首筋に手を上げた。川田の首にも、典子の首にも同じく巻かれているそれ。「首輪のせいで、逃げてもすぐ見つかるんだろう」

「そうだな」

「それに、あの分校にも近づけない」

坂持が言っていた、〝この分校のあるエリアはすぐに禁止エリアになります〟。いや、〝なりまーす〟か、クソ。

「そうだな」

「けど、何とかあそこから坂持たちを引きずり出せないか？　それで坂持を人質にとる。それで、この首輪のロックを解除させるんだ」

川田はただ、眉を持ち上げた。「それで？」

秋也は唇をなめ、続けた。

「それで、そうだ、先に船を探しておいて、坂持を連れて逃げる」

言いながら、自分でも勝算のほとんどない作戦だと思った。いや、坂持を分校から引きずり出す方法を考えていないのだから、そもそも作戦とすら呼べないが。

「――以上か？」

川田が言った。秋也は仕方なく頷いた。

川田はまた煙を吸い、それから、言った。

「まず、第一に、船なんか無いな」

秋也は唇を噛んだ。

「そりゃ、わからないじゃないか」

川田はちらっと笑んで、煙草の煙を吐き出した。

「俺、港の近くの雑貨屋に行ったたって言ったろう。船はなかった。一隻もだ。普通ならおかに上がってるはずのボロ船も全部かっさらわれてる。全く、呆れたていねいさだぜ」

「じゃあ――見張りの船を使ってもいい。坂持さえ人質に取れたら――」

「無理だ、七原。そんなのは」川田が遮るように言った。「あの専守防衛軍の連中の人数を見ただろ。それに、――」

川田は自分の首に巻かれた銀色の首輪を指した。

「この首輪はやつらの好きなとき、エリアだのなんだのに関係なく手動操作だって爆破できるはずだ、いつでも、どこでも、だ。俺たちにはどうしたって分が悪い。大体、万一そんなことができたとしても、政府は坂持なんか平気で見殺しにするぞ、多分」

秋也は再び黙った。

「ほかに何か思いつくか?」と川田が促した。

秋也は「いや」と首を振った。「典子は?」

典子も首を振ったが、しかし、別のことを言った。

「あの、あたしたち、だから、信用できる人たちだけでも集めて、何か一緒に考えられないかなって言ってたの。大勢で考えたら、いい知恵が浮かぶんじゃないかって――」

そうだ、と秋也は思った。それを言うのを忘れていた。

川田が、傷痕のある左側の眉だけを持ち上げた。

「信用できる人っていうのはこの場合誰のことだ?」

それには、秋也が幾分勢い込んで答えた。

「三村だよ。それと――杉村弘樹とか。女子だったら、委員長の内海とかさ。特に三村は――すごいやつなんだ。あいつは、いろんなことをよく知ってるんだ。機械のこととか、詳しいし。あいつだったら、何か思いつくはずなんだ」

川田は、それで、秋也の顔を見ながら、不精髭の生えたあごにしばらく左手を這わせた。それから、言った。

「三村か……」

秋也は目を少し丸くした。「どうかしたのかい?」

「いや……」川田はちょっと言いにくそうに、しかし、続けた。「……三村なら、見たな、俺」

「何だって!　どこで!」

秋也は思わず声を上げていた。隣の典子と顔を見合わせた。

「どこで?　どこで見たんだ?」

川田は、あごをちょっと東の方角へ動かした。

「夜のうちだ。あの分校から西へ出た辺りだった。何か家に入って探し物をしてるようだったな。——銃も持ってた、俺に気づいたようだった」

「何で声をかけなかったんだ?」

非難めいた声を上げた秋也に、川田は不思議そうな顔をした。

「どうして?」

「だって——あの分校で、あいつ、典子が席に戻るのを助けてくれたじゃないか。見ただろ？ それに——」

川田が引き取った。「典子サンが怪我をしたからこのゲームを延期にしようと言った？ 恐らく、みんなが逃げるだけの余裕ができるように？」

そう、その通り。秋也は頷いた。

川田は、しかし、首を振った。

「それだけのことで俺にあいつを信用しろってのか？ そりゃ無理だな。それにあいつは、要するにそうやって、自分が信用できる人間だということを見せびらかしただけかも知れないぞ。そしたら、後でみんなを殺すのに都合がいい」

「——ばかな！」秋也は声を荒らげていた。「よくもそんなひねくれた考え方ができるもんだ。あいつは、そんなやつじゃないんだ。あいつは——」

川田が黙って両てのひらを前に押し出すような仕草をし、秋也は黙った。そう、そもそも大声を上げるのはまずかった。たいへんにまずい。

それから、川田が言った。

「悪く思うな。俺は三村のことはよく知らないんだ。さっき言ったように、このゲームじゃ人を信じるんじゃなくて疑うのが原則だ。特にな、頭の切れそうなやつには用心しなきゃならない。それに、俺が組もうと言ったってあいつも多分、うんとは言わなかっただろうさ」

秋也はなお何か言おうとしたが、しかし、息を吐き出して、やめた。川田の言うことも、全くわからないことではなかった。ほんとうは、川田が自分と典子を信用していることすら、おかしな話なのだ。川田はそれを、〝いいカップルに見えたからな〟と言ったけれど。

「じゃあ――」秋也は言葉を継いだ。「とにかく、おまえが三村を見たってところまで行ってみよう。あいつは絶対信用できる、俺が保証する。あいつなら、きっと何か思いつくはずなんだ、あいつは――」

しかし、秋也はまたも途中で言葉を切らざるを得なかった。川田が首を振っていた。

言った。「三村がおまえの言う通りの切れ者ならな、七原。あいつが俺に姿を見られたところにずっととどまってると思うか？」

その通りだった。

秋也はため息をついた。深い深いため息だった。

「あの……」典子が口を開いた。「川田くん、今からでも、三村くんとか、ほかのみんなに連絡を取る方法がないかしら」

川田はまた煙草を一本振り出しながら、首を振った。

「ないだろうな。不特定多数を集めるならともかく、特定のやつに絞って連絡を取るのは難しい」

しばらく沈黙が落ち、秋也は、唇の間に煙草を挟んだ川田をしばらく眺めた。〝ワイルドセブン〟が火の点いた先からちりちりと音をたて、少し短くなった。

「じゃあ――」重くなる口を、動かした。「俺たちには、もう手がないってことか」

しかし、川田は、あっさり「いや、そうじゃない」と言った。

「え？」

「俺のプランがある」

吐き出された煙をすかして、秋也はまたもまじまじと川田の顔を見ることになった。それから、俄然興奮して訊ねた。

「そりゃ――どういうことだい？　何か方法があるのか？」

川田は秋也と典子の顔を見渡した。それから、煙草を咥えたまま、少し考えるように宙をあおいだ。首に巻かれた首輪を気にするように、そのなめらかな表面を右手指でなぞった。

煙がゆっくり流れた。

川田はそれから、「方法はなくもない」と言った。続けた。「ただし、条件があるな」

「――どんな？」

川田は軽く首を振り、また口元に煙草を近づけながら、言った。「最後まで生き残れたら、の話だってことだ」

秋也は眉を寄せた。意味が分からなかった。

「――どういう――意味だ?」

「もちろん」

川田は秋也たちの方に目を戻した。

「俺たち三人が残るまでって意味だ。ほかの連中がみんな死んで」

「そんな」典子がすぐに声を上げた。「そんなのひどいわ。じゃあ、あたしたちだけ助かろうっていうことなの?」

川田は組んだ膝の間で煙草を指の間に挟んだまま、眉を持ち上げた。

「七原が逃げるって言ったのだって、同じ意味だろ」

「違う」と秋也は口を挟んだ。「典子が言ってるのはそういう意味じゃない。つまり――ほかの連中が死ぬことと引き換えに俺たちが生き残るのかと言ってるんだ。典子、そうだろ?

それじゃまるで……ひどいよ、とにかく」

「まあまあ、待てよ」

川田が手を振った。煙草を地面に押しつけて消した。

「仲間が増えるのは構わない。信用できる連中ならな。しかし、いずれにしても、俺たちのグループのメンバー以外の連中がみんな死んだら、だ。そういうことだ」

「それなら」秋也は勢い込んで言った。「みんなにそれを知らせてやればいい。それが確実な方法なら、反対するやつなんかいないよ。そしたらみんな助かるってことだろ？　そうだろ？」

秋也の言葉に、川田は唇を引き締めた。それから、すこしけだるそうに言った。

「七原。話をする前に向こうが攻撃してきたらどうするつもりだ？」

秋也は息を呑んだ。

「少なくとも、自分が積極的に誰かを殺したいんじゃない限り、このゲームで生き残るための比較的賢い方法は、動かずに隠れてることだ。だからこそこいつの中の爆弾で」川田は自分の首輪を指さした。「政府は俺たちを動かすんだ。こいつは、大原則だぞ。忘れるな。のこのこ動いてたら、物陰から撃たれる可能性だってあるんだ。ことに俺たち、今、典子サンが怪我してる。いい標的だ」

その通りだった。

「それにな、みんな助かる、というが、実際にはここで死なずに済むかも知れないというだけだ。脱走者になるんだから、いずれは政府に追われて、結局死ぬことになる可能性が高い。そんな話に誰もがはい、わかりました、と乗ると思うか？　忘れたのか？　このゲームじゃ、誰が敵かわからないんだ。ヘタに誰でも仲間に引き入れたら、痛い目に遭うじゃ済まないぞ」

「そんなやつは——」

「いないと言いきれるのか、七原？」川田の目が厳しくなっていた。「そりゃあ、このクラスのやつがみんな善人ならめでたい。だが、警戒するのがリアリティってもんじゃないか？おまえだって事実、赤松にも大木にも襲われたんじゃないか？」

出発直後、赤松に襲われたことも、川田が典子の脚を治療する準備をするうちに、話しておいた。その通り、赤松義生についても、ほんとうのところはわからなかった。赤松義生はやる気だったのかも知れない。

秋也は息をついた。肩を落とし、力なく言葉を押し出した。

「じゃあ——じゃあ、俺たちは、恐らく大半の、マトモな連中を見殺しにすることになるのか。そういうことなんだな？」

川田は小さく何度かあごを上下させて、頷いた。

「つらいが、そうだ。大半と言えるかどうかは、俺は知らないが」

しばらく、沈黙が落ちた。川田がまた煙草に火を点けた。吸い過ぎだ、中学生のくせに。

それから、典子が「ちょっと待って」と言った。秋也は典子の方に首を振り向けた。

「ほかのみんなが死んだらって言ったけど、時間切れの可能性だってあるじゃない。二十四時間誰も死ななかったらって――」

「ああ」川田は頷いた。「もちろんだ」

「そのときは川田くんのいうプランもだめになるのね？」

「そうだ。だが、まずそんなことはない。それに、仮にみんなが仲良しこよしになれるのだとしたら、全員が俺のプランに乗ってもいい。しかし、そんなこともまずないだろう。だから心配する必要はない。前に聞いたんだが、過去の全国のプログラムで時間切れが起きたのはわずかに〇・五パーセントだそうだ」

秋也は薄く口を開いた。「聞いた？　そんなことどこで――」

「まあ待てよ」

川田はまた両手で何かを前に押しやるような仕草を見せ、秋也を制した。

「そんなことより、大事なことがあるだろ。おまえたち、まだ俺に訊いていない、一体それがどういう方法なのか」

秋也はそれで黙り――それから、訊いた。

「どういう方法なんだ？」

川田は肩をすくめた。煙草を咥えた口の端から、あっさり言った。「言えない」

秋也は眉をひそめた。

「なんだって？」

「今は言えないんだ」

「なぜ？」

「どうしても、だ」

「──今言えないって──じゃあ、いつになったら教えてくれるんだ？」

「そうだな。俺たち三人だけが残ったそのときということになるかな。ただ、これだけは言っとこう。俺の考えてる方法は、誰かに邪魔されたらうまくいかないんだ。だから、俺たち三人だけが残るまで、その方法は使えない」

秋也はまた黙った。煙草をふかしている川田の顔をしばらく見つめていたが、そうするうち、秋也の頭のどこかで、誰かが何かをささやいた。聞こえるか聞こえないかの声で、でも、ささやいた。

まるでそのささやきを聞きとったかのように、川田が笑みを浮かべた。

「おまえが何を考えてるか、わかるよ、七原。こうだ。全く別の可能性が考えられる。俺は脱出をえさにおまえたちを味方にして、うまく生き残ることができる。ところが実は脱出方法なんてない、俺は残り三人になったら、おまえたち二人を殺して優勝する。俺にはとても都合のいい話だ。違うか？」

秋也はかすかに狼狽した。「そんなことは――」

「違うのか？」

秋也は口をつぐみ、ちらっと典子の方を見た。典子はただ黙って、川田の顔を見つめていた。

秋也は顔を川田へ戻した。

「そんなことはない。ただ――」

秋也は途中で言葉を切った。

声が聞こえていた。とても遠く、それでも少し電気的に歪んでいるのがわかる『みんなーっ』という声が。


【残り29人】

22

声は続いていた。『みんなーっ聞いてーっ』という声。女の子の声だった。

「友美子の声だわ」と典子が言った。日下友美子（女子七番）のことだ。女子ソフト部で四番を打っている、背の高い、活発な女の子だった。

「ちょっと様子を見てくる」

川田の顔がぎゅっと引き締まった。ショットガンを持って立ち上がった。声の聞こえてくる方角、東側の茂みの中へ歩み出した。

「俺たちも行く」

話が途中だったが、秋也はとにかくスミスアンドウエスンをズボンの前に押し込み、典子に肩を貸して立たせた。川田はちらっと振り返ったが、何も言わずにそのまま歩き出した。

茂みの端まで出たところで、川田は立ち止まった。秋也と典子も足を止めた。

背中を向けている川田が言った。「あいつら――」

秋也はその川田のすぐ後ろまで進み、典子と一緒に、川田がそうしているのと同じように、茂みから顔を出した。

山頂だった。北の山、山頂のまばらな木々の間に、何か展望台のような構造物が見えていた。秋也たちのいる山すそから、距離は――五、六百メートルもあるだろうか。それでもはっきり見えた。展望台は壁を取り払った小屋のような粗末なつくりだったが、その屋根の下、二つの人影が立っているのが。秋也は目を見開いた。

声が届いてきた。『みんなーっ。戦うのはやめてーっここまで来てーっ』

秋也は、人影の一方が——背の高い方だ、日下友美子だろう——頭の前に何か持っているのを認めた。ハンドマイクか？　あの、籠城した強盗とかに警察が呼びかけるときに使うやつ？　何だかこっけいな気もしたが（『あー、全員に告ぐ、戦うのはやめて出てきなさい』）、なるほど、あれなら秋也たちのいる辺りだけでなく、島のかなりの部分まで声が届いているかも知れない。

「もう一人は——」

秋也が呟くと、典子が「雪子よ。北野雪子」と答えた。

「一緒にいたんだわ。あの二人、仲いいから」

「それどころじゃない」川田が苦い表情で言った。「殺されちまう、あんなことしてたら。丸見えだ」

秋也は唇を噛んだ。要するに、日下友美子と北野雪子は、〝説得〟を試みようとしているのだ。戦うのはやめろと。秋也が一旦は考え、しかし、赤松義生に襲われた後あきらめてしまったそれを、やろうとしているのだ。彼女たちは、そう、誰も〝やる気〟なんかないはずだ、と考えているのに違いない。一番多くの連中に確認できる場所としてあそこを選んだのだろう。あるいは、最初からあの近くにいたのかも知れない。

『みんな戦いたくなんかないはずよーっ。ここまで来てーっ』

秋也は少し逡巡した。状況を整理する必要があったし――さっきの話にケリがついていなかった。もし万一――、万一だが、川田が敵だったら？

だが、結局、川田に言った。

「典子を見てててくれないか、川田」

川田が振り返った。

「何をする気だ？」

「俺、あそこまで行ってみるよ」

川田が眉根を寄せた。「ばかか、おまえは？」と言った。

秋也はその言い方にちょっと頭にきたが、とにかく反論した。

「なんでだ。あいつら、危険に身をさらしてるんだぞ。二人ともやる気なんかないんだ。本当にないんだ。だったら、仲間になれる。それに、おまえが言ったばかりだろ、あんなことしてちゃ危ない」

「そんなことを言ってるんじゃない」川田が歯を剝いた。大きな、健康そうな歯だな、と秋也は場違いなことを考えた。「俺がさっき言ったばかりだろ。動かないのが一番なんだ、このゲームじゃ。あそこまでどれだけ距離があると思ってる？　途中に誰がいるかわからないんだぞ」

「わかってるさ！」秋也は言い返した。

「いや、おまえはわかってない。みんなもうあの二人に気づいてるんだ。あの二人を狙ってるやつがいるとしたら、おまえみたいにのこのこ出てくるやつを待ってるぞ。標的が増える、そしたら」

川田が言った内容より、その静かな声音（こわね）にむしろ、秋也はぞっとした。しかし――

『お願いーっ。ここまで来てーっ。あたしたち二人でいるのーっ。戦う気なんかないわーっ』

秋也は典子の右腕の下から肩を外した。

「行くよ」

スミスアンドウエスンを握り締め、茂みの外に歩み出しかけたが、川田がその秋也の左腕をがちっと握り締めた。

「よせ！」

「なんでだ！」秋也の声が高くなった。「見殺しにしろってのか？」意識しないまま、声がうわずり、言葉がこぼれ出した。「それとも、自分が生き残るのに俺がいなくなったら不都合だってのか？　そうなのか？　結局そういうことなのか？　おまえは俺たちの敵なのか？」

「秋也くんやめて――」

典子が悲痛な声を上げたが、秋也はまだ何か言いかけ――そして、気づいた。自分の腕を握り締めている川田の顔がすうっと静かになっているのに。

それは、ちっとも似ていないのに、〝慈恵館〟の前館長、もう亡くなった安野先生の年老いたお父さんを、思い出させた。両親を失って、自分にとってのたった一つの権威であり、保護者だったその館長が、幼い秋也にお説教した、そのときの顔を。

川田が言った。「おまえが死ぬのは勝手だけどな。おまえが今行って、帰ってこなかったら、典子サンが死ぬ可能性はぐっと上がるぞ。それを忘れたのか？」

秋也はごくっと唾を飲みこんだ。それは、またしてもその通りだった。

「しかし――」

川田が静かに続けた。「こんなことは百も承知だろうがな、七原。誰かを愛するっていうのは、別の誰かを愛さないっていうことだ。典子サンが大事なら、行くな」

「だけど――」秋也は泣きたいような気分だった。

「だけど、じゃあ、どうしろっていうんだ？　見殺しにするのか？」

「そうは言ってない」

川田は秋也からすっと手を離すと、友美子が叫び続けている山頂の方に向き直り、ショットガンを構えた。

「ちょっとだけ俺たちの生存確率を下げる。ちょっとだけだ」

川田は言うなり、空に向けてショットガンを撃った。間近で撃発したその火薬の音はものすごく、一瞬、秋也は鼓膜がぶっ飛んだかと思った。その音が、山の斜面に、反響した。川田の左手が握ったポンプが動き、ケースが吐き出された。続けてもう一発撃った。音が空気をびりびり震わせた。

なるほど――。この銃声で、日下友美子と北野雪子は、脅えて呼びかけるのをやめ、隠れてくれるかも知れなかった。

ハンドマイクで増幅された友美子の声が止んだ。雪子と二人で、こちらを見ているような気がした。もっとも、こっちは茂みの間にほとんど身を隠しているので、誰かという判別はつかないかも知れない。

「どうした！　もっと撃ってくれよ！」

勢い込んで言う秋也を、川田が制した。「だめだ。今の二発だけでも俺たちがいるところに気づいたやつがいるかも知れない。これ以上は危険だ」

秋也は少し考え、スミスアンドウエスンを頭上に向けて構えようとした。

川田が再びその腕を押さえた。

「よせ！　何度言わせる？」

「しかし――」

「もう、俺たちにできることは幸運を祈ることだけだ。あいつらが早く隠れてくれるように」

秋也は山頂に目をやった。そして、聞こえてきた。再び、『やめてーっ。みんな戦いたくないはずよーっ』という日下友美子の声が。

秋也は川田の腕を振りほどいた。我慢できなかった。何としても、あの二人に安全な場所に隠れてほしかった。スミスアンドウエスンのトリガーに指をかけ――

ぱらららららら、という一種タイプライターに似た感じの音が遠く聞こえ、続いて、友美子の『うっ』といううめき声が届いてきた。もちろん、その声というのも、ハンドマイクで増幅されていたわけだ。ひと呼吸置いて、『きゃーっ』という、北野雪子らしい声。これまた、ハンドマイクのちゃちなアンプがせっせと働いたおかげで、秋也たちの耳にもはっきり聞こえた。山頂の展望台の屋根の下、長身の方の影がゆっくり崩れ落ちるように見え、『友美ちゃん！』という雪子の叫び声が続いた。がっ、という雑音がし、ハンドマイクが地面に落ちたことがわかった。また、ぱらららら、という音が聞こえたが、今度はかなり音が小さかった。それで、秋也は、その音もまた、ハンドマイクが拾い上げて増幅していたのだと悟った。ハンドマイクが壊れてしまったから、音が小さくなったのだ。そして、今度は雪子の影も展望台を囲む低い木々の陰にくずおれ、友美子同様、秋也たちの視界から消えた。

秋也も典子も、蒼白になっていた。

【残り29人】

23

北野雪子は、展望台のコンクリートの床を這いずって、日下友美子の方へ進んだ。腹部が何かとても熱く、全身の力が抜けたようになっていたが、それでもまだ、這うことぐらいはできた。白いコンクリートの上、雪子が進んだ後に、はけで乱暴に描いたような赤い道ができた。

「友美ちゃん！」

雪子は叫んだ。そうしたおかげで腹部が引きちぎれるように痛んだが、そんなことは気にならなかった。自分の一番の友達が、倒れて動かない。そのことだけが、重要だった。

友美子は俯せに倒れ、雪子の方に顔を向けていたが、その目は閉じられていた。友美子の体の下に、とろっとした感じの赤い池が広がり始めた。

雪子は友美子の体までたどり着くと、力を振り絞って自分の上半身を起こした。それから、友美子の肩をつかんで揺すった。

「友美ちゃん！　友美ちゃん！」

叫ぶそばから友美子の顔に赤い霧が降りかかったが、雪子はそれが自分の口から出ているものなのだとは、気づきもしなかった。

友美子がゆっくり、目を開いた。「雪子……」と呟いた。

「友美ちゃん！　しっかりしてよ！」

友美子が顔を歪めた。しかし、何とか持ちこたえると、「ごめんね、雪子」と言った。「あたしがばかだった――早く――逃げて」

「だめよ！」雪子は泣きながら首を振った。「一緒に、さあ、早く！」

それから、雪子は慌てて辺りを見回した。自分たちを撃った者の影は見えない。きっと、かなり距離のあるところから狙撃したのだ。

「早く！」

友美子の体を起こそうとしたが、それはとても無理だった。すぐに、自分の体を支えているのもつらいことがわかった。腹部にそれまでに倍する痛みがふいに跳ね上がり、雪子はうめくと、自分も再び前のめりに倒れた。ただ、顔だけは友美子の方に向けて。

友美子の顔がすぐ目の前にあった。幾分とろんとした目が、じっと雪子を見つめていた。

「動けないの、雪子?」と弱々しい声で聞いた。

「うん」雪子は、無理やり顔の筋肉を動かして、笑ってみせた。「そうみたい」

「ごめんね」と友美子がまた静かに言った。

「いいの。あたしたち、あたしたちなりにやるべきことをやったんじゃや、ない? 友美、ちゃん?」

それで、友美子が泣きそうな顔をするのがわかったが、比較的軽傷だと思った雪子自身の意識の方が、急速に薄れかけていた。まぶたが重い。

「雪子?」

友美子の声で、雪子は再び現実に引き戻された。

「な、に?」

「あたし、あなたにさっき、言えなかったことが、あるわ」

「――?」

友美子がちらっと笑った。「あたしも、七原くんのこと、好きだったの」

一瞬、友美子が何と言ったのか、理解できなかった。予想してないことだったたからか、それとも聴覚神経がおかしくなりかけているからか、わからない。

しかし、ようやくその言葉は、雪子の心のドアを叩いて中に入ってきた。ああ、——そうだったんだ。

それから、どんどん霧の奥に沈んでいく雪子の頭の中、ある光景が蘇った。二人で街に買い物に出かけたときのことだ。たった三千円のバーゲンものだけれど、でもとてもとてもきれいなイヤリングがあって——二人の趣味がかちあうことなどめったにないのに——どっちが買うかもめた挙げ句、結局半分ずつお金を出して、左右一個ずつ分けたんだっけ。二人とも、装飾品を買うなんて初めてだった。あれは、今でも城岩町の隣町との町境いに近い家、あたしの机の中、抽出しの一番奥にある。

なぜだか、雪子はとても幸福な気分になった。不思議だった、死にかけているのに。

「そう——」雪子は言った。「そうだっ、たの」

友美子がまたちらっと笑ってみせた。雪子はもう一度だけ、口を開いた。あとひとことぐらい、きっと言えるだろう。そう、宗教のことなんてよくわからない。でも、あの光輪教がたった一つ美しいものを雪子にくれたとしたら、それは友美子だった。あの教会で出会ってから、あたしたちはずっと一緒だった。

「友美、ちゃん。あたし、友美、ちゃんと友達で――」

ほんとうによかった、と続けようとした目の前で、ぱん、という音とともに友美子の頭が揺れた。友美子の右のこめかみの上に赤い穴が開いていて――友美子はもう、うつろな目を、雪子に向けているだけだった。遠くを見はるかすような感じは、存外、展望台というロケーションにふさわしかったかも知れない。

恐怖と驚愕に口を大きく開いた雪子の耳に、もう一度ぱん、という音が届き、同時に頭をがんと殴られたような衝撃がきた。それが雪子の、最後の知覚になった。

桐山和雄（男子六番）は、展望台の外から見えないよう低くした姿勢のまま、沼井充のものだったワルサーPPKをすっと下ろすと、二人のデイパックを拾い上げた。


【残り27人】

24

単発の銃声が二つ続いた後、秋也も典子もしばらく動けなかった。上空を舞うとびが、うぃーひょろろ、と鳴いた。

しばらく辺りを見回していた川田が、踵を返し、「もう終わった。そっちへ戻ろう」と二人を促した。

秋也は典子の腕を支えながら、少し上にあるその川田の顔を見上げた。唇が、自然わなわなと震えた。

「――終わった、だって？　ほかに言いようがあるだろう？」

川田は小さく、首の辺りだけで肩をすくめてみせた。

「俺の口の悪いのは勘弁しろ。語彙が貧弱なんだよ。とにかく、これではっきりわかっただろ。やる気になってるやつがいるんだ。言っとくが、今のは坂持たちが俺たちを戦わせようとやったわけじゃないぜ。やつらだって命が惜しい、あの分校からは出てこない」

秋也はまだ何か言いたい気分だったが、何とか自分を抑え、典子の腕を支えて歩き出した。歩きながら、典子がかさかさした声で言った。

「ひどい――ひどいわ、あんなの――」

元の場所まで戻ると、川田が荷物をまとめ始めた。

「どうするんだ？」

秋也が訊くと、川田は「準備しろ。念のためだ。百メートルばかり、動く」と言った。

「動かない方が安全だって――」

川田は、唇をとがらせるようにすぼめて首を振った。「見たろ、今の。誰だか知らないが、今の野郎、容赦がないぞ。おまけにマシンガンを持ってる。きっと俺たちの場所に気づいてる。あんなのに位置を知られたんなら、動いた方がましだ」言い足した。「少しだけだ。少しだけ、動く」

【残り27人】

25

瀬戸豊（男子十二番）は、必死で斜面を駆け降りていた。いや、灌木に身を隠すために身を低くしていたので、ほとんど這っていると言った方が正しかったかも知れない。乾いた土で、小柄な体を包んだサイズSの学生服がほとんど真っ白になりかけていた。まだ幼さの残る丸い目、ふだんはB組一のお調子者の彼の顔が、恐怖に歪んでいた。

瀬戸豊が分校を出発した後、さっきまで隠れていたのは、北の山の頂上近く、要するに日下友美子と北野雪子がハンドマイクで呼びかけを行った、そのほんの五十メートルばかり下の茂みの中だった。

豊には、やや斜めの方向からだったけれども、二人の姿がはっきり見えていた。迷いに迷い、悩みに悩みもしたが、挙げ句、ついには呼びかけに応えて出ていこうとしたそのとき、遠く銃声が響いて、二人がそちらを——豊がいるのとは反対側だった——見ていたような気がした。そして、豊がなお少し様子をみた方がいいのだろうかなどと考えるうち、ほんの十秒か二十秒も経たないうちに、今度はタイプライターみたいな銃声がして、ハンドマイクで増幅されたうめき声とともに、日下友美子が倒れるのが見えた。続いて、北野雪子も撃ち倒された。

その時点では、二人はまだ生きていたに違いない。しかし、豊は、二人を助けに出ていくことが、どうしてもできなかった。何せ——彼はそもそもお調子者に生まれついた身、争いごとは大の苦手だったたし、おまけに彼の手持ちの武器ときたら、支給された一本のフォーク、スパゲティを食べるときに使うような何の変哲もないフォークだけだったのだから。そして、もう豊からも見えない位置で二度、銃声が響いた。襲撃した誰かが、友美子と雪子にとどめを刺したのだ、とわかった。

わかった途端、荷物をかき集めて、斜面をずるずる這い降り始めていた。あの誰かが次に狙うのは自分に違いなかった。そうに決まっている！　一番近くにいるのが俺なんだから！

ふいに、豊は自分がものすごい土埃をたてていることに気づいた。だめだ！　だめだ！

これはまずい！　そりゃスリッパのスープよりまずいよ、ちくしょう、君、冗談考えとる場合ちゃうやんか！　ちくしょう、関西弁で突っ込んでる場合じゃない！

それで、豊は極力斜面に体を滑らせないように、靴底とてのひらを（もっとも右手にはフォークを握っていたので〝グー〟の形だったが）地面に叩きつけるような動き方に切り替えた。手の皮がずるずる剝けるのがわかったが、気にもならなかった。ちくしょう、はたから見てたら今の俺の動き方はめちゃくちゃおもしろいに違いないぞ。人間ミズスマシ、なんつって。

そのままさらに二、三分ばかり進み続けて、ようやく豊は動きを止めた。そうっと後ろを振り返った。木々の間、あの、日下友美子と北野雪子が死んだ山頂が随分遠くに見えた。何の動きもない。耳を澄ました。何の物音もしない。

――逃げ切ったのか、俺？　俺、助かったのか？

一種その問いに答えるようなタイミングで、腕に何かが食い込んだ。

豊の頭が恐怖に混乱し、口から「ひいっ」と声が洩れた。

「バカ！」と誰かがささやいて腕に加わっていた力が消え、代わりに豊の口をなま温かい手が塞いだ。しかし混乱した豊の耳にその声は入らず、ただ、襲撃者に追いつかれていたのだという思い、その恐慌のうちに、右手のフォークを振った。

がちっ、と音がして、そのフォークが止まっていた。——だが、なぜだろう。そのまま何事も起こらないので、豊はおそるおそる、目を開いた。

目の前にいる影は、学生服を着ていた。そして身をそらせ、顔の前に掲げた大型の自動拳銃(ベレッタM92Fだ)でフォークを受け止めていた。男は、拳銃を左手で握っていた。二人の位置関係と、男が豊の口になおそっと右手を置いていることを考えると、男が左利きでなかったら、豊のフォークは男を少なからず切り裂いていたかも知れない。しかし、男は左利きだった。そして、B組で矯正していない左利きの男子と言えば、一人しかいない。

「危ねえじゃねえか、豊」

幾分濡れた感じにスタイリングウォーターか何かで持ち上げた前髪の下、やや上がり気味にまっすぐ走った眉、その下の、研ぎ澄まされた感じがする、しかしユーモアのある目が豊の目をとらえた。そして左耳のピアス。あの〝第三の男〟三村信史(男子十九番)が——豊にとってB組で一番親しい顔がにやっと笑い、豊の口から手をそっと離した。豊は放心状態で、ゆっくりフォークを下ろした。

それからようやく、「シンジ! シンジじゃんか!」と叫んでいた。

「ばか!」三村信史が再び小さくささやき、安堵感でつい大きな声を出してしまった豊の口をもう一度塞いだ。離すと、「こっちだ。静かについてこい」と言い、先に立って低い茂みの間を進み出した。

ぼんやりその後を追ううち、茂みの間、鳥瞰図のように見えていた島の風景が、かなり平板になっているのがわかった。ほんの数分で、かなりの高さを駆け降りたのだ。

豊はすぐにまた視線を戻して前を進む三村信史の背中に目をやり、——しかしそのとき、ふいに恐ろしい仮定が彼を打ちのめして、一瞬、足をすくませた。

日下友美子と北野雪子を殺したのは——シンジじゃないのか？　そして自分を追ってきていたのは？——いや、なら、なんで自分を殺さないんだ？　そりゃあ、ほら、俺はシンジのこと、一番の友達だと思ってるし、それをシンジも知っているわけだから、俺と組んでたら、シンジは例えば、俺を眠るときの見張りとかに使えるわけだ。そしたら生き残る確率が上がる。最後、二人になったらシンジは俺を殺す。うわあ、それ、すごくいい方法じゃん！俺、これがパソコンゲームか何かだったら、絶対そうしちゃうな。

——ばか！　何考えてるんだ、俺！

豊はその想像を打ち消した。シンジはマシンガンなんか——あの音はマシンガンだった、間違いない——持っていないし、第一、シンジはシンジなのだ。自分の、一番の友達だ。女の子を虫けらみたいに殺すなんて、そんなことするわけがない。

「どうした、豊」信史が振り返って、また小さくささやいた。「早く来い」

豊はまだぼんやりした頭のまま、信史を追った。

信史はゆっくりと慎重に進み続け、五十メートルほど距離を稼いだところで立ち止まった。銃を持った左手で足元を指し、「ここをまたげ」と豊に言った。それで、豊が目をこらすと、水平に、ぴんと細い、目立たない色の糸が張られているのに気づいた。

「これ――」

「ワナってわけじゃないぜ」信史がその糸の向こう側で言った。「引っかけたらずっと向こうでつないでる空き缶が落ちる。音がする」

豊は目を丸くして頷いた。なるほど、この先に信史は隠れていたのだろう、これは一種の鳴子というわけだ。さすがだった。〝第三の男／ザ・サード・マン〟は、ただのバスケの名選手というだけじゃない。

豊はそれをまたぎ越えた。

さらに二十メートルほど進み、少し深い茂みの中にたどり着くと、信史は足を止めた。

「座ろう」と豊に言った。

豊は信史と向かい合って腰を下ろした。まだフォークを握っていたのに気づいてそれを地面に置いたが、同時に左てのひらと右手の拳に鋭い痛みが戻ってきた。手の皮がずるりと剝けて、特に右手の指の付け根には、赤い肉がのぞいていた。

信史がそれを見て銃を置くと、近くの茂みの下から自分のものらしいデイパックを引っ張り出した。タオルと水のボトルを出して、タオルの端を少し湿らせると、「手、出せ、豊」と言った。豊が手を伸ばすと、信史は力をかけすぎないようていねいに傷を拭って、それから、今度はタオルの濡れていない部分を細く裂き、包帯代わりに巻きつけた。

豊は「ありがとう」と言い、それから、「ここに隠れてたんだね」と訊いた。

「ああ」信史が笑んで頷いた。「ここから見えたんだよ。茂みの間をおまえが動くのがちらっとな。かなり距離があったけど、おまえを見間違えたりしない。それで、ちょっと危険だったが、おまえの走ってくる道筋を追ったんだ」

豊はちょっと、胸が詰まった。信史は、自分のために危険を冒してくれたのだ。

「おまえ、無闇に動いたら、逆に危なかったぜ」

「うん」

豊は自分が泣きそうになっているのがわかった。

「ありがとう、シンジ」

「よかったよ」信史がふっと息をついた。「たとえ死ぬんだとしたって、おまえにだけは会いたかったからな」

今度は、豊の目に実際に涙がにじんだ。豊はぐっとそれをこらえると、別のことを言った。

「さっきの——俺、日下と北野のすぐ近くにいたんだ。俺——俺、あの二人を助けられなかった」

「ああ」信史が頷いた。「俺も見た——それで、おまえにも気づいたんだがな。あんまり気にするな。俺だって、あいつらの呼びかけに応えてやれなかったんだ」

豊は頷いた。日下友美子と北野雪子が倒れるシーンが、また生々しく頭の中に戻ってきて、少し体が震えた。


【残り27人】

26

結局、やや南西寄り、百メートルほど離れたところに移動し、川田が茂みの中に再び例の糸を張りめぐらせ終えたころには、午前九時を回っていた。陽が高くなり、五月の緑が空気に匂った。移動する間にも木々の間に透けて見えた海は、あざやかなブルーに輝いていた。そしてその向こうに連なる瀬戸内の島々。これがハイキングなら——絶好のロケーションだっただろう。

しかし、もちろんそうじゃない。行き交う船はすべて島を遠く迂回し、点のようにしか見えなかったし、近くに見える船影と言えば、船体をグレーに塗装した西側担当の見張りの船だけだった。それもかなり遠かったけれど、それでも船首の方に据えつけられた機銃が確認できた。

糸のセットを終えた川田が、ふう、と息をついて秋也と典子の前に腰を下ろした。ショットガンを、また膝の上に置いた。

「どうした。静かだな」

秋也と典子が何も言わないでいると、川田がそう訊いた。

秋也は川田の顔へ視線を上げた。ちょっと考え――口を開いた。

「あいつら、なんであんなことをしたんだろう」

川田は眉を持ち上げた。

「日下と北野か？」

秋也は頷いた。少し言い淀み、それから言った。

「目に見えてたじゃないか。少なくとも、予想できたはずじゃないか。このゲームのルールは――」ため息が出た。「殺し合いなんだ」

川田は煙草を抜き出して咥えると百円ライターで火を点け、「あの二人は仲がよかったみたいだな」と言った。

「確か、何かの宗教団体に入っていたんじゃないのか、二人とも」

秋也は頷いた。二人ともごくごく普通の女の子だったけれど、典子や内海幸枝ら中間派の女子グループと二人の間にいつもどこか距離があったとすると、そのせいだったとも思う。

「光輪教とかいう――神道系の団体だったと思うよ。町の――国道から予土川の土手を南に入ったとこに教会がある」

「そのこともあったんじゃないのか」川田が煙を吐きながら言った。「汝の隣人を愛せよ」

「それは違うわ」と典子が言った。「二人とも――特に友美子なんかよく言ってたけど、べつに二人とも熱心な信者ってわけじゃないし、宗教のことなんかよくわからないけど、まあ、お付き合いなのよって」

川田は「そうか」と呟き、ちょっと視線を落とした。

それから、続けた。

「いつの場合でもそうだが、善人が救われるかっていうとそうじゃない、調子のいいやつの方がうまくやっていくもんだ。でも、誰に認められなくても失敗しても、自分の良心をきちんと保っているやつっていうのは偉いよ」

秋也たち二人の顔を見据えた。

「あいつらは、自分たちのクラスメイトを信じようとしたんだ。きっと、全員がまとまることができたら、みんな助かるかも知れないと、そう思ったからだろう。そのことを、褒めてやるべきだ。俺たちは、それはできなかったんだから」

秋也は息をついた。そして、「そうだな」と同意した。

しばらくして、秋也はまた川田の方へ顔を上げた。

「俺は——やっぱりおまえは敵じゃないと思う。だから、おまえのことを信じたい」

典子が「あたしもよ」と言った。「あたしも、川田くんが悪い人だなんて思えないわ」

川田が首を振ってちょっと笑った。

「少なくともあまり女の子を騙すタイプじゃないな、我ながら」

秋也も短く笑顔を返した。それから、言った。

「だから教えてくれないか。いや、脱出方法が言えないというならそれはいい。だけど、それはなんでだ？　ほかの連中に会ったときに俺たちがそのことで口をすべらせたら、まずいことが起きるのか？　ほかの連中が信用できないからかい？　少なくとも、おまえはそう思っているから？」

「いっぺんに疑問符を並べるなよ。俺、あまり、頭がよくない」

「うそつけ」

川田は煙草を咥えて膝の上に肘をつき、自分のあごを支えてしばらく顔を横へ向けた。戻した。

「七原。言えない理由は、おまえの言った通りだ。ほかの連中にその方法を知られたくないし、たとえおまえたちの口が十分堅いとしても、おまえたちがそれを知っているということを、ほかの連中に悟られたくない。だから言えない」

秋也は少し考えた後、典子と目くばせを交わし、それから、川田の方へ頷いてみせた。

「いいよ。わかった。俺たち、おまえを信じることにするよ。けど、――」

川田が訊いた。「何か引っかかるか？」

秋也は首を揺すった。

「――つまりさ、普通に考えたら方法なんてないじゃないか。だからすごく――」

「不思議か？」

秋也は頷いた。

川田はふう、と息をつき、煙草を地面に押しつけて消すと、短い髪の毛を少しひっかき回した。

「何にだって穴がある。いや、少なくとも大抵のものには」と言った。

「穴？」

「弱点だ。俺はその弱点を狙う」

秋也はわけがわからず、目を細めた。

川田が続けた。「俺はこのゲームのことをおまえらよりよく知ってるんだ」

「どうして?」と典子が訊いた。

「つぶらな瞳で見つめるなよ、おねえちゃん。俺、恥ずかしがりやなんだ」

典子がきょとんとし、それから少し笑んだ。「どうしてなの?」ともう一度訊いた。

川田はまた髪の毛をかいた。秋也たちはしばらく待った。

ようやく、川田が言った。

「このゲームで生き残ったやつがどうなるか知ってるか?」

秋也は典子と顔を見合わせ、それから首を振った。そう、〝プログラム〟では一人だけ生き残りが出る。クラスメイトと殺し合うというめちゃくちゃなゲームをくぐり抜けた後、優勝者の映像を流すニュースのために専守防衛軍兵士に銃を突きつけられ、ビデオカメラの前に立たされる(「笑え。にっこり笑え」)。――しかし、生き残ったやつがそのあとどうなるのか、それは知らなかった。

川田は秋也と典子の顔を見渡しながら、続けた。

「どこか別の県に強制的に転校になる。ゲームのことは黙って、ひっそり暮らすように言われる。それだけだ」

胸が急に重苦しくなり、秋也は顔をこわばらせた。川田の顔をまじまじと見た。典子が息をつめているのがわかった。

川田は言った。「俺は、兵庫県神戸市立二中三年C組ってとこにいたんだ」続けた。「去年兵庫県であったプログラムの生き残りだ」


【残り27人】

27

川田が少し表情を緩めて続けた。

「総統のサイン色紙もいただいたぜ。おおありがたや。幼稚園児みたいな字だったな。燃えるゴミの日に出しちゃったもんで、よく憶えてないがな」

その川田の明るい声とはおよそ裏腹、秋也は息を呑んでいた。そう、中学三年生には誰にでも訪れる可能性のあるのが〝プログラム〟だ。しかし——二度も続けてそのクラスに入ってるなんて——そんな、そんなことがあるのだろうか？　無論留年という特殊な事情がなければありえないことでもあるのだが、いずれにしてもはっきり言って、宝くじに当たるぐらいの確率だ。だが——それですべてつじつまは合う、川田がやたらこのゲームで手慣れた様子であることも、あのときバスの中の催眠ガスに気づいたことも、そして、その全身の傷も——。しかし、それがほんとうなのだとしたら——なんてめちゃくちゃな話だろう！

「そんな」秋也は言った。「そんなのめちゃくちゃだ」

川田は肩をすくめた。

「そうだな。ゲームがあったのは七月だったが、俺、大怪我したもんで、だいぶ長いこと病院にいた。まあ、その間、この国のことも含めていろいろ勉強できたが——ベッドの上でな。看護婦さんとかやたら優しくて、図書館から本とか借りてきてくれたしな。病院は私の学校だった、てなもんだ。さて、しかしおかげで、俺は中学三年をもう一度やり直すことになった。しかし——」

川田は秋也たちの顔をもう一度眺め渡した。

「さすがの俺も思わなかった、まさか、もう一度この幸せゲームに参加できようとは」

そうだった。秋也はついさっき——いや、もう三時間ほど前になる会話を思い出した。秋也が「元渕の前にもう誰か殺したのか？」と訊いたとき、川田は言ったのだ、「とにかく、今回、初めてさ」と。

　しばらくして、典子が訊いた。

「一度当たった人は――」言いかけて福引きみたいな言い方が不適当だと考えたのか、言い直した。「一度入った人は除外するとか、そういうの、なかったの？」

　川田がにやっと笑った。

「ないからここにいるってことになるな。プログラムの対象クラスはコンピュータが自動的に選ぶ、そう言われてるだろ？　まあ、ほんとは経験者の俺は有利な気もするが、しかしやっぱり、特例にはならないってことさ。これも一種の悪平等ってやつかな？」

　川田は手でお椀の形をつくってライターを囲い、また煙草に火を点けた。

「これでわかったろ。俺がなんでガスの匂いに気づいたのか。そして――」自分の左眉の上を指さした。

「この傷も」

「ひどいわ」典子が泣き出しそうな声で言った。

「あんまりじゃない」

「そう言うなよ、典子サン」川田が破顔した。「おかげで、俺、おまえたちを助けてやれる」

　秋也はその川田に手を差し出した。

「なんだそれ？　俺、手相は見ないぞ」

秋也は笑って首を少し揺すった。それから、言った。

「さっき、少しでも疑うようなことを言って、済まなかったよ。握手だ。最後まで一緒だぜ」

川田は、なるほど納得した、というような感じで「オーケイ」と言い、その秋也の手を握ると、上下に軽く振った。典子が安堵したように、ちょっと笑った。


【残り27人】

28

坂持金発（担任）は、分校の職員室のデスクに座り、乱雑に散らばった書類をかき回していた。銃眼の穴が開いた鉄板付きの窓際、北と南の方向に、専守防衛陸軍兵士が銃を構えて一人ずつ立っている。外からの光がほとんど入らないために、照明が点けっぱなしになっていた。さらに五、六人の兵士が、坂持の向かい側の机に着いて、そのそれぞれの前にずらっと並んだデスクトップ型パソコンのモニタを眺めていた。また別の三人は、コンピュータとは別の機械につながったヘッドフォンを着けている。照明やそのコンピュータ、諸々の機材を動かす大型の発電機が西側の壁際に置いてあって、防音機構が吸収しきれない低い唸りで、部屋の空気を満たしていた。他の兵士たちは、もう生徒が出発した教室で休んでいるところだ。

「えーと、日下友美子が死んだのが午前八時四十二分と——えー北野雪子、こっちも四十二分と」長い髪を耳の上にかき上げた。「あー忙しいっ！」

デスクの上の古びた黒電話がじりりりん、と鳴り、坂持はペンを手にしたまま、せかせかと受話器をとった。

「はい、こちら沖木島分校。城岩中三年B組プログラム実施本部」

ぞんざいな口調で答えた坂持は、次の瞬間、背筋をしゃんと伸ばし、受話器を両手で抱え込んだ。

「はいっ。坂持ですっ。教育長、その節はお世話になりまして。いやはや、はい、もう二人目が二歳になりました。今、三人目がうちのやつの腹に入ってます。いえもう。そりゃあ少子化は国家の大問題ですから。はいっ。それで、なんのご用でしょうか？」

坂持はしばらく聞き入り、それから、ははあ、というように笑った。

「いやはや。教育長、川田章吾を買ったんですか？　いや、私は桐山和雄を買いましたよ。

本命一点です。いや、ええ、川田もまあ、対抗馬だし、何と言っても彼は経験者ですから。滅多ないんじゃないですか？　経験者が入ってるなんてのは？　もちろんまだ生きてます。で、いかほど？　あー、それはすごい。豪勢ですね。え？　状況を？　そっちでモニタできませんか？　政府の部外秘ホームページで——は、パソコンは得意じゃない、あ、あー、えーとですね、それが、うん、ちょっと待ってくださいよ」

坂持は受話器を耳から離し、モニタの前に座っているごつい顔の兵士に呼びかけた。

「おい加藤。川田はまだあの二人と一緒にいるのかな」

加藤と呼ばれた兵士は無言でキーボードを操作し、「いる」と短く答えた。

モニタには、生徒に付けた首輪からの電波をもとに、生徒たちの居場所が地図上でプロットされているはずだ。加藤の無愛想な対応に坂持は少し顔を歪めかけたが、まあ、それはかつて、まだ坂持がただの中学教師だったころ、加藤を筆頭にやたらめったら問題の多いクラスを受け持って以来、いつものことだった。坂持は受話器を持ち直した。

「お待たせしました。えーとですね、川田は今、ほかの二人の生徒と行動をともにしてます。えーと、七原秋也と、中川典子。うーんとですね、それがですね、三人で逃げ出すとか言ってるんですよ。盗聴の記録、お聞きになりますか？　え、いや、はい。うーん、本気かどうかですか？　うーんそりゃあ何とも言えませんけど、普通考えたらウソですね、多分。だって逃げ出すなんてとても無理ですから。ああ、ええ、そうですね。ちょっと待ってくださいよ。資料、資料と。ええ、川田章吾でしょ？　前の学校でも特に挙動不審なところはなかったみたいですね。反政府的な言動とか行動とかも、ええ。ああ、前回の時に父親が死んでますねえ。なんか、酔っ払って政府に盾突くようなこと言ったみたいですね。――でも、川田自身は、えー、〝せいせいしたぜ。つまらない野郎だった〟。そう言ってたらしいですよ。うーん、仲、悪かったんじゃないですか。父親は自分の方に補償金でも寄越せって言ったのかも知れませんねえ。はい、ええ、だとしたら、一人より三人でいた方が有利ですからね。七原は運動能力抜群だから、役に立つはずですよ。中川は怪我をしてますがね。ええ、うちの田原が撃っちゃったんです。はい。ええそりゃもう。二人は川田を信用しきってますよ。怪我した女の子を助けてあげるなんてのは、ねえ。うまい手ですから。ほかにもいろいろうまいこと言ってますし。ええ」

お追従笑い（ついしょう）をしながらそこまで言った坂持は、それから、受話器の向こうの声に幾分眉を持ち上げた。空いている右手で、右耳の上にかかる髪をかき上げた。

「えー？」と言った。「そんなことはないんじゃないですかあ。だって、あれ、三月の話なんでしょ？　連絡文書、受け取りましたけど？　もしそんなことあったら今ごろ……ええ、中央の連中は大げさですから。それに、中学生ですよ。大体それなら、盗聴されてることだって知ってるはずじゃないですか。今のところは、そんな生徒は誰もいないですよ。ええ。だから。ええ、ええ、はい、それじゃ。あ、いやいやそんなことしてもらっちゃ。えーそうですか。ありがとうございます。はい。はい。それじゃ、はい。はい」

坂持は、「はー」と息をつきながら受話器を戻すと、またペンを持ち上げた。「あー忙しい！」と言うと髪をかき上げ、書類にしがみつくようにペンを走らせ始めた。

【残り27人】

29

会った当初は日下友美子と北野雪子の死を眼前に見たショックで神経が高ぶっているようだった瀬戸豊も、しばらくすると落ち着いたようだった。三村信史は、暖かい日差しが通り抜けてくる梢の奥に、また耳を澄ませた。人の動く気配はない。ただ、小鳥がちちっと鳴いた。あの、日下友美子と北野雪子を倒した誰かは、豊と、そしてそれに合流した信史にも、結局気づかなかったようだった。しかし、用心を怠らないことだ。

〝必要なときにはゆっくりしてればいいさ。しかし、必要なときには神経を張りつめてろ。

要は、その判断を見誤るなってことだ〟

——それは、信史の敬愛する叔父が、バスケをはじめ、信史にすべてを教えてくれた、即ち、今日ザ・サード・マンと呼ばれる信史を形成するのに与かって大きな影響のあった叔父が、言っていたことだった。叔父は信史にコンピュータの基礎をもたたき込んでくれたのだが、殊に違法の海外ネットへのアクセスを実演してみせる時など、注意したってし過ぎることはないぜ、と強調していたものだ。そして、まさにその通り、今は、神経を張りつめているべきときだ。それは間違いない。

「なあ、シンジさ」という豊の声が聞こえ、信史はまた豊の方に目を戻した。豊は、立木に背を預け、抱えた膝の間に視線を落としていた。

「俺、あの分校の前でシンジを待ってればよかったんだよね、考えてみたら。そしたら、最初から一緒にいられた」

顔を上げて信史を見た。

「けど、俺、怖かったから……」

信史は左手にベレッタを持ったまま腕を組んだ。

「どうかな。そいつは危険だったかも知れないぜ」

そう、そのことを説明しておかなければならなかった。豊は知らないのだろうが、分校の前で天堂真弓と赤松義生が死んでいたのだ。それに――

　そこまで考えたところで、信史は豊が泣いているのに気づいた。じわっと目に涙が盛り上がり、ぼろっと両の頬にこぼれ落ちた。泥に汚れた顔に、細く白い筋ができた。

「どうした?」と信史は優しく訊いた。

「俺……」豊は信史が傷を手当てした拳を持ち上げ、巻かれているタオルの切れ端で目を拭った。「俺、情けなくてさ。俺――おっちょこちょいで、怖がりで、――」

　一度言葉を切り、それから、胸につかえたものを吐き出すように、言った。

「彼女のこと、助けられなかった」

　信史はこころもち眉を持ち上げ、俯いている豊を見やった。それは、こちらからは持ち出すまいと思っていた話題だった。

　信史はゆっくり言った。「金井のことか」

　豊は俯いたまま、頷いた。

　信史は、いつだったか、豊の家の豊の部屋で、豊がちょっと誇らしげに、そしてちょっと恥ずかしそうに言ったときのことを思い出した。〝俺、金井泉が好きなんだ〟。――そして、その金井泉は早々に死んでいた。午前六時の放送でその死が告げられていたのだ。どこで死んだのかは、わからなかった。とにかくこの島のどこかには、違いないけれど。

「仕方——なかったことだろ」信史は言った。

「金井の方がおまえより先に出てたんだから」

「けど俺——」

豊は相変わらず俯いたまま続けた。

「金井を探すこともできなくて——怖くて——きっとそんなばかなことない、彼女は大丈夫なはずだって、思って——思い込もうと、してたんだ。そしたら、六時にはもう——」

信史は黙って聞いていた。梢の奥で、また小鳥がちちっと鳴いた。今度はもう一羽いるのか、鳴き交わすようにちちっという音が重なった。

ふいに、豊が顔を上げて信史を見た。

「俺、決めたんだ」と言った。

「——何を?」

豊は涙に濡れた目のまま、信史をまっすぐ見ていた。

「俺、復讐するんだ。あの坂持とかいうやつも、政府の連中もみんな、ぶっ殺してやる」

信史はちょっとびっくりして、その豊の顔を見つめた。

もちろん、自分だってこのクソゲームには、そしてそれを動かしている政府にも、完全に頭にきている。あの七原秋也の親友、国信慶時は、信史自身は直接の付き合いはほとんどなかったけれども（ちょっとのんびりし過ぎていて信史には物足りない感じがしたのだ）、それでも、ごくごく、いいやつだった。その慶時を、政府はあっさり殺してのけた。そして、藤吉文世、そして、今、豊が言う、金井泉や、あるいは、ついさっき、自分が見ているうちに命を落とした日下友美子と北野雪子ら、それに続いたクラスの仲間たち。しかし——

「しかし——自殺するようなもんだぞ、それは」

「いいんだ、死んだって。俺、金井にしてやれること、ほかにないんだから」

豊は言葉を切って、信史の顔を見つめた。

「——おかしいかな、俺みたいな根性なしがそんなこと言うの？」

「いや……」信史は語尾を幾分引きずり——首を振った。「そんなことは、ないぜ」

信史は豊の顔をしばらく見つめ返し、それから、梢に覆われた頭上をあおいだ。いつもおちゃらけてばかりいる豊が激しい感情を見せたことにびっくりしたわけではなかった。豊はそういうやつだった。だから、ずっと友達でいる。だが、——。

死んだっていいんだ。金井にしてやれること、ほかにないんだから。

——そんなふうに、一人の女の子を好きだというのは、どんな気持ちなんだろう？ 信史は、光が表から当たっているせいで鮮やかな黄緑色に見える木の葉の重なりを見ながら、考えた。自分は今まで何人もの女の子と付き合ってきたし、もう実に三人の女の子と寝てもいるけれども（中学三年生にしちゃまずまずのスコアだ、そう思わないか？）、そんなふうに女の子を好きだったことはない。

両親の仲が決してよくないことと、何か関係があるのかも知れない。父親は父親で外で女をつくるし（会社では優秀な管理職らしかったが、そしてこんなことを言うのは未だ独立していないわけでもない子としてはおこがましいのかも知れないが、大方のところ凡俗な男で、全く、あの一種鮮烈な輝きを持っていた叔父と血のつながった兄とは思えなかった）、母親はそんな夫を責めることもせず、創作活け花だか女性サークルだか、次から次へと新しい趣味をつくって、自分の世界に閉じこもっている。普通に会話する。必要なことはお互いやる。でも、信じ合うこともなく、助け合うこともなく、ただ静かな憎悪を重ねて、徐々に老いていっている。——まあ、世間の夫婦なんて大抵そんなものなのかも知れないが。

それで——バスケ部の天才ガード・三村信史は、それを始めた小学校時代から華やかにもてたし——女の子と付き合うのも、カンタンだった。キスするのも、カンタンだった。もうしばらくすると、寝るのもカンタンだった。しかし——誰かを心底好きになったことは、なかった。

残念ながらその点については、あの何についても的確な答えを持っている叔父とは、話したことがなかった。そんなふうなことを考え始めたのは最近のことだが、叔父はもう、二年前に死んでいたので。

しかし、信史が左耳に着けているピアスだ。これは、叔父が、〝俺の好きだった女のものなんだ。彼女、もうずっと前に死んだけど〟と言って、ずっと大事に持っていたものだった。信史は叔父の死後、勝手に形見分けということにして、それをもらった。きっと、叔父なら言うだろう、〝それはおまえの歪みの始まりかも知れないぜ、シンジ。誰かを心から好きになって、そのこに心から愛されるっていうのは悪いことじゃない。とっとと、かわいい女の子を見つけな〟。

それでも、やはり、未だに誰かを好きになれずにいる。

そう言えば一度、三つ年下のおませな妹、郁美が、「おにいちゃんは恋愛結婚したい？お見合いでもいいと思う？」とか訊いたときに、信史は答えたことがある、俺は結婚はしないかも知れないいな。

郁美。信史はそれで、ちょっと妹のことを考えた。できることなら、おまえは幸せに恋をして、幸せに結婚しろよな。にいちゃんはどうも、まともな恋すらできないままに、この世界におさらばするかも知れない。

信史は豊の方へ顔を戻した。「ちょっと訊いていいか、豊。失礼な言い方に聞こえたら謝るけど」

豊がきょとんとして「何？」と言った。

「金井のどこがよかった？」

豊はその信史の顔をしばらく見つめ、それから涙に濡れた顔で、ちょっと笑んだ。死者に花束を捧げる役目を、きちんとやらなければならないと思ったのかも知れない。

「うまく言えないけど、金井はすごくきれいだったよ」と言った。

「きれい？」信史は聞き返し、それから慌てて、「いや、きれいじゃなかったとは言わねえけど」と付け足した。

金井泉は、そりゃあひどいブスじゃなかったけど、でも、美人というならクラスには千草貴子とか（あ、そりゃ俺の好みか）、小川さくらとか（まあ、彼女には山本和彦がいたけど。そして二人はもういないけれど）、それに相馬光子が（まああの女は論外だな、どんなにかわいくても）いた。

豊はまたちょっと笑うと、「眠そうにしてて、席に座って頬づえついてるとき、きれいだったよ」と言った。

それから、「教室のベランダの花に水やってて、うれしそうに葉っぱにさわってるときも、きれいだったよ」と続けた。

「運動会で、リレーでバトン落として、後で泣いてたとき、きれいだったよ」

「休み時間に中川有香の話とか聞いててさ、おなか抱えて笑ってるとき、すごくきれいだったよ」

——ああ。

豊がぽつりぽつりと言うのを聞きながら、信史はどこか、無闇に納得していた。その説明は説明になっていなかったにもかかわらず、そういうことなんだ、と思えた。叔父さん。俺にもちょっと、わかったのかも知れない。

豊が言い終え、信史の方に顔を向けた。

信史は穏やかな目で豊を見つめ返しながら、少し首を傾けた。にやっと笑ってみせた。

「おまえ、俺、将来コメディアンかなとか言ってたけど、詩人になれるぜ」

豊もちょっと笑った。

それから、信史は言った。「あのな」

「何？」

「俺、どう言っていいかわかんないけど、金井、幸せだと思うぞ。そんなに好きでいてくれるやつがいるってわかって、きっと、今ごろ天国で泣いてるぞ」

ひどく詩的だった豊の言葉に比べたら自分のそういう言い方は陳腐な気もしたが、とにかく言った。けれども、それで、豊の目に、またじわっと涙があふれ出した。みるみる、頬にその涙がぽろぽろ流れ出した。頬の白いラインが二本、三本になって、縞模様になった。

「そうかな？」

信史は、詰まった感じの声で言ったその豊の肩に右手を伸ばして、ちょっと揺すった。

「そうだよ」

信史は一つ息をつき、さらに言った。

「それとな。復讐するって言うんだったら、俺、手伝ってやる」

豊が涙でいっぱいになった目を見開いて、信史を見た。

「ほんと？」

「ああ」

信史は頷いた。

——そう、しばらく前からずっと考えていたことがあった。いや、女の子の問題は別にしてだ。つまり、このクソありがたい大東亜共和国で、どのように自分がこれから生きていくのかについて。

かつて、そう、豊とも、そんなふうなことを話したことがある。豊は——確か、〝俺、そんなの、想像もつかないよ〟と言ったのだっただろうか。そして、〝ま、コメディアンぐらいになるんじゃない？〟と。その冗談めかした答えに信史は笑ったけれど、しかし、自分の中では、もうちょっとその問題は深刻だった。いや、豊の中でも恐らく深刻なのだと思う、だが、豊はそれを敢えて口には出さなかったのだろう。つまり、いつか自分は七原秋也に〝こいつはな、成功したファシズムってやつなのさ。こんなタチの悪いものが世界中のどこにある？〟と言ったことがあるけれども、その通り、この国は、狂っている。このクソゲームだけじゃない、政府に少しでも反抗するようなそぶりを見せたが最後、そいつは消されてしまう。あるいはそれが冤罪であっても、政府は容赦しやしない。だからみんなが、政府の影に脅え、政府の方針には絶対服従で、ただ、日々のささやかな幸福だけを糧にして生きている。そしてその幸福が不当に奪われたとしても、ただ、卑屈に耐えるだけだ。

しかし、信史は、それはやはりおかしいのではないか、と思い始めていた。いや、みんながそう思っているだろう、だが、誰もそれを正面切って言い出したりはしない。七原秋也だって、違法の輸入ロックを聞いて憂さ晴らしぐらいはするが――しかし、それだけだ。だが自分は――少なくとも自分は、危険を冒してでもこれに異議を唱えるべきではないのか？世の中の事についてわかり始めるほどに、その思いは強くなっていった。

そして、二年前のあの事件だ。叔父の死。表面上それは――事故死ということに、なっていた。勤め先の機械工場、一人で夜勤中に感電死したのだという説明つきで、警察から死体引き取り要請があった。しかし叔父は、そのしばらく前からちょっとおかしかったのだ。珍しく何か考え込んでいるような感じで——信史がいつも通り叔父のパソコンをいじりながら、何かあったの？　と訊くと、叔父は、「いやちょっと、昔の仲間が……」と言いかけ、そして、「ああ、いや、いいんだ、何でもない」と言葉を濁した。

昔の仲間。

叔父はほとんど昔のことを話さなかった。いつもうまくはぐらかされてしまい、信史はそのうち、言いたくないんだな、と思って、訊くのをやめた（なお、その兄に当たる父に訊いたら、そんなことはおまえは知らなくていいと言われた）。ただ——叔父のあの、合法、非合法の範囲を問わない知識の広さ、何か世界のことや社会のことを説明するときにいつもその底にうかがえるこの国への嫌悪、あるいは憎悪。そして——ある種の影みたいなもの。一度、そう、信史が「叔父さんはほんとすげえなあ。かっこいいや」と言ったときだったと思う、叔父は苦笑いしてこう言ったことがあった。「そうじゃないよ、信史。俺はかっこよくなんかない。この国でほんとうに美しくあろうと思ったら、生きていられないよ。俺はとっくに死んでたはずだ」と。そんなこんなから信史が見当をつけたのは——つまり、叔父は、何か政府に反対するようなことに一時は一枚嚙んでいた、しかし、今は何かの理由で身をひいている——そういうことではないんだろうか、ということだった。

だからそのとき、昔の仲間、という言葉を聞いて、ちょっと心配になりもした。しかし、あの叔父のこと、何があっても絶対大丈夫だと思って、あまりごちゃごちゃ訊くのはやめておいたのだ。

だが、その危惧は的中した。恐らく――信史はそのときに思ったものだ、叔父は、昔の仲間――しばらく音信を絶っていた昔の仲間から連絡を受けたのだろう、そして、恐らく迷いもしたのだろうが、何かの仕事を引き受けた。そしてその結果、――何かが起こった。確かに、この国の警察は裁判無しで民衆を処刑する権利を持っている、普通なら職場だろうと路上だろうとその場で撃ち殺す。だが、殊にその身内がそれなりの地位を持っている場合には、隠密裏に〝事故死〟という形で消すことも、往々ありえなくはないのだ。ムカつくことに信史の父親は結構な会社の結構な重役であり（即ち、共和国の一般人民職階等級では実に一等労働者。政府の高級官僚を除けば最高位だ）――そしてますますムカつくことには、もしそうなのだとしたら、あのろくでもない父親は、叔父をそのような形で〝処理する〟ことについて、幾分婉曲にでも政府への同意を示したことになる。

いずれにせよ、事故であったわけはない。大体、あの叔父が感電死なんて、そんな間抜けな死に方をするわけがないじゃないか！

今、信史が着けているピアスの元の持ち主も、恐らくは、その叔父の過去に絡んでいたのだろう、という気がした。そして、信史は、叔父を殺されたという怒りに震えながら、思ったのだ、俺は、絶対に、この国に迎合はしないぞ、と。

無論、叔父のあの言葉、〝ほんとうに美しかったら生きてはいけないよ〟は、警告でもあったのだと思う。その警告通り、叔父は死んだ。しかし、信史は、その叔父にすべてを教わった故に思ったのだ、俺は——あんたが昔あきらめたことが何とかやれないか、考えてみるよ。俺は——美しくありたい、あんたがそれを俺に教えたんじゃないか、と。

ただもちろん、その思いは漠然としたものであって、これまでに何か現実に行動を起こしたというわけではなかった。反政府組織みたいなものがあるということも聞いていたが、さしもの自分もそんなものどこにあるのか知らないし、大体、当の叔父が言っていたのだ、〝組織や運動なんてものはあまり信用しない方がいい。あんまり当てにはならない〟と。また、なおいささか自分が幼なすぎる気もした。それにまず何より、恐怖もあった。

だが今や、もし運良くこのクソゲームを抜け出せたとしても、自分はお尋ねものだった。だったら——存分にやっていいんじゃないか、皮肉な話だが？　どこだかの組織を利用するのでも、自分一人でやるのでもいい、とにかく？　この国を敵に回して、俺は存分にやっていいんじゃないか？　——そういう気持ちが、ほぼ固まりかけていたのだ。

そして、今、豊の言葉を聞いたことで、その気持ちは最後のひと押しをされた、と言えばいいだろうか。

だが、そういうややこしいことは抜きにして、今は、ただ、もう一つの正直な気持ちの方だけを、豊に告げることにした。

「俺、おまえがうらやましいからな。そんなふうに好きなオンナがいたってのがな。だから、やるんなら一緒にやってやる」

豊の口元がわなわな揺れた。

「くそっ、ほんとに？　ほんとにそう言ってくれるの？」

「ああ。ほんとうだよ」

信史はまた豊の肩に手を伸ばし、それから付け加えた。

「けどな、今はまず逃げることを考えるんだ。坂持の野郎一人殺したって、政府は痛くもかゆくもないんだからな。やるんなら、もっとでかい標的がある。そうだろ？」

豊は頷いた。しばらくして豊が目を拭い、それで、信史は口を開いた。

「豊、おまえ、誰か見なかったか？　日下と北野のほかに？」

豊がこすって赤くなった目でじっと信史の顔を見つめた。首を振った。

「ううん。俺――あの分校からすぐ逃げたし――そのあともずっと――。シンジは？　見たの？」

信史は小さくあごを引いた。

「俺が出発したとき——おまえは知らないんだろうけど、天堂と赤松が分校のすぐ前で死体になってた」

豊が目を見開いた。「そうなの?」

「ああ。出発直後にやられたのさ、天堂は、多分」

「——赤松は?」

信史は腕組みしてこたえた。「赤松が、天堂をやったんだと思う」

それで、豊はまた顔をこわばらせたようだった。

「——そうなの?」

「ああ、でないと一番先に出た赤松がそこにいた理由がない。赤松は戻ってきた、天堂を多分物陰から撃って——矢が刺さってたんだがな、天堂と赤松の死体には、同じ矢が——天堂を片づけた。そして、次に出てきたやつも倒そうとして——しかし、逆にその武器を——多分、ボウガンだな、あの矢は——奪われて、やられたんだ。そういうシナリオがわかりやすい」

「次って……」

「七原だろ」

豊はまた目を見開いた。

「シューヤが？　シューヤがやったの？　赤松を？」

信史は首を振った。

「それはわからない。しかし、少なくとも七原は赤松にはやられなかった。そのあとのやつも同じだ。ということは、だから、多分七原ってことになる。もっとも、七原は、赤松を気絶させただけだったのかも知れない。あいつはちょっと甘いところがあるしな。それで、赤松は、そのあと出てきた誰かにやられたのかも知れない」

信史はちょっと考え、言い足した。

「それに、七原は中川の典子サンを連れて逃げたはずなんだ。赤松にとどめを刺す余裕はなかったかもな」

「典子サンを？　──そっか、典子サン、撃たれたよね。それで、シンジがあのとき──」

「そう」信史は苦笑いした。「ほんと、延期してくれりゃ助かったんだがな。ま、そんなわけないと思ったが言うだけ言ってみたのさ。とにかく、典子サンは七原の次だったろ。七原は、出る前にきちんと典子サンに合図をしてったよ。俺は席が近かったから、わかった」

豊は頷いた。「そうだね、典子サン、撃たれたから、シューヤは……」

「ああ。国信のこともあったしな」

豊はさらに納得した、というようにあごを何度か揺らした。

「そっか――ノブさん、典子サンのことが好きだったんだよね。――だから、シューヤは、典子サンのことをほうっていけなかったんだ」

「ああ。ま、それでなくても、七原のこった、多分自分の後から出てくるやつ全員を集めようとか、そんなことを考えていたのかも知れないな。しかし、赤松の件でそんなのはできるわけがないってことがわかった。典子サンは怪我してんだしな。それで多分――典子サンだけを連れて逃げたはずだ」

豊がまた頷いた。それから視線を落とした。

「シューヤ、どこにいるのかな。……シューヤとシンジが組んだらさ、最強なのにね」

信史は眉を持ち上げた。豊は、クラスマッチのたび、信史が七原秋也とともに見せた絶妙のコンビネーションを思い出したのかも知れない。確かに――それは信史も思う、七原秋也が一緒にいるのなら、心強いだろう。運動能力だけではなく――七原秋也には、ものに動じないある種の度胸も、信史に通じる土壇場の思考力もあった。何より、この状況の中で信じられる数少ないやつだ。あの素直な（そして信史からするとやや能天気な気もする）男が、自分が生き残るためにとクラスメイトを殺したり、できるわけがない。

しかし、信史はまた右手を伸ばすと、豊の肩に置いた。豊が顔を上げた。

「おまえがいるだけで俺はありがたいよ。おまえに会えて、よかった」

それで、豊がまた泣きそうな顔になった。信史は力強く笑んでみせた。豊は泣かず、笑みを返した。

それから信史は続けた。「しかし、死体の話はどうでもいい。俺は気づいたんだ、あの分校の運動場の前に林があったろ」

「うん。あったよ」

「あそこに誰かいた。しかも複数だ」

「――そうなの？」

「ああ。多分――誰かを待っていたんだと思う。もっとも、俺の後はもう元渕と山本、松井、南、矢作か。五人しかいなかったがな。とにかく、俺に声をかける様子はなかった。複数だから恐らくたちまち敵になる連中ってわけじゃないんだろうが、だったら俺もこっちから仲間にしてほしい、と出向く理由はない。おまえはさっき俺を待ってたらよかったと言ったが――あの状況じゃそいつはムリさ。事実、多分、赤松が戻ってきて、天堂をやったんだ。その林の中の連中だって、誰かが戻ってきて見つかったらひとたまりもないだろうって、俺は思った。もっとも、その連中は十分な武器を持ってたのかも知れないが。とにかく、俺はすぐにそこを離れたよ」

信史はちょっと言葉を止め、舌先で唇を湿した後、さらに続けた。

「それに、俺はほかにも見たぜ、二人ほど」

豊がまた目を大きくして、「そうなの？」と言った。

信史は頷いた。「夜の間に、ちょっといろいろ動き回ったんだ。それで——一人は女の子だったな。ほら、ちょっと思いつかねえようなピンピン立ててセットした髪でさ——清水だったと思う。俺がこの山の裾野の方を動いてるとき、茂みの向こうを移動してくのが見えた」

「声——かけなかったの？」

信史は肩をすくめた。「ちょっとな。偏見かも知れないが、俺はやっぱり、相馬の仲間ってのは怖いよ」

豊が頷いた。

「それに、もう一人。あの川田章吾をな、見た」

豊が、ああー、というように口を小さく開いた。「川田——さんかあ」と言った。豊は、ほかの何人かのクラスメイト同様、一つ年上の川田をさんづけで呼んでいるようだった。

「あのひと、ちょっと怖いもんね。だから——」

「ああ、だから俺は仲間になるのは遠慮しといたんだ。しかし——」

信史はちょっと視線を空の方に上げた。すぐに豊の顔へ戻した。

「向こうも俺に気づいたようだった。俺は探し物をしたくってある家に入って、出てきたところだったんだが、ちょうどあいつがその先にいたんだ。すぐに畑の畦に身を伏せたがな。ショットガンみたいなものを持ってたと思うな。俺は開きかけたドアの陰に隠れてたんだが――やつはしばらく俺の方を見てたと思う、しかし、すぐに姿を消したよ。攻撃してきたりはしなかった」

豊が「ふうん」と言った。「じゃあ少なくとも、敵じゃないってことだね、川田さんは」

信史は首を振った。

「そいつはわからない。俺も銃を持ってることに気づいて、大事をとって攻撃するのはやめたのかも知れない。どっちにしても、俺はやめといた、あいつを追いかけるのは」

「そっか――」

豊は頷き、それから、何か思いついたように顔を上げた。

「あの、俺、誰も見てないけどさ、あの、日下と北野がやられる前に、別の銃声がしなかった？」

信史は頷いた。「したな」

「あれ、あのマシンガンとは別だよね。あれも、日下たちを狙ったのかな？」

「いや」信史は首を振った。「そうじゃない。恐らく、日下たちをやめさせるつもりだったんだ、あの銃声は。あんなことしてたら危ないのはわかり切ってるんだから。銃声にびっくりして、あいつらが隠れてくれないかと、撃ったやつはそう思ったんだと思う」

豊がちょっと興奮したように身を乗り出した。

「じゃあ——じゃあ、そいつは敵じゃないってことだね、少なくとも」

「そうだな。しかし、合流する手だてはないな。どの辺から撃ったか見当はつくが——しかし、もうそいつも動いてるだろ、あのマシンガンのやつにも位置を知られたことになるからな」

豊がいささか残念そうに体を引いた。ちょっと沈黙が落ち、信史は腕組みして考えた。そう、豊が誰か信用に足るやつを見てないかと思ったのだ。それでそいつが動いてなかったら——そいつと合流することもできるかと思っていたのだが。まあ、考えてみれば、自分が信用できるようなやつと言えば、豊も信用するはずだから、見かけていたら合流していたはずだ。豊は一人でいたのだ。あまり、意味のない質問だった。

しかし——どっちにしても、信用できるやつとは誰だろう？　七原と——それにもう杉村弘樹ぐらいか？　後は——むしろ女子か。委員長の内海幸枝や、そのへんなら——。しかし俺、うちのクラスの女の子にはウケがよくないらしいからな、やたら女の子を渡り歩くからなんだろうけど。いやはや。やっぱ、叔父さん、決まった女の子をつかまえとくべきだった。

——いや。やっぱり、豊に出会えただけでも僥倖だろう。豊なら、絶対信用できる。

その豊が訊いた。

「あの、シンジさ。探しものをしてたって言ったね」

信史は頷いた。「言った」

「それ、何？ 何を探してたの？ 武器になりそうなものとか、そういうの？ 俺、怖くてそんなこともできなかったけど？」

信史はそれで、腕時計に視線を落とした。もうそろそろだろう。マシンがパスワード解析を始めてから一時間経つ。

信史は腰を上げると、銃を当座ズボンの前に納め、「豊、ちょっとそこ、どいてくれ」と言った。豊が背を預けていた立木から離れた。その向こうにも、灌木が地を這うように茂みをつくっている。

信史はそこまで歩くと、その茂みの奥に手を差し入れた。付属品一式も、接続コードも、まとめて慎重に引っ張り出した。

豊が目を見張るのがわかった。

信史が引っ張り出したのは、自動車のバッテリ（これは電源だ）、半ば分解された携帯電話、それに一台のノートパソコンだった。そのそれぞれを、これまた間に合わせでそろえた赤や白のコードがつないでいる。

液晶モニタ部分が起こされたままのパソコンは、その画面表示を停止していた。

ということは——。信史は唇を突き出し、ひゅう、とほとんど音のない口笛を吹くと、キーボードのスペースバーを押さえた。節電のためスリープモードに入っていたパソコンが、ハードディスクの回転音とともに起き上がり、モニタにグレー階調の表示が戻ってきた。

画面の中、ごくごく小さなウインドウの中の最終行を追って、信史の目がいたずらっぽくちかっと輝いた。「なんてこった。母音入れ換えかよ。単純過ぎて思いつかねえや」と言った。

「シンジ、これ——」

豊がようやく驚嘆したように言い、信史はキーボードをばかばか叩き始めるいつもの準備運動として、両の手を握ったり開いたりしながら、その豊へ向けてにやっと笑ってみせた。

「マッキントッシュ・パワーブック150ってんだ。こんな辺鄙（へんぴ）な島にこんないいマシンがあるとは思わなかったぜ」

【残り27人】

30

矢作好美（女子二十一番）は、時計が午前十時を指すのを待って、隠れていた民家の裏口からそっと顔を出した。集落の南の外れで、江藤恵が死んだ家とはかなり離れているが、もとより好美は恵がそこで死んだことなど知るよしもなかった。ただ、朝の放送でその名前を聞いただけだ。

それよりも、その放送で告げられた禁止エリアの話の方が、好美には深刻な問題だった。午前十一時になれば、この集落が含まれるエリアH＝8内にいる選手の首輪はすべて爆発する。コンピュータが相手だ、待ったはきかない。

裏口は、家と家の間の細い路地に面していた。正面の家の壁まで、一メートルもないかも知れない。好美はごつい自動拳銃を（コルト・ガバメントモデル四五口径だった）握り直すと、両手で保持して、右手の親指でスプリングの重い撃鉄を起こした。辺りを素早く見回したが、路地の左右に人の気配はない。

相馬光子のグループで不良娘と呼ばれている割にはやや幼い感じのある好美の丸顔に、冷や汗が浮いていた。ほんの一、二時間前、北の山の山頂から呼びかけを行った日下友美子と北野雪子の姿は、家の二階の窓から見えていた。そしてあのぱららららという銃声。間違いない。殺し合いは続いているし、誰もが好美のように、ただ隠れているというわけではないのだ。クラスメイトを平気で殺そうという者がいるのだ。そして、どこからその誰かが現れるかはわからなかった。

足を踏み出し、隠れていた家の壁沿いにそろそろと右へ進んだ。角まできて、南の方へ顔を向けると、ゆるやかな傾斜に沿って畑が続いているのが見えた。その中に点々と緑が固まり、南の山へ向けてなだらかなスロープを形作っている。住宅も、好美が今いるところほど密集してはいないが、その中にいくつか見える。とにかく――南の山の中まで入ってしまうことだった。そうすれば当座は安全なはずだ。

好美はデイパックを肩にかけ直すと、もう一度辺りに視線を飛ばし、それから、一気に畑の端の小さな茂みへ向けて駆け出した。

数秒でたどりつき、ざっと茂みの中に分け入った。銃を両手で構えて左右に向けたが、誰もいない。

そのほんの少しの移動で、好美はもう、ぜえぜえと肩で息をしていた。まだだ。まだ、エリアH＝8を抜けてはいない。いや、抜けているのかも知れなかったが、地面に白線がひいてあるわけじゃなし、少し余裕を持って離れておかなければ不気味で仕方がなかった。地図上には民家を示す青い点も刻まれていたのだが、集落の辺りはその点もごちゃごちゃかたまっていて、よくわからなかったのだ。そして、そのごちゃごちゃのへりの方を、エリア区分を示すラインが横切っていた。

好美は泣き出したい気分だった。きっと――自分が相馬光子のグループに入っていなかったら、誰か、そう、ごくごく普通の、信用できそうな女の子たちをなんとか探し当てて、一緒に行動することもできるに違いない。けれどきっと、みんな自分のことを信用してはくれないだろう、なんといっても自分は相馬光子と、それに清水比呂乃と一緒に、だいぶ悪いことを続けてきたのだ。万引きとか――恐喝に近いようなこととか。きっと、みんな、自分には敵意なんかないと言っても、信じてはくれないだろう。それどころか、出くわした途端に攻撃してくるかも知れない。

事実、好美は、夜のうち、家に隠れる前に、一人の女の子を見ていた。自分が集落の方に駆け込むのとは反対に、その子は集落から出ていったのだ。あれは――琴弾加代子（女子八番）だっただろうか？　あるいは、一旦集落の方に隠れたものの、思い直して移動したのかも知れない（それは正しかったことになる、集落は最初のエリア指定を受けたのだ）。声をかけようと思えばかけられたタイミング、そして距離だったが、好美にはそれがどうしても、できなかった。

じゃあ、じゃあ、相馬光子と清水比呂乃はどうだろうか。悪い仲間には違いないが――それでも仲間だった。彼女たちに出会うことがもしできたら――彼女たちは自分を信じてくれるだろうか。そして――あたしは、彼女たちを信じることができるだろうか。いや――それもだめかも知れない。

ほとんど絶望に打ちひしがれながら、好美はまた、ある男の顔を思い浮かべた。ゲームが始まってからこれまで、ずっと思い浮かべていた顔だ。自分が相馬光子と付き合っていることなんかお構いなしに、好きだ、と言ってくれた男の子。ベッドの上、優しくキスして、「あんまり悪いこと、するなよ」とたしなめてくれた男の子。自分がもしかしたら変われるんじゃないかと、思わせてくれた男の子。

あの分校を出たとき――もしかしたら、彼が外で待っていてくれるんじゃないかと思っていた。けれど、もちろん、外には誰もいなかった。当然だった。足元には天堂真弓や赤松義生の死体が転がっていたし、そんなところでうろうろしていたら、その二人同様に誰かに殺される可能性もあったのだ（それにしても、その二人を殺した者がどこに行ったのかは不思議だったが）。

彼は一体今、この島のどこにいるんだろう。それとも――それとももう――。

好美の胸が、きゅっと痛くなった。目に涙がにじんだ。

セーラーの袖でぐいっと目を拭うと、茂みの中を端まで進んだ。あともう少しは動かなくちゃならない。

また拳銃を握り締め、次の遮蔽物を探した。今度は右手の方に、背の高い木が何本かまとまっていた。こんもりした下生えも広がっている。

畑の中を、また一気に走った。小枝で顔を引っ掻かれながら茂みの端へ滑り込み、それから、そうっと身を起こして、辺りに目を配った。緑が折り重なった茂みの中をすべて見通すことはできなかったが、どうやら人の気配はなかった。

好美は身を低くしたまま、またそろそろと茂みの中を進んだ。大丈夫。大丈夫、誰もここにはいない。

また茂みの端へたどり着いた。今度は、もう南の山の緑が目前に見えている。大小の樹木、あるいは手前には竹やぶのようなものがびっしり繁茂し、そこから先なら隠れるところはいくらでもあるように見えた。よし——よし——もう一回だけ、あそこまで——

ふいに、背後でがさっという音がして、好美の心臓が垂直跳びを敢行した。

好美はさっと姿勢を低くし、コルト・ガバメントを両手で保持すると、背後へ向けてそうっと振り返った。自分のうなじの毛が逆立っているのがわかった。

ほんの十メートルばかり向こうの木々の間を、ちらっと黒い——学生服が動くのが見えた。

好美の目が恐怖に見開かれた。誰かがいる、誰かが！

好美は歯を食いしばってその恐怖を抑え込むと、頭を低く下げた。心臓がどきどきとそのリズムを速めた。

また、がさがさという音が耳に届いた。

さっきまで、この茂みには誰もいなかったはずだ。あの誰かは、好美の後からこの茂みに入ってきたのだ。どうして？　自分を見かけて、追ってきたのだろうか？

好美の顔から血の気がひいた。

いや、そうとは限らない。単に、自分と同じように移動中というだけのことかも知れない。そうだ、自分に気づいていたら、まっすぐにこっちへ進んでくるはずだ。自分は、気づかれてはいない。それなら——それならこのまま、やり過ごすことだ。動いちゃだめだ。今は、動かないことだ。

またがさっと音がして、その誰かが移動する気配がした。頭を低くした好美の目に、折り重なった下生えの葉の間から、その影がすっと木の幹の間を動くのが見えた。横顔を見せて、好美の位置からは右から左へ向けて動いた。ああ、よかった、こっちへ向かってきてるんじゃない——。

ほっと息をつきかけた好美は、しかし、がばっと顔をもう一度上げていた。

もう、その影は木々の間に隠れて見えなかった。ただ、がさがさという音が、徐々に遠ざかっていく。

見間違えるはずはなかった。今、混乱した頭が妄想を作り出したのか？　いや、そんなはずはない。

好美はすっと腰を上げると、音がする方へそのまま中腰で進んだ。数メートル進んでもう一度、生い茂った葉の陰から音のする方を確かめた。狭い視界に、学生服の影が現れた。

好美は両手を、思わず胸の前に引き寄せていた。拳銃が握られているのでなかったら、きっと神に祈っているように見えたに違いない。

でも、多分、好美はそのとき、間違いなく祈っていたのだった。そのほとんどありえない偶然が神のいたずらというやつなのだとしたら、その神に。別に特定の信仰はなかったのだが、この際何の神様でもよかった。感謝の祈り。ああ神様、ほんとうです！　私はあなたを愛しています！

立ち上がった好美の口から、思わず言葉がこぼれていた。

「洋ちゃん！」

その声に、倉元洋二（男子八番）は一瞬びくっと体を震わせたように見えたが、ややあってゆっくりと体を振り向かせた。どこかラテン系の趣のある顔の中、まつげの濃い目が見開かれ——それから、元のサイズに戻った。そのほんのひと刹那、洋二が全くの無表情になったような気がしたが、それはもちろん好美の錯覚だったに違いない。すぐに、その顔に笑みが広がった。好美を誰よりも愛してくれている男の子の、いつもの笑顔だった。

「好美——」

「洋ちゃん！」

好美はデイパックを担ぎ、ガバメントを右手に提げたまま、洋二に走り寄った。自分の顔がくしゃくしゃになり、目に涙がにじむのがわかった。

茂みの中にぽっかりできたその小さな空間の中、洋二が好美を抱き止めた。そっと優しく、でも、力強く。

洋二はそれから、何も言わずに好美の唇にそっと自分の唇を重ねた。それから好美のまぶたの上にもキスをした。それから好美の鼻の頭にも、キスをした。いつもの洋二のキスだった。そんな場合ではないにもかかわらず、好美は至福で体が満たされるのを感じた。

ようやく唇を離して好美の目を覗き込むと、洋二は「無事だったんだな。心配してた」と言った。

まだ体をくっつけたまま、好美も「あたしも。あたしもよ」と言葉を返した。目じりから涙がこぼれて、頬を伝い出した。

洋二が先に出発したとき、洋二はちらっと好美を見やり、好美は泣きそうな顔でその背中を見送った。そして、自分も出発し、それから夜が明けて今まで、なんと不安だったことか。それが、二度と生きては会えないと思っていたひとに、今、こうして出会うことができたのだ。

「なんか――すごい偶然だな」

洋二が今さらながら驚いたように言った。

「うん。ほんと。ほんとうにそう。もう二度と――二度と会えないと思ってた。こんな――こんなひどいことになって」

洋二は、泣きじゃくるその好美の髪を優しくなでた。

「もう大丈夫だ。何があっても一緒にいようぜ、な」

洋二の言葉は力強く、好美は、ますます涙があふれ出すのを感じた。ルールでは生き残るのは一人だけ、でも、そうだ、とにかくあたしは一番好きなひとと一緒にいることができる。時間切れがあると言っていたけれど、あたしたち二人は、なら、それまでずっと一緒にいよう。誰かが襲ってきたら、洋二が守ってくれるだろう。ああ神様、ほんとにこれは――夢じゃないんですね、神様？

好美は、二年のクラス替えで洋二に出会ってからのいろいろなことを思い出した。殊にすべての始まりだった二年の秋のある日、たまたま街で出くわして二人で映画を見にいったこと、それから、クリスマス、喫茶店で一個を分けて食べたイチゴのショートケーキ、その夜のキス、お正月、ばっちり振り袖でキメていった初詣（おみくじをひくと自分が小吉で洋二が大吉だった、洋二がそれを交換してくれた）、そして忘れもしない一月十八日の土曜日、洋二の家で初めて夜を過ごしたこと。

「今までどこにいたの？」

好美が訊くと、洋二は集落の方向を指さした。

「あそこの家の中にいた。でも、ほら、この首輪――これ、十一時になってまだあそこにいたら爆発するんだろ。だから――」

無論のこと洋二は深刻な表情だったが、好美はおかしくなった。すぐ近くにいたのだ、ゲームのスタートから今までどこにいるのかと思っていた洋二が、ほんの目と鼻の先にいたなんて――。

「どうした？」

「あたしも。あたしも家の中に隠れてたの。きっと、すぐ近くにいたのよ、あたしたち」

それで、二人でちょっと笑った。洋二のその笑顔を見ながら、好美は、誰か好きな人と笑顔を交わせるということの幸福を噛み締めた。それはささいなことに思えるけれど、ううん、けっしてそうじゃない。それは、一番大切なことだ。そして今それを、自分は取り戻すことが、できたのだ。

洋二がゆっくりと好美から体を離した。その視線がふと気づいたように好美の右手に落ち、それで、好美は、自分がまだ拳銃を握っていたことに気づいて、苦笑いした。

「あはは。私ったら——」

洋二も笑みを返した。

「いい武器じゃんか。俺なんか、これだからな」

そう言って、手にしたものを見せた。好美はそんなものには全然気づかなかったのだけれど、よく見ると、何だか古道具屋で売っていそうな短刀だった。握りに巻かれた糸は擦り切れ、小判形のつばには緑青が浮いている。洋二が刃を少し抜き出してみせると、刀身にも点々とさびが広がっていた。洋二は刃を収め、ズボンのベルトにそれを差し込んだ。

「それ、ちょっと見せてくれ」

洋二が言い、好美は拳銃の銃口を横へ向けて、洋二の方へ持ち上げた。

「洋ちゃんが持ってて。あたし、うまく使えそうにないし——」

洋二は頷き、コルト・ガバメントを受け取った。グリップを握り、安全装置を確かめた。スライドを引くと、薬室に収まっている第一弾がのぞけた。撃鉄は起きたままになっている。

「弾、あるか、これの？」

もちろん銃の弾倉にはもう装弾数いっぱいに弾が込めてあったけれど、好美は頷いてデイパックを探り、弾の入った紙箱を洋二に差し出した。洋二は片手でそれを受け取ると親指で蓋を弾いて中を確かめ、それから、自分の学生服のポケットに押し込んだ。

次の瞬間、好美は我が目を疑った。いや、一体、それがなんであるのかそもそも理解できず、ただ、あたかも何か不思議な手品でも見るように、洋二の手元をじっと見ていた。

洋二が自分に向けて、そのコルト・ガバメントをすっと構えていたのだ。

「……洋ちゃん――？」

それでもまだそこにぼうっと突っ立っていた好美から、洋二の方が後ろへ二、三歩退がった。

「洋ちゃん？」

もう一度言った好美の頭に、ようやく、洋二の顔がいつもと違う、という事態が認識された。

洋二の顔が歪んでいた。まつげの長い目、かぎ鼻に近い大きな鼻、横幅の広い唇。パーツは同じだけれど、歪めた口元に歯がのぞいたその顔は、好美が見たこともない顔だった。

その歪んだ口から言葉が流れ出した。

「行けよ。さっさとどっかへ消えちまえ」

好美は、一瞬、洋二が何を言ったのかわからなかった。

苛立ったように、洋二が続けた。

「早くどっかへ行っちまえって言ってんだ！」

相変わらずぼうっとしたまま、好美は自分の唇が言葉を押し出すのを聞いた。

「……どうして?」

洋二の口調ににじむ、苛立った感じが強まった。

「おまえみたいな女と一緒にいられるかってんだよ! 早く行けよ、ちくしょう!」

最初はゆっくりと、しかし次第に加速するように、何かががらがらと、好美の中で崩れ落ち始めた。

「……どうして?」好美は震える声で言った。「あたし――あたし――何か悪いことしたの?」

洋二は銃を好美に向けて構えたまま、顔を傾けて地面に唾をぺっと吐いた。

「笑わせるな。おまえがろくでもない女だってことぐらい俺は知ってるよ。ポリにつかまったことがあるってことだってな。――おまけに親父みたいな歳の男と寝やがってよ。それだって、俺は知ってんだよ! おまえみたいな女、信用できるかよ!」

好美は口をぽかんと開けて、洋二の顔を見ていた。

それは――事実だった。万引きの現行犯で逮捕されたことも何度かあるし、相馬光子らと一緒になって高校生を脅した恐喝の件でも一度補導されたことがある。それに――売春だ。もうだいぶ前、相馬光子が紹介してくれたおじさんたちと、好美は二、三度ばかり寝たことがあった。いいバイトだったには違いないし、誰でもやっていることだったし、ことにあのころ、自分は何もかもに嫌気がさしていて、慣れない化粧で大人を気取り、それなり優しく見えるおじさんたちと一緒にいるのは、悪いことではないように思えていたのだ。そして、洋二もきっと、自分に関するそんなこんなを知っているんだろうな、とは思っていた。

しかし、そう、あの秋の一日からこっち、洋二と付き合うようになってから、自分はそれもこれももうやめたのだ。もちろん相馬光子や清水比呂乃らとの付き合いは続いていた、自分だけ優等生を気取るわけには行かなかったけれど、少なくとももう売春なんかしていないし、その他の悪いことにもできるだけ手を出さないように気をつけてきたつもりだ。そしてそれで、洋二も自分を許して愛してくれているんだろう、とずっと思っていた。

——ずっと、思っていた。

好美の頰に、涙がぼろっとこぼれ出た。

「あたし——あたしもう、そんなことしてないよ」さっきとはまた違うその涙が、ぼろぼろと頰を伝い落ちるのがわかった。「洋ちゃんに——洋ちゃんにふさわしい女になりたかったのよ」

それを聞いて、洋二が一瞬、うちのめされたような感じで好美を見つめた。

しかし、すぐに元の表情に戻った。

「嘘つけってんだよ！　泣き真似なんかやめろ！」

好美は涙に濡れた目で洋二を見つめていた。また言葉が転び出た。「それなら――それならどうしてあたしなんかと、付き合ってたの？」

洋二は即答した。

「おまえみたいな女だったら、すぐやれると思っただけだ、決まってんだろ！　早く行けよ！　ちくしょう！」

何かに衝き動かされて、好美はだっと洋二の方へ走った。もう洋二の言葉を聞きたくなかったからかも知れないし、洋二が自分に銃を向けているという事実が受け入れがたかったからかも知れない。「やめて！　お願いだからやめて！」と泣き叫びながら、洋二の手にしている銃をつかもうとした。

洋二はすっと体を躱し、好美を突き飛ばした。デイパックが肩を離れて左手の方に落ち、好美は背中から草の上に倒れ込んだ。

すぐに、洋二がその好美の上にのしかかった。

「何しやがるんだ、ちくしょう！　ちくしょう、俺を殺すつもりなんだな！　だったらここで殺してやる、ちくしょう！」

洋二が銃を好美に向けて構え、好美は必死になってその洋二の右手首を両手でつかんだ。

すぐに、洋二が銃を握っている自分の右手に左手を添えた。ぎりぎりと、洋二の手が下がってくる。自分の額へ！　好美はざあざあと自分の血がひく音を聞いた。

好美は両手をつっぱり、必死で叫んだ。

「洋ちゃん！　お願い！　やめて、洋ちゃん！」

洋二は何も答えなかった。好美を見下ろす目が血走っていた。機械のように単調な力と動きで、その腕が下がってくる。あと五センチ、あと四センチ、あと三センチ、もう、その弾丸は、好美の髪の毛をかすめることならできるだろう、そして、あと二センチ、あと……。

好美の、哀しみと恐怖に引き裂かれた心の隙間に、ふっと思考が入り込んだ。

何もかもわかった。わかりたくなかったけれど、自分にとっての愛しい洋二は幻だったのだ。でも――

でも、それは、素敵な幻だった。洋二と一緒にいて、自分はもしかしたらやり直せるかも知れないと、思った。その幻を与えてくれたのは、どうあれ洋二だったのだ。洋二がいなかったら、自分はその夢を、見られなかった。

ああ、あの城岩町のたった一つのバーガースタンドで二人でアイスクリームを食べたとき――自分はアイスを鼻の頭にくっつけてしまって、そして洋二が言った、〝おまえ、ほんとにかわいいなあ〟。少なくともあの言葉は嘘じゃなかったと、思う。

――愛していた。

好美は、ふっと腕の力を抜いた。洋二がちゃっと好美の額に向けて銃を構えた。その指は、すぐにも引き金をひくだろう。

好美はその洋二を見つめて、静かに言った。

「ありがとう、洋ちゃん。あたし、洋ちゃんといられて、幸せだった」

洋二の目が何か大事なことにようやく気づいたというように丸くなり、その動きが凍りついた。

「いいから……撃って……」

好美はにこっと微笑み、目を閉じた。

洋二の腕が、好美に銃を向けたまますぶるぶる震え始めた。

好美はしばらく熱い弾丸が自分の頭を抉るのを待ったが、いつまでたっても銃声は聞こえなかった。

代わりに、「好美――」という、かすれたような、声が届いてきた。

それで、好美は、ゆっくりもう一度、目を開けた。

視線が洋二とかちあった。ぼうっと薄い涙の膜ごしに、洋二の目がいつもの、自分の愛する洋二の目にすうっと戻るのを見た。その目が、後悔と自責の色合いをうっすら帯びているのも。

ああ――

ああ――わかってくれたの――洋ちゃん――ほんとに？

かつっ！　という、小気味よい、しかしどこか湿った、不気味な音が響いた。濡れた床にかかとを打ちつけるような音だった。

ほとんど同時に、洋二の右手指が引き金をひいた。もっともそれは彼の意志ではなく、単に痙攣だったのだけれど。ばん、という爆竹のような撃発音に好美は思わずひっと声を上げたが、銃口は既に好美から外れていて、弾丸は好美の頭の上、草の生えた地面に突き刺さって、小さな土の霧を吹き上げた。

力を失った洋二の上半身が、ゆっくりと好美の体の上に折り重なった。洋二はそれきり、ぴくりとも動かなかった。

慌てて洋二の体の下から出ようとした好美の目に、その洋二の黒い学生服の肩口の向こう、笑顔が見えた。旧知の悪友、相馬光子がそこにいた。

好美には、何が何だかわからなかった。ただ、その光子の天使のような愛らしい、美しい顔に浮かんだ笑みに、なぜか、心の底からぞっとした。

とにかく、その光子が「大丈夫？」と言って好美の手を握り、好美を洋二の体の下から引っ張り出した。

　生い茂った植物の中、好美はよろけながらも立ち上がり、そして、見た。洋二の後頭部、ひどく鋭利なカマ（カマ！　城岩町の中でも比較的町っ子の好美は、そんなものを目にするのは初めてだった）が、深々と埋まっているのを。

　光子はそのカマはとりあえずうっちゃって、洋二の右手の中のコルト・ガバメントを奪いにかかっていた。筋肉が引き攣り、ひどくこわばったその指を一本一本引きはがし、そしてようやくそれを手中に収めると、にやっと笑った。

　好美はただ、洋二のその、今は魂の入っていない体を見下ろして、がくがくと震えていた。がくがく、がくがくと。あまりにも大切なものが、あっさり失われたのだった。それは、いつか幼いころ（そう、自分がもっと無垢だったころ）、好美が大事にしていたガラス細工が、何かのはずみで床に落ちて割れてしまったときの感覚に似ていた。ただし――その大きさは、比較にもならなかった。

　好美の意識が、天上の高みからすっと地上に戻ってきて、そして好美は見た（もちろんずっと見ていたのだが、視覚が認識の領域にまで届かなかったのだ）、光子が、洋二の後頭部に刺さったカマに手をかけ、それを抜き取ろうと両手で柄を握って、ぎりぎりと揺すっているのを。洋二の頭がそれに合わせて揺れていた。

「いやあああああっ！」

声を上げ、好美は光子を突き飛ばしていた。光子が草の間にどん、としりもちをつき、形のいい美しい脚がひだスカートのすそから腿の辺りまでのぞいた。

好美はその光子にはお構いなしに、洋二の体に覆いかぶさった。頭からカマが生えている、その体に。好美の目から、ぼろぼろ涙がこぼれ出した。そのカマはこう告げていた。揺さぶったって生き返らないぜ。揺するなよ。カマが刺さってんだぜ、痛むじゃんか。

好美の胸の奥から感情の大波が何度も押し寄せた。世界が崩壊したような感じが、好美を溺れさせようとしていた。そして好美はその原因に思いをいたし、涙にあふれた目で、傍らにいる光子をきっとにらみつけた。にらみ殺してやるつもりだった。今自分がどんなゲームに参加していて、誰が敵なのだとか味方なのだとか、そんなことはもう、好美の頭から吹っ飛んでいた。そうだ。憎むべき敵がいるのだとしたら、それは自分の愛する人を奪った相馬光子だった。

「何で殺したのよ！」

言葉は、好美の中にとても空虚に響いた。もはや、自分が中身のない、人間の形をした一つの空洞になってしまったような感じだった。それでも言葉は出た。人間の機能って、おかしなものだ。

「何でよ！　何で殺したのよ！　ひどいわ！　ひどすぎるじゃない！　悪魔！　何で殺さなきゃならなかったのよ！　どうして！」

光子は不満そうに唇を歪めた。「あなた、殺されかけてたのよ。助けてあげたんじゃない」

「うそよ！　洋ちゃんはわかってくれたわ！　あたしのことを、やっぱりわかってくれたわ！　あなたは悪魔よ！　殺してやるわ！　あたしが、あなたを殺してやるわ！　洋ちゃんは、あたしのことをわかってくれたのよ！」

光子は首を振って肩をすくめると、すっとガバメントを好美に向けた。好美の目が見開かれた。

それで、好美は、乾いたぱん、という音をもう一度聞くことになった。額の上、そこだけ車に轢かれたような衝撃が伝わった。それだけだった。

矢作好美はかつて愛した倉元洋二の方にどさっと倒れ込み、もう、動かなかった。四五口径の鉛弾で、頭の後ろ側が半分なくなっていた。それでも口は残っていて、何か叫ぼうとするように開いており、その端から、血がゆるゆると流れ出した。洋二の学生服の上に流れ、黒い染みを広げた。

相馬光子はまだ銃口から煙を噴いているコルト・ガバメントを下ろすと、もう一度肩をすくめた。好美なら、少なくともしばらく、弾よけぐらいにはなると思ったのだが。

それから、言った。「そう、わかってくれたんでしょうね」上半身を屈め、半分欠けた好美の頭、耳元に口を近づけた。耳たぶに灰色のゼリー状の脳漿と血が、不気味なトッピングを施していた。「あなたを殺すのをやめそうだったから、あたしが殺したのよ」

それから、洋二の頭から再びカマを抜き出しにかかった。

【残り25人】

31

そのかすかな音は、風に乗って秋也たちの耳にも届いてきた。秋也は顔を上げた。そしてさらにもう一度。しばらく待ったが、それ以上はなかった。茂みの奥、梢が風に揺れるさあっという音だけが聞こえた。

秋也は隣に座っている川田の顔を見た。

「今のは――銃声かな?」

「今のは銃声だ」川田が断定した。

「また誰か――」

典子が言いかけたが、川田が首を振って「それはわからない」と言った。

ほどなく、川田が口を開いた。三人ともここ数分ばかり黙っていたのだけれど、二発の銃声が会話を促した形だった。

「とにかくな、二人とも。俺を信じるならそれでいいが――。さっきも言ったように、俺たち、最後まで生き残らなくちゃならない。で、確認しときたいんだが」

川田は秋也の方を向いた。

「容赦なくやる覚悟があるか、七原」

秋也はごくっと唾を飲んだ。

「誰を？　政府の連中をか？」

「それももちろんだ」

川田は頷き、それから続けた。

「同時に、クラスの連中をやれるかってことだ。向こうが向かってきたときに」

秋也はちょっと俯き、それから、「必要があったら、やらざるを得ないだろ」と答えた。

幾分小声になった。

「相手が女でもやれるか？」

秋也は唇を引き締め、川田の顔を見た。また視線を落とした。

「やらざるを得ないだろ」ともう一度言った。

「オーケイ。わかってるならいい」

川田は頷き、あぐらをかいた膝の上でショットガンを握り直した。付け加えた。

「誰か殺すたびにいちいち気分が悪くなってんじゃ、次の瞬間に別のやつにやられちまうぞ」

秋也は少し考え、訊くかどうかしばらく迷った。結局訊くべきじゃないと判断したにもかかわらず、意志に反して言葉が口から流れ出た。

「おまえも——容赦なくやったんだな？　一年前？」

川田は肩をすくめた。

「やったさ。詳細を聞きたいのか？　男を何人殺したか？　女を何人殺したのか？　優勝するまでに？」

典子が左右の腕を胸の前で交差させて、自分の両肘をぎゅっと抱え込むようにするのがわかった。

「いや——いい」秋也は首を振った。「意味がないよ、そんなことを聞いても」

また沈黙が落ちたが、ややあって、珍しく弁解するような調子で川田が言った。

「仕方なかったんだ。半分狂ってるようなやつもいたし——平気で何人でも殺そうってやつもいたし——比較的仲のいいやつはすぐに死んでしまって、仲間をつくることもできなかった。で、俺は——じゃあ殺されることにします、とは思えなかった」

少し間を置いて、付け加えた。「やるべきこともあった。そのために、死ねなかった」

秋也は顔を上げた。

「何を?」

「決まってるだろ」

川田は少し笑顔を見せたが、にもかかわらず、目の中をぎらっとした光が横切った。

「このくそやくたいもない国をぶっ壊してやるためだ。こんなくそやくたいもないゲームに俺たちを放り込んだこの国をな」

川田のその憤りに歪んだ口元の辺りを見ながら、秋也は、ああ、同じだ、と思った。自分がこのゲームを動かしている連中にカウンターを食らわせたいと思ったのと。このろくでもない椅子取りゲーム、互いを疑わせ、憎しみ合わせるクソゲームを平気で動かしている連中を、地獄の底まで叩き落としてやりたいと、そう思ったのと。

あるいは——思った、今、川田は、仲のいいやつはすぐ死んでしまったと言った、そんなふうに軽く流したけれど、きっとそいつは川田にとって、秋也にとっての慶時同様、大切な友達だったのかも知れない。

　秋也はそのことを訊こうかと考え、しかしやはりやめて、別のことを口に出した。

「いろいろ勉強したって言ったけど——それはそのためかい？」

　川田は「そうだ」と頷いた。「遠からず、俺は何かやってただろうな、この国に対して」

「——どんな？」

　秋也のその問いに、川田は「さあな」と苦笑いすると、首を振った。

「一旦できあがったシステムをぶっ壊すってのは、口で言うほど容易じゃないぜ。しかし、何かだ。何かやってただろう。いや、今だって、やるつもりだ。俺は、そのために生き残る、今回も」

　秋也は立てた膝の間にぶらんと手から提げたリボルバーに目を落とし、それから、ふと頭をよぎった問いに、また顔を上げた。

「なあ、もし知ってるなら教えてくれないか」

「何を？」

「このゲームの意味だ。こんなものに意味があるのか？」

　川田はちょっと目を見開いたが——、すぐに顔を下げると、低く笑い出した。随分おかしそうだった。それから、ようやく言った。

「あるわけないじゃないか、そんなもの」

「でも」典子が声を上げた。「防衛上の必要があるって言われてるじゃない」

川田はまだ顔に笑みを残したまま、首を左右に振った。

「そんなのは狂人のたわごとだ。もっともこの国全体がおかしいんだから、正常と言うべきかも知れないがな」

「じゃあ」秋也はまた体を憤りが満たすのを感じながら言った。「なんでこんなものが続いてるんだ？」

「簡単だ。誰も何も言わないからだ。だから続いてる」

秋也と典子が絶句したのを見て、川田は補足するように続けた。

「いいか。この国の役人はアホばっかりだ。しかも、アホじゃなければ役人にはなれないときている。恐らく最初にこの幸せゲームが考案されたとき、——多分どっかのイカレた軍事理論家が考えたんだろうが、誰も異を唱えたりしなかったのさ。専門的なことに口出しすると後がややこしいってな。で、一旦始まったものを中止するってのは、この国じゃ恐ろしく難しいんだ。余計なことにくちばし入れたら首が飛ぶ。いや、それどころか思想偏向で強制労働キャンプに送られるかも知れん。ほんとはみんなが反対してても、誰も何も言えない。だから何も変わらない。この国にはおかしなことがたくさんあるが、構造は全部同じだ。フアシズムの典型だ。そして」

川田は二人の顔を見渡した。

「おまえたちも、いや、俺を含めて、何も言い出せないはずだ、何かがおかしいと感じても。おまえたちだって、自分の生活の方が大切だろ？」

秋也は何も言えなかった。体を満たしていた憤りが一気に冷えた。

典子が「恥ずかしいことだわ」と言った。

秋也はその典子の方を見た。典子の目が、哀しそうに下を向いていた。そうだな、と思った。その通りだった。

「南鮮共和国って国があったんだ。知ってるか」

川田が言った。秋也が目を向けると、川田は顔をまっすぐ前へ向け、ちょうど目の前の木、葉の間から一輪だけ顔を見せている、ツツジのようなピンクの花の辺りを見ていた。

唐突に何だろう、とも思ったが、とにかく秋也は答えた。「知ってるよ。今の韓半民国の南半分だろう」

正式名称・南朝鮮人民共和国と韓半島民主主義国――海を挟んで当大東亜共和国のすぐ西側で長く続いた同一民族二国家間の争いについてなら、教科書にも載っていた。いわく、〝南鮮共和国はわが国の友好国だったが、米帝と韓半民国の一部帝国主義者層による策動で一九六八年、韓半民国に侵略併合された〃(なお、無論そのあとには、〃わが国としては、朝鮮半島全人民の自由と民主主義のためにも、早期に韓半民国の帝国主義者を駆逐、その領土を併合し、大東亜民族共存の理想に向けて一歩を進めなければならない〃と続く)。

「そうだ」川田は頷いた。「あの国は、この国とよく似た国だった。圧政、指導者への絶対服従、思想教育、鎖国状態と情報統制、それに、密告の勧奨。だが、たったの四十年で失敗した。それに対して、こちら大東亜共和国は常勝街道驀進中だ。——なぜだと思う?」

秋也は考え込んだ、そんなことはよく考えたこともなかったが。教科書には、南鮮共和国の敗北についてとにかく、〃すべて米帝及びその他帝国主義勢力の狡猾な陰謀によるもの〃と書いてある(それにしても中学生向けとは思えない難しい言葉遣いだ)。しかし、では、なぜ、当大東亜共和国は未だに健在なのだろうか? 無論、南鮮共和国が地理的に韓半民国と地続きであった、という事情はあるだろうが——。

首を振った。「俺にはわからない」

川田は秋也の目を見て小さく頷き、再び口を開いた。

「まず言えるのはな、バランスの取り方だ」

「バランス?」

「そう。南鮮共和国が徹底的な社会統制を行ったのに対して——もちろん、この国だって強圧と統制が基本だ。しかし、非常に巧妙な——とまあ、今となっちゃ結果論として言えるんだが、非常に巧妙なやり方で、自由な部分を多少とも、残しておいた。それで、そんなふうにアメを与えておく一方で、こんなふうに言った。つまり、〝無論自由は全人民の生得の権利である。しかしながら、公共の福祉のためには、自由は往々制限されなければならない〟、とな。どうだ、いかにもまっとうに聞こえるだろう、文句としては」

秋也も典子も、黙って川田が言うのに耳を傾けていた。

「そうして、この国は転がり出した。七十六年前のことだ」

そこで、典子が「七十六年前？」と口を挟んだ。ひだスカートの膝を抱え込んだ典子は、不思議そうに顔を傾けていた。

「なんだ」川田が言った。「それも知らなかったのか？」

典子が、それで、秋也の顔を見た。秋也はその典子に小さく頷き、それから、川田の方へ向き直った。

「俺はちらっとは聞いている。教科書に書いてある歴史は大ウソで、今の総統は三百二十五代どころじゃない、たったの十二代目だって言うんだろう」

それは、三村信史が教えてくれたことだった。典子が知らないのも無理はない、そんなこと学校では教えてくれないし、大人たちも普通は口をつぐんでいるし（いや、もしかしたら知らない大人すらいるのかも知れない)、秋也だって信史にそれを聞いたときは愕然としたものだ。何せ、そのわずか八十年足らず前の総統の登場、即ち一種の大がかりな革命以前は、国名も体制も何もかも違う、全く別の国だったというのだから(信史は言ったものだ、〝それまでは封建主義をやってたらしいぜ。みんなチョンマゲってサイケな髪型だったらしくてな。身分差別もあったそうだが、しかし、はっきり言って、今よりゃよっぽどましだな〟)。

典子の驚いた表情をちらっと見やった秋也だったが、川田が次に「まあ、それも実はウソかも知れないんだがな」と言うのを聞いて、これは自分が眉を寄せることになった。

「――どういう意味だ?」

川田は笑んで、あっさり言った。「総統なんていない。架空の存在なんだ。そういう話がある」

「なんだって?」

「うそ――」典子が幾分かすれた声で言った。「だって、ニュースとかに出てるし――お正月には、官邸でふつうの人たちの前に――」

「と、思うだろう」川田はにやっと笑った。「だが、そのふつうの人たちってのは誰だ? そこにいた人間に会ったことがあるか? あれも役者に過ぎないのだとしたらどうだ、その総統本人が役者に過ぎないのと同様に?」

秋也はその可能性について考えた。——すぐに、気分が悪くなってきた。何もかも嘘ばかり、真実はどこにもない、その不安定な感じに。

「——本当なのか、それは?」重い口調で訊いた。

「さあな。それは、俺が聞いた話に過ぎない。だが、いかにもありそうな話ではある」

「誰に聞いたんだ、そんなこと? パソコンのネットとかいうやつで調べたのか?」

秋也は三村信史のことを思い出してそう言ったのだが、川田はまた口元だけで笑んだ。

「残念ながら俺はコンピュータはからきしだが、いろいろあるさ。その気になって調べればな。いずれにしても、いかにもありそうってのはな、それが、究極の最高権力者ってのをつくらない方法だからだ。そしたら、政府中枢にいる連中だってみんな平等だってことになる。平等な自由を。だとしたら、平等な義務を。不公平が出ない。文句のない方法だ。ただ、そのどこかに巧妙なごまかしがあるってだけでな。——もっとも、一般民衆にそんなことまで知らせる必要はない。それは、ただの求心力でさえあればいいんだ」

川田はふう、と息をつき、それからまた続けた。

「とにかく、そんなことは些末な問題だ。話を戻せば、この国はそうして最初のステップでうまく転がり始めた。どんどんどん、うまく転がった。ただしこの場合うまくってのは、近代的工業国として成功したって意味だ。準鎖国状態をとっているくせに、アメリカ側にもこの国側にも荷担しない第三国をどんどん経済の中へ取り込んで、原料を入手し、製品を売った。よく売れた。無理もないさ、この国の製品はほんとに品質がいいんだ。その点、アメリカと見事に拮抗してる。わずかに遅れてるのは宇宙技術とコンピュータぐらいなもんかな。だが、その高品質は、集団への服従と、政府の強圧的な指導で生まれたもんだ。ただそれでも――」言葉を切った。首を振り、続けた。「そうして一旦成功しちまうとな、民衆だって、この体制を変えるってのは恐ろしいことなんじゃないか、って思い始めるのかも知れない。十分成功し、豊かな暮らしができているのに、たとえちょっとぐらい問題があるからって、それをひっくり返そうってのはとんでもない話なんじゃないか、多少のことは犠牲にするしかないんじゃないか、ってな」

川田はまた秋也の方へ目を戻し、ちらっと皮肉な笑みを見せた。「そのちょっとした問題、多少のことの一つが、この幸せゲームってわけさ。無論、当事者とその家族はつらい思いをするかも知れないが、いかんせん大した数じゃない。家族だって、大抵はそのうちあきらめちまうのさ。去る者日々に疎（うと）し、ってな」

長い回り道をした川田の話は、それで再びこちら大東亜共和国が誇るクソゲームに戻ってきたわけだったが、秋也が口元をひどく歪めたのを認めたのか、川田が「どうした？」と訊いた。

秋也は「ゲロが出そうだ」と答えた。三村信史がいつか〝成功したファシズムってやつなのさ。こんなタチの悪いものが一体ほかにどこにある?〟と言った意味が、ようやく明確にわかり始めていた。信史はそんなこともこんなことも、とっくに承知していたのに違いない。

「ふん。じゃあ、もう一つゲロの出るような話をしようか?」川田はいささか、話を楽しんでいるようにすら見えた。続けた。「俺はもしかして、南鮮共和国とこの国の違いは、民族性にもあったんじゃないかと思っているんだ」

「民族性?」

川田は頷いた。「そう。つまり、今この国がやっているようなシステムが、この国の人間に、結構ぴったり合ってたんじゃないかとな。つまり、お上の言うことには逆らわないこと。付和雷同。他者依存性と集団指向。保守性と事なかれ主義。みんなのためだからとか誰かに立派そうな理由を示されたら、たとえ密告をするときでも、いいことをした、と自分を納得させられるような救いがたい愚鈍――。そんなこんなさ。要するに、誇りもなけりゃ倫理もないってことになるか。自分のアタマで考えられないんだよ。長いものにはくるくるくる。全く、ゲロの出る話だ」

そうその通り、それは全くゲロの出る話だった。秋也は胸がむかむかした。

だが、典子がそこで、ちょっと口を挟んだ。「そんなことは、ないと思うわ」と。

秋也も川田も、典子の方を見た。典子は幾分これまでの疲れが出てきたのか、膝を抱えて背中を丸めていたが、それでも、二人の顔を見ながら、はっきりした口調で言った。

「あたし、何も知らなかった。いろんなこと、今初めて聞いたわ。でも、今、川田くんが言ったようなことがみんな本当だったら、そういうことをきちんと知っていたら、きっと、黙ってなんかいないわ。きっと――みんな、何も教えられてないから、今みたいになっちゃってるんだわ。あたしたちがそもそもそんなふうにひどい人間だったなんて、あたしは、そんなふうに思いたくない。あたしたちが特別立派だとは言わないけど、あたしたち、世界中のほかの人たちと同じように、きちんと考えることができるはずだわ」

川田がそれを聞いて笑んだ。ひどく優しい、笑顔で。

「いいこと言うな、典子サン」

そう言った。

一方の秋也の方はというと、あらためて、その典子の顔を見つめていた。典子は、特にクラスでも目立つ女の子ではなかったし、そんなふうに人前で自分の意見をはっきり言ったりすることはあまりしないタイプだと、ずっと思っていた。おかしな話だが、このゲームが始まってから、どんどん中川典子の違った面が見えてきている、というような気がした。ただ――それは単に、自分がばかだったということに過ぎないのかも知れないが。そしてもしかしたら——慶時は、典子のそんな一面も、きちんと見ていたのだろうか。

とにかく、それは〝ゲロが出る〟よりは、はるかに立派な意見だった。そして、またしても、その通りだな、と思った。何がどうあれ、この国は自分たちの国、自分が生まれ、そして育ってきたところなのだ（どこまで育つかは当座の状況では怪しいもんだが）。そりゃあ米帝ことアメリカがいつかはこの国を解放してくれるかも知れないが、本来は自分たちのことだ、人に頼ってはいられないし、最終的には頼れもしないだろう。

それで、秋也は川田の方に視線を戻して、訊いた。

「なあ、川田。——変えられると思うか、この国を？」

しかし、川田があっさり首を振ったので、秋也は拍子抜けした。〝この国をぶっ壊す〟と言った川田のこと、きっとやれると言ってくれると思ったのだ。

いささか間抜けな口ぶりになった。「だけど、言ったじゃないか、この国をぶっ壊すって」

川田は久しぶりに煙草を出して火を点け、それから腕組みした。

「俺の考え方を言おうか」

秋也は頷いた。

川田は腕をほどいて煙草を口から離し、一度煙を吐いた。

「歴史の波みたいなものがあると思う」

秋也は意味がよくわからず、聞き返そうとしたが、その前に川田が続けた。

「ある時、ある条件がそろったら、ほっといてもこの国は変わるだろう。それが戦争なのか、革命なのか俺は知らない。また、それがいつ来るのかも知らない。あるいは、永遠に来ないのかも知れない」

川田はまた煙を吸い込み、吐いた。

「しかし、とにかく、今は無理だ、俺の見たところでは。今いろいろ言った通りさ、この国は狂った国だが、よくできている。とても、よくできている」

川田は煙草を持った手で秋也たちの方をちょっと指さした。

「さて、ここに腐った国が一つある。もしそれが気に入らないのなら、取るべき賢い方法というのは、こんな国は捨ててどこか別のところへ行ってしまうことだ。国外脱出の方法は無いわけじゃないからな。そしたら、汚物の匂いを嗅ぐことなく暮らせる。時々ホームシックになるかも知れないが、でも、毎日とても快適だ。——しかし、俺はそれはやらない」

秋也はズボンの腿に手を少しこすり付けた。幾分期待した、今自分が考えたように、それでもここは自分の国だからやはり努力してみたいと、そう言ってくれるのではないだろうかと。そう、あのボブ・マーリイがうたっていたではないか、〝ゲタップ・スタンダップ、みんながみんないつまでも騙されてると思ったら間違いだぜ〃。「なぜ?」と訊いた。

だが、川田の答えは幾分ニュアンスを異にしていた。

「自己満足だよ。俺は復讐したい、それが自己満足に過ぎなくても、この国に一発食らわせてやりたい。それだけだ。それが果たしてこの国の変革につながるようなことになるかというと、そりゃ大いに疑問だな」

秋也はそれでちょっと息を吸い込み――、それから言った。

「絶望的な話に聞こえるよ」

「絶望的な話なんだ」川田が言った。


【残り25人】

32

遠く二発の銃声がしたとき、豊はまた身をすくめたようだった。信史もしばし、キーボードを叩く手を止めた。

「あれ――」

信史は頷いた。「また銃声だな」

しかし、すぐに作業に戻った。言い方は悪いが、ほかのやつのことを気にしている場合じゃない。

豊も、再びその信史の手元に目を戻した。包帯代わりのタオルを巻いた手に、信史が「見張っててくれ」と渡したベレッタを握っている。

「なあシンジさ、パソコンなんかで何してるんだい？　もう教えてくれてもいいだろ？」

じれったげにそう言った。そう、再び通信ソフトを立ち上げ、携帯電話からダイアルアップした後、信史は忙しくキーを叩き始めて、途中で「ビンゴビンゴビンゴ！」とか「あーくそ、あ、こうか」とか「オオーケイ！」とか言い散らしてはいたものの、豊にまだ何の説明もしていなかったのだ。

「ちょっと──待てよ。もう──少しだ」

信史はさらにキーボードを叩いた。モノクロ画面のほぼ中央、ウインドウの中に、〝%〟だの〝#〟だのが混じった英文が流れ、信史もそれに応えて打ち返した。

「よし」

最後にデータのダウンロードを指示し、信史は手を止めた。基本操作は当然ユニックスだが、ここばかりはマックに合わせて自分が設計した通り、ダウンロードの進行状況を示すグラフィックが、別のウインドウで現れた。信史は腕を上に伸ばし、伸びをした。あとは、ダウンロード完了を待つだけだ（もっとも、終わったらログを書き換えて証拠を消さなきゃならない）。そのあとは、データをもとに作戦を練ることになる。単にデータを書き換えてしまうか、それとも独自のプログラムを組んでより巧妙に相手を騙すか。後者の場合ちょっと手間だが、それでも半日もあれば十分やれるだろう。

「シンジ。説明してよ」

豊がもう一度言い、信史は笑むと、自分もパソコンから体を離して、立木に背を預け直した。我ながらいささか興奮しているなと思ったので、気を落ち着かせるために一つ息をついた。無理もなし、なんせ、そう、さっき豊に〝パワーブック150ってんだ〟と言った時点ではまだはっきりしなかったのだが、今となってはもう、――勝ったも同然だった。

ゆっくり、口を開いた。

「とにかく俺は、ここから逃げることを考えたんだ」

豊が頷いた。

「それでな」信史は自分の首を指さした。信史自身には見えないが、豊には、豊の首に巻かれているのと同じ、その銀色の首輪が見えているはずだった。

「ほんとはな。こいつを何とか外したかった。これのおかげで俺たちの位置はあの坂持って野郎にばれてるわけだ。つまり、今、おまえと俺が一緒にいることもだ。こいつのおかげで俺たちは逃げようとしても簡単に捕捉されるし、あるいは、中の爆弾に電波を送られたら、一発で殺されてしまう。なんとか外したかった」

信史はそこで、手を大きく開いた。肩をすくめてみせた。

「しかし、あきらめた。内部構造がわからない以上、いじりようがない。分解したら爆発するって坂持は言ったが、あながちうそでもないだろう。多分、起爆用のコードが外装の内側に張りめぐらしてあるんだ。そいつを切ったりしたらどかんといく、そんなとこだろうぜ。とすると、危ない橋は渡れない。あるいは首輪の内側に鉄板でも挟んで、と思ったが、多分、挟めるぐらいの鉄板じゃ爆発は食い止められないだろう」

豊がまた頷いた。

「そこで俺は考えた。ならいっそ、俺たちの捕捉とその爆破用の電波を管理してるあの分校のコンピュータにひと働きしてもらおうってな。言う意味わかるか？」

そう、コンピュータの扱いもまた、そのとっかかりは叔父が手ほどきしてくれたのだけれど、叔父が死んだ後も信史はバスケをするのと同じぐらい熱心に叔父の残したコンピュータをいじり、知識をため込んだ。そして、政府が普通接続を禁止している国際回線へ時々はもぐり込んで、本物のインタネット（そう、だからこの国が〝インタネット〟と呼び習わしているのは、本当は〝大東亜ネット〟というふざけた名前のクローズドネットに過ぎない）からコンピュータのより高度な知識を、また同時にそのほか世界中の最新の情報を仕入れるようにしていたのだ。もっとももちろん、こうしたことは基本的には、死刑とまではいかないまでも、信史の年齢なら思想鑑別所に二年はくらい込むような違法行為になる。だからこそ信史は絶対ばれないだけの技術を磨いたし、同時に、自分がそんなことをしているということを誰にでもは話していなかったが、少なくとも豊には、いくつかのホームページ映像を（主にちょっとエッチなやつ。ま、勘弁してよ）見せてやったことがある。いずれにしても、ことコンピュータハッキングに関しては、信史は今や相当な技術を持っていた。

「そこで俺はパソコンを探したんだ。ご存じの通り携帯電話は持ってるしな。このクソゲームは私物の所持が許可されてるみたいだ、こんなことなら自分のノートを持ってきてりゃよかったんだが、まあ、とにかくこいつが見つかったからいいさ。あとは電源だが、そのバッテリは、そのへんの車から外した。電圧の調整はあるが、まあそのぐらいは簡単だ」

信史が続けるうち、豊は、地面に直接置かれているパワーブックと携帯電話が一体何をしているのかようやくおぼろげに理解し始めたらしく、小さく何度か頷いていたが、しかし、急に何か思いついたように口を挟んだ。

「けど、けどさ。電話は使えないって坂持が言ったじゃないか。携帯電話は使えるってことなの?」

信史は首を振った。「いや。だめだ。俺が一回適当に番号を押したら——天気予報だがな、坂持が出たよ。〝城岩中学プログラム実施本部は快晴です〟ときた。すぐ切ったがな、胸くそ悪くて。つまりやつらは、携帯電話の一番近い中継局を押さえてる。多分どの電話会社のやつもだめだ」

「じゃあ——」

信史は右手の指を一本立てて豊を制した。

「考えてみろ、やつらが外と連絡を取らないわけがない。それに、コンピュータだって政府の他のコンピュータとつながってるはずなんだ、保安のためにも。じゃあ、やつらはどうしてる? ——つまり、簡単なこった。携帯・移動電話回線のうち、軍用のナンバーだけ選択的に通してるんだよ」

「じゃあやっぱり——」

豊が言いかけるのをもう一度遮り、信史はにやっと笑った。「ところが、だ。俺は思った、だとしてももしかすると——いくらなんでも最低限、何かあったときのために電話会社の人間がいじれるようなことにはしてあるんじゃないかってな」

信史は地面に置かれた携帯電話にちょっと手を伸ばした。それから、言った。

「話してなかったが、俺の携帯電話はちょっと特別でな。電話番号と暗証番号のロムを二種類積んでるんだ。外から見たってわからないが、ここのネジを九〇度回したら切り替えられる。そしてそのもう一つの番号ってのが、いや、もともとタダ電話かけてみたくてお遊びでつくったもんなんだが――」電話から手を離した。続けた。「電話会社の技術職員が使う回線テスト用の携帯電話の番号なのさ」

「じゃあ――ってことは――」

信史はウインクしてみせた。

「その通り。ビンゴ！　ってわけさ。あとは大した話じゃない。通常電話用のモデムと携帯電話をつなぐのだけはちょっと骨だったけどな。何せ満足に道具があるわけでもない。しかし、俺はやったよ。――それで、とにかく電話回線に入った。それから、一旦俺の自宅のコンピュータにアクセスした。ハックってのは普通のパソコン通信とは違っててな。特殊なツールが――まあ暗号解読のソフトとかな――いるんだ。そいつをまず取り寄せた。で、今度はまず県政府のサイトを狙った。政府の中央演算処理センターとかはそれでも結構カタいらしいが、県政府ならセキュリティは甘いだろうって踏んだんだ。それも正解。いくらこいつが国の直轄事業だからって、開催場所の県政府と多少の連絡はとってるだろう。それも正解。通信ログに見慣れないアドレスがあってな。メールを読んでみたら、教育長宛てだ、なんとゲームの開始お知らせ通知なんだな。そこで今度はそのサイトへ突っ込んだ。つまり、あの分校に臨時においてあるサーバさ。こっちは多少面倒だったが、動ける範囲でいろいろ調べてたら、寝ぼけたことに、作業用のバックアップファイルを残してやがる。こいつをいただいた。細かいとこは省くが、その中に一つ意味有りげな暗号文字があった。その解析が、さっきおまえに会うまで、マックにやってもらってたことさ。答はこうだ」

信史はパワーブックに手を伸ばし、通信状態はそのまま、別のメモファイルを開いて、二四ポイントのばかでかい表示で豊に見せた。豊が覗き込んだ。

〝ｓａｋａｍｏｃｈｏ－ｋｉｎｐａｔｉ〟

「サカモチョ……？」

「そう。ヒスパニックかと思うぜ。くだらねえ母音入れ換えでちょっと複雑にしてあったんだが、とにかくこれがルートのパスワードだったたってわけだ。——あとはやり放題。今やってたんだけどな。今、分校のコンピュータの中のデータをまるごと頂戴してるところだ。俺はそいつをいじってもう一度あそこのコンピュータに入り、俺たちを縛りつけてるこの首輪を無効にしてやる。やつらはあの分校の周りを禁止エリアとやらで囲んで俺たちがもう近づけないと安心しているようだが、俺たちはそこを急襲できるわけさ。チャンスは十分だ。そして、一旦あの分校を押さえたら、ほかの連中を助けることだってできないわけじゃない。

あるいはそれが無理でも、俺たちがもう死んだことにして、二人でとっととこの島をおさらばすることはできる」

そこまで一気に喋ってひと呼吸置き、信史はまたにやっと笑った。「どうだ?」

もはや、豊は放心したような表情をしていた。「すごい」と言った。

信史もその素直な反応に満足してにこっと笑った。ありがとう、豊。何にせよ、自分の能力を誰かにほめてもらうっていうのはとてもうれしいことだよ。

「シンジ――」

まだその放心したような顔のまま、豊が口を開いたので、信史は眉を持ち上げた。

「なんだい? 何か質問、あるか?」

「ううん」豊は首を振った。「あの――あのさ」

「なんだよ?」

豊は視線を落として、手にしているベレッタを少し眺め、それからまた、顔を上げた。

「あの、――何で、俺みたいのがシンジの友達なの?」と言った。

信史はその豊の言葉の意味を測りかねて、口をぽかんと開いた。「――なんだ、そりゃ?」

豊はまた視線を落とした。それから、言った。

「だって……だって、シンジはほんとにすごいやつだよ。だから——シューヤみたいなさ、やつがシンジの友達だってのは、わかるよ。シューヤもシンジと同じぐらい運動できるし、ギターとかすごく、うまいしさ。けど——けど、俺なんか何もないだろ？　だから——なんで、俺みたいなやつが、シンジの友達なのかなあって」

信史はしばらく、俯いたままの豊の顔を見つめていた。それから、ゆっくり口を開いた。

「くだらないこと言うなよ、豊」

信史のその静かな声に、豊が顔を上げた。

信史は続けた。「俺は俺だろ。そして、おまえはおまえだ。仮に、俺が多少バスケがうまくて多少パソコンを使えて多少女の子にもてたとしたって、そんなのは人間の価値を決める事柄じゃない。——おまえには人を笑わせる能力があるし、しかもそれで人を傷つけたりはしない。おまえは真剣なときには俺なんかよりずっと真剣だ。女の子を好きになるときも。いいか、俺は誰にでもいいところがあるなんて、そんなくだらない欺瞞を言ってるんじゃないんだ。おまえには、俺の好きなところがたくさんあるってことなんだ」

肩をすくめ、にこっと笑って続けた。

「俺はおまえが好きだ。俺はおまえとずっと一緒にいたじゃないか。おまえは俺の大事な友達だよ。はっきり言って、ナンバーワンだよ」

それで、また豊の目元にじわっと液体がにじむのがわかった。つい先刻と同じように、「ちくしょう」と言った。「ありがとう、シンジ。ありがとう」

それから、涙を拭った。拭いながら「あはは」と言った。「シンジ、けど、俺みたいな泣きべそと一緒にいたら、ここから逃げ出す前に溺死しちゃうよ」

それで、信史もちょっと笑いかけたのだが――

ぶん、という音がした。

信史は眉根を寄せ、いささか急いで腰を上げた。なぜならその音は、マッキントッシュ標準の警告音だったからだ。

信史はまたパワーブックの前に膝をつき、その画面に見入った。目を見張った。そこに出ているメッセージは、電話回線が切断され、ダウンロードが中断した旨を告げていた。

「――何でだ」

信史の口から洩れた声は、うめきに近いものだったかも知れない。慌てて、キーボードを操作した。しかし、回復はできなかった。一旦ユニックス用の通信ソフトを終了し、別の通信ソフトで、モデムから電話をかけるための操作を行った。

〝回線がダウンしています〟のメッセージが出た。何度やっても同じだった。モデムと電話の接続がおかしくなった様子もない。それで、今度は逆に、モデムと携帯電話の接続を無効にしておいて、直接、携帯電話のプッシュボタンを押してみた。とりあえず再び天気予報。耳を押しつけた。

携帯電話はもはや、何の発信音も伝えてこなかった。それというのは即ち――いいや、バッテリーはまだまだ十分ではないか――

ばかな――。信史は携帯電話を握り締めたまま、今はただ停止しているパワーブックの画面を茫然と見つめていた。ハッキングを気づかれたわけはない。そもそも気づかれないようにやるからハッキングなのだ。そして、信史には十分その技術があった。

「シンジ？　どうしたのさ、シンジ？」

豊が肩の後ろから声をかけたが、信史は答えることができなかった。

【残り25人】

33

杉村弘樹（男子十一番）は、手にした小さな機械の小さな液晶スクリーンの端にぽっと星形のマークが現れたのを見て、目を見張った。それは、弘樹がそれを手にしたときからスクリーンの中央にあったマークと同じものだった。

島の東岸の集落の中だった。〝禁止エリア〟になる時間が近づいていて、急いで、でもごく慎重に家々の間を移動していたのだけれど、その間ずっと注視していたそれに、ようやく変化が現れたのだ。デイパックの中に入っていたその機械はなんだかサラリーマンがよく使う携帯情報端末みたいだったけれど、説明書をひねくり回してようやく午前六時過ぎに動き出して以来、初めての反応だった。とにかく坂持の放送で〝禁止エリア〟が予告されたところを優先して走り回ったのだが、島の南岸のJ＝2エリアでも西岸のF＝1エリアでも、また、そこからここ――H＝8エリアへ移動する間でも、反応はなかったのだ。

その機械が果たして武器かというと、そうは呼べなかったに違いない。しかし、現在の状況、使いようによっては、銃よりもずっと有効なものだっただろう。もっとも彼が今やっていることが、正しい使い方かどうかはわからない。

とにかく――弘樹はもう一方の手に握った棒を（これは集落からはやや北寄りに外れた小屋で見つけたモップの柄を取り外した。手に入れようと思えば刃物なんかもすぐに見つかるだろうが、小学校のころから拳法の道場に通って棍術もかじった彼にとっては、この方が扱いやすいし、役に立つはずだった）構え直すと、背中を付けていた民家の板壁から離れた。

百八十センチを超える大柄な体を俊敏に移動させ、斜向かいの家の壁にまた張りついた。スクリーンを覗くと、星形のマークが中央にある相似形のマークに近づいていた。スクリーンの表示方式について、もう一度説明書に書かれていたことを反芻し、首を振り向けた。家だ。この――中だ。

弘樹はポケットに機械を押し込むと、家の裏庭に回り込んだ。

小さな庭には家庭菜園らしきものがあって、腰ぐらいの高さのトマトの株が何本か、それにサツマイモか何かのような地面を這う植物、ネギ、さらにその隣にパンジーやら菊やら、色とりどりの花が咲いていた。菜園の前に子供の三輪車があって、ハンドルのクロームが、昼に近い太陽の光線をきらっと跳ね返していた。

縁側の雨戸が閉まっていた。開けたらかなり大きな音がするかも知れなかった。弘樹はさらに右へ回り込んだ。

窓があった。ガラスが割れていた。間違いない。誰かがここに入ったのだ。そして、機械が説明書通りのしろものなら、その誰かはまだここにいる。

禁止エリアになる時間が近づいている以上、生きているのならもうエリアの外へ出ていると考えるのが順当だった。中にいるのは死体である公算が大きい。それでも――確かめないわけにはいかなかった。

弘樹は割れた窓の端にそっと顔を出し、中を覗き込んだ。どうやら畳敷きの客間らしい、とわかった。

そっと窓のサッシを横へ引いた。ありがたいことに音はしなかった。弘樹は棒を持っていない方の手を窓枠にかけ、猫のような動きですっとそこへ乗ると、中へ入った。

部屋の一方に床の間があり、中央に座卓が、弘樹がいる窓際の斜め隅には大型のテレビが置いてあった。それ以外には何もない部屋だった。弘樹は音を立てないように足を忍ばせて、そこを抜けた。

廊下へ出ると、ある匂いが空気に混じっているのに気づいた。錆びた鉄に鼻を近づけたときのような匂いだ。

それで、弘樹はやや急いで廊下を進んだ。匂いが強くなった。

キッチンだった。弘樹は柱の陰から中を覗き込み——

テーブルの向こう、床の上に、白いスニーカーとソックスが見えた。それとその上の脚がふくらはぎの辺りまで。

弘樹は目を見開いた。テーブルをだっと回り込んだ。

セーラーの女の子が、俯せに倒れていた。顔は弘樹と反対側の方へ向いている。小柄な体、肩までのショートカット、そして、その顔の下辺りを中心に、板張りの床にぶちまけられて池をつくっている血。すごい量だったが、その表面はもう固まっていて、黒っぽく変色していた。

死んでいるのは間違いなかった。問題は――

小柄な体。ショートカット。

似ていることだった。彼が探している二人の女の子のうちの一人に。どっちが重要とは言わない、とにかくその一人に。思い出せない、彼女は果たして、こんなスニーカーを履いていただろうか？

弘樹は棒とデイパックを傍らに置き、ゆっくりその死体のそばに膝をつくと、震える手を女の子の肩に伸ばした。一瞬逡巡した後、ぐっと奥歯を嚙み締めると、その死体を裏返した。それで、まだ固まっていない鮮やかな赤い血が体の下から現れて、匂いが一気に強くなった。

死体はひどいありさまだった。例の首輪（そしてそれが弘樹をここに導いたのだけれど）の上、細いのどがざくっと裂けていた。もはや血は流れ切ってしまったのか、傷口はただぽっかり穴のように開いているだけで、一種、まだ歯のない赤ん坊の口みたいに見えた。流血の跡はその傷口から下へ流れて銀色の首輪の表面を汚し、さらに胸の方へと続いていた。それに、これは倒れた後のことなのだろうが、血の池に浸かっていた口元と鼻の頭、それに左側の頰にもべっとり血がついていた。どよんと虚空を見ている灰色の目の周り、睫毛の先にも細かな血玉ができて、それも既に固まっていた。

江藤恵（女子三番）だった。

――違った。

弘樹はその死体の凄惨さに気圧されこそしたものの、やはり安堵してしばし目を閉じ、ふうっと息をついた。それから、安堵したことを申し訳なく思って、恵の死体をそっと引き起こすと、血の池を避けて、少し離れたところに仰向けに横たえた。死後硬直が始まっていて、なんだか人形を扱っているような具合だったが、とにかくそうしてから、そっとその目を伏せさせた。ちょっと考えた末、恵の両手を胸の前で合わせようとしたが、恵の体が硬いせいでうまくいかず、あきらめた。

棒とデイパックを再び取って立ち上がり、もうほんのしばらくだけその恵の死体を見下ろしていた後、弘樹は踵を返すと、入ってきた客間の方へ急いだ。午前十一時が近づいていた。

【残り25人】

34

しばらく静かに時間が流れていた。秋也の傍らでは、川田が黙って煙草を吸い続け、典子もじっと押し黙っている。茂みの中でときどき小鳥が鳴き交わす声がし、頭上を覆う梢が微風に揺れると、その隙間から洩れる網目模様の光が、自分たち三人の体の上を振り子のように移動した。よく耳を澄ますと、海の方から波の音が届いてくる。すっかり慣れてしまった緑の中の空間が、ともすれば、ひどく平和なものに錯覚されそうだった。

もちろんそれというのも、川田の話で当座脱出の希望が与えられたために違いない。そしてそれに従うなら、今は、何もせずにただ待つことだった。警戒さえ怠らなければ、今、典子が怪我をしているとはいえ、自分たちはとにかく三人だし、銃も二つある。

しかし、秋也は、もう一時間ほど前になる遠い銃声のことを、ずっと考え続けていた。あれは、やはり、誰かの命を奪ったのだろうか。あるいはそれは――考えたくないことだが、あの三村信史かも知れないし、杉村弘樹かも知れない。いや、そうでないにせよ、誰か、何の害意も持っていない一人のクラスメイトかも知れない。自分たちは川田のおかげで助かるかも知れないが、ほかのみんなは今も恐怖に脅え、そして、次の瞬間には死んでいるかも知れない。

そう考えると、秋也はやはり煩悶せざるを得なかった。もちろん、その件についてはもう、川田とも話した。川田は、動かないのがベストなんだ、と言った。それはその通りだ。そして、典子が怪我をしている以上、動いたりしたらいい標的になる、とも。それも、その通りだ。だが——自分たちだけがこうして、言わば安穏としていることが、ほんとうに正しいのだろうか？　日下友美子と北野雪子は、全く脱出の見込みがない状況でも、ほかの連中を信じようとした。一方の自分たちは今、脱出の方策を、川田の言葉を信じるなら、とにかくも持っている。だったら——賭けてみることを、しないでいいのだろうか？

無論、既に誰かを殺したやつが——〝意図的に〟殺したやつがいるのは確かだ、友美子と雪子が殺されたのを見たのだから。そして、まだそういうやつがほかにもいるかも知れない。あるいは自分がでくわした赤松義生や大木立道も、もしかしたら元渕恭一も、そうであったのかも知れない。そういうやつらがそもそも、今さら自分たちの仲間になりたがるとは思えない。いや、あるいは仲間になりたがり、ころあいを見計らって自分たちを殺すかも知れない。

しかし、少なくとも、マトモな連中だけでも探し当てる努力をしないでも、いいのだろうか？

——だがそれにしたところで、一体誰がマトモなのか見分けることは、できないのだ。可能な限りのやつを助けようと努力したら、そのうちに〝敵〟は自分たちの中に入り込むかも知れない。そして、自分は間違いなく死ぬことになる、一緒にいる典子も川田も、死ぬことになる。

　そこまで考えて、結局秋也はため息をつかざるを得なかった。思考の堂々めぐり。だが、何度考えをめぐらしたところで、結論は同じなのだ。何もできない。幸運を望むとすれば、三村信史や杉村弘樹に偶然出会うことだけだ。だが、その可能性が一体どれだけあるだろう？

「おい」

　また煙草に火を点けながら川田が言ったので、秋也は視線を振り向けた。

「あんまり考え込むな。考えても仕方がない。今は、自分と典子サンのことだけ考えてろ」

　秋也は眉を持ち上げた。

「人の心が読めるのかい、川田は？」

「ときどきな。今日みたいな快晴の日は調子がいい」

　川田は言い、また煙草をふかした。

　それから、ふと思いついたように秋也の方に視線を戻し、「あれは本当か」と言った。

「――何が？」

「坂持の言ってたことだ。おまえに思想的な問題があると坂持が言った」

「――ああ」秋也は視線を落とし、頷いた。「そのことか」

秋也はその目を見返した。

「何をやった?」

川田の目が、心持ちいたずらっぽくなっていた。

思い当たることは、二つばかりあった。一つは、――そう、中学に上がったとき、自分は当初野球部と音楽部に掛け持ちで入部したのだけれど、勝利至上主義で大方軍隊並みの規律を敷いていた野球部の雰囲気が気に入らなかったこと(まあ無理もない、野球は共和国でも花形のスポーツで、即ち国際大会に向けて国の威信がかかる種目だ。間の悪いことに敵国米帝でもまた野球が盛んで、オリンピックの決勝戦でその米帝チームに敗れたりしようものなら、野球連盟幹部はほとんどハラキリを覚悟しなければならなかった)、とりわけ、下手でも本当に野球が好きな連中に顧問の湊という教師がひどい嫌がらせを繰り返したために、たった二週間で退部届けを叩きつける際、ぶちキレた秋也は湊と共和国野球連盟を並べてクソ呼ばわりしてしまったのだ。かくて城中野球部のゴールデン・ルーキーだった秋也はロックンロールの新星(自称)への道を突き進むことになり、内申書には大きなばってんが残った。

だが、坂持が言ったのは恐らくそれよりもつまりその――

「何も」秋也は首を振った。「ロックが好きなことを言ったんだろ、多分。音楽部だから、にらまれてるんだ」

「ハハア」川田は訳知りげに頷いた。「おまえ、確かギターが弾けたな。それで、聴き始めたのか？」

「いや。ロックを聴いたからギターを始めたんだ。俺のいた施設で――」

秋也は、〝慈恵館〟で三年前まで雑用係をしていた四十過ぎの男を思い出した。陽気な男で、薄くなり始めた髪を、うなじの上で跳ね上がる形になでつけていた（「ダックテイルっていうんだよ」）。今は――南樺太の強制労働キャンプにいるはずだ。理由は、秋也や慶時たち、館の子供には、詳しくは知らされなかった。別れのあいさつのとき、本人も特に説明しなかった。ただ、「また帰ってくるよ、秋也。慶時。ツルハシでも振りながらしばらく〝監獄ロック〟でもうたってるさ」と言っただけだ。そして、慶時には古い自動巻きの腕時計を、秋也には、ギブスンのエレキギターをくれた。秋也が初めて手にした自分のギターだった。

彼は――なんとか元気にやっているだろうか？　強制労働キャンプでは、過重労働と栄養不良で命を落とす者も多いと聞く。

「ある人が俺にテープをくれた。自分が使ってたエレキギターもくれたんだ」

「ふうん」

川田は頷いた。

「ごひいきはあるのか？　ディラン？　レノン？　それともルー・リードか？」

秋也はそれで、川田の顔をまじまじと見つめた。

「——詳しいじゃないか」

ちょっと、びっくりしていた。

大東亜共和国でロックの音楽ソースを手に入れるのは容易じゃない。外国から入ってくる音楽はポピュラー音楽判定学会なる組織が厳格に審査して、およそロックに類するものはすべて税関でストップされる。麻薬並みの扱いだった(一度県政府の役所でポスターすら見かけたことがある、髪の長い、わざと汚らしく描いたロッカーの写真に駐車禁止と同じ斜めのライン。〝ストップ・ザ・ロック〟。グレイト)。要するに、共和国の桃色政府が気に入らないのは、民衆をあおるようなビートもそうだろうし、特にその詞なのだろう。先のボブ・マーリイもそうだが、典型的なものというなら例えばレノンがうたう、〝夢かも知れない、でも僕は一人じゃない。いつか君も手をつないでくれるかい？ そのとき世界は一つになるだろう〟。——大方、こんな詞がこの国にとってまずくないわけがない。

おかげで、レコード屋へ行くと店頭に並んでいるのは、大抵国産の陳腐なアイドルポップスか歌謡曲ばかりだ。秋也が見たもっとも過激な輸入音楽は、フランク・シナトラどまりだった(確かに〝マイ・ウェイ〟はこの国にふさわしい曲かも知れないが)。

実際、秋也は、あのダックテイルの雑用係がキャンプに送られたのも、これが原因じゃないかと一時考え、残してくれたテープやギターも何か恐ろしいもののように思えたことがあった。しかし、それはどうもそうではなかったようだ。中学に上がって音楽部に入ると、ロックが好きなやつも、エレキギターを持っているやつも結構いた（もちろんあの新谷和美も大のロックファンだった！）。その仲間うちのってで、〝時代は変わる〟や〝スタンド！〟の複製テープを手に入れることもできたのだ。

しかし、それはあくまで信頼できる仲間うちのことだ。城岩中の生徒にロックを聴いたことがあるかとアンケートを取ったら、きっと九割以上のやつはノーと答えるだろう（聴いたことがあるやつも聴いたことなんかないと言うだろうから、実際は全員がノーと答えるだろうが）。無論のこと、先刻からその実に幅広い知識を披露している川田のこと、多少ロックについて聞きかじっていたって不思議はないが、それでもディランやレノンといったらもっとも過激な代物なのだ。

「そう目を丸くするなよ」

川田が言った。

「俺、神戸育ちの都会っ子だぜ。香川の田舎者と一緒にするんじゃない。ロックのことぐらい多少は知ってるさ」

秋也はちょっと唇を歪めてみせ、「言ったな」と言った。ふさいでいた気持ちが少し、晴れた感じだった。それから、言った。

「俺のごひいきはスプリングスティーンだよ。ヴァン・モリスンもいいな」

川田がすかさず「〝明日なき暴走〟はいいな。モリスンなら、俺は〝神の光輝くとき〟が好きだ」と言ったので、秋也はまた目を丸くした。口元に笑みが浮かぶのがわかった。

「詳しいじゃないか！」

川田も笑ってみせた。

「言ったろ。俺、都会っ子だ」

秋也は典子が黙っているのに気づき、ちょっと話題についてこれないかな、と気になって訊いた。

「典子はロックは聴いたことないって言ってたっけ」

典子はちらっと笑って、首を振った。

「あまりよく知らないの。どんな音楽なの？」

秋也はにこっと笑った。

「詞が素敵なんだ。うまく言えないけど、自分たちの問題をきちんとうたった音楽だ。もちろん恋のこととかもうたうけど、時には政治のことや、社会のことや、生活とか生きることそれ自体もうたうんだ。言葉があって、それをうまく伝えるためのメロディとビートがある。例えば、〝明日なき暴走〟でスプリングスティーンがうたってる、――」

秋也はその曲の終わりの部分をそらんじた。

〝ウェンディ、二人一緒なら哀しみを抱えていても生きていけるだろう、俺は君を、俺の魂の中の狂気すべてで愛したい。いつか——いつとは知らないけれど、俺たちは俺たちがほんとうに望んでいる場所へたどり着けるだろう、そしてそこで、陽の光りの中を歩けるだろう。でも、それまでは、俺たちみたいな流れ者は走り続けるしかない。そのように生まれてしまったんだ、俺たちは〟。

それから、「こんな感じだ」と言い、ちょっと節をつけて、最後の部分を声を抑えて歌った。トランプスライクアス、ベイビウィワボーントゥラン。

典子の方を見やって、言った。

「いつか一緒に聴こうな」

典子がちょっとだけ目を大きくして頷いた。ほんとうなら——ぱっと顔が輝いてもいいところだったのかも知れない。でも、典子はどこか力ない笑みを返しただけだった。秋也は自分も疲れていたせいで、そのことに気づかなかった。

秋也は続けて川田に言った。

「みんな、もっとロックを聴けばいいんだ。そしたら、こんな国なんかつぶれちまう」

そう、典子が先刻〝みんな何も知らないからきっと——〟と言ったが、それやこれやの重要なことも、ロックにすべて含まれているように秋也には思えた。そしてだからこそ、政府はロックを禁止しているのだ。

川田が短くなった〝ワイルドセブン〟をゆっくり地面に押しつけ、揉み消した。また新しい一本に火を点けた。それから、言った。

「七原な」

「何だい？」

川田はゆっくり煙を吐きながら続けた。

「ロックにほんとにそんな力があると思うか？　政府が恐れるような力が」

秋也は大きく頷いた。「あるさ」

川田はその秋也の顔を見つめ、それから視線を外して首を振った。

「俺は必ずしもそうは思わない。結局俺たちの不満を吸収して、ガス抜きになるだけのような気もする。今だって、違法だとか何だとか言いながらとにかく聴こうと思えばロックを聴けるだろ。それだってガス抜きだ。そういうところがこの国のこずるいところだって言うのさ。そのうち、政府は喜んでロックを奨励するかも知れん。道具としてな」

秋也は、頬を張られたようなショックを受けた。ロックは秋也の宗教だったので。楽譜が彼の聖典で、スプリングスティーンやヴァン・モリスンは彼にとっての十二使徒のようなものだったので。もちろん、ばらばらクラスメイトが死んでショックには慣れっこになっていたので、それに比べれば大したショックではなかったけれど。

　秋也はいきおい気落ちして、ゆっくり言った。

「そうかな」

　川田は何度か小さく頷いた。

「そうさ。しかしとにかく俺が気に入らないのは、禁止されたり奨励されたり、そんなもんじゃないだろうってことだ。聴きたいときに聴きたいやつが聴くのさ。そうだろう？」

　秋也はしばらく、考えをめぐらせた。それから、言った。

「俺、そんなふうには考えなかった。でも、そう言われたら、そうかも知れない」

　付け足した。

「すごいな。物事がほんとによく見えてるんだな、川田は」

　川田は肩をすくめた。

　しばらく沈黙が落ちた。

　秋也はそれから、「でも」と言った。川田が新しい煙草の封を切りながら、秋也の顔を見た。

「それでも俺は、ロックにはやっぱり力があると思うよ。プラスの力だ、それは」

そう、典子が自分について言ってくれた通り。

川田がにやっと笑った。煙草を口の端に咥えて、火を点けた。それから、言った。

「実はな、七原。俺もそう思う」

それで、秋也もにこっと笑みを返した。

「だけど、皮肉なことに全くその通りだな」

川田が言い、秋也は「何が？」と聞き返した。

「今のところ逃げ続けるしかないってことさ」と川田が言った。「ウィワ・ボーン・トゥ・ラン」

【残り25人】

35

南佳織（女子二十番）は、かすかな、がさっという音で身を起こした。島の中央からやや東寄り、北の山のふもとに当たる雑木林の中だった。地図上のエリアではＦ＝８に当たる。

あらためて拳銃を握り直した。拳銃はシグ・ザウエルＰ２３０・九ミリショートでごく小さなものだったのだけれど、それでも佳織の小さな手には余るようだった。

佳織は知らず知らず唇を嚙み締めていた。ゲームが始まりここに隠れてから、何度もそんな感じの音は耳にしていた。その度に、結局風のいたずらだったり、何かの小動物（野良猫でもいるんだろうか？）らしかったりとわかって胸を撫で下ろしていたのだけれど、やっぱり慣れることはできなかった。歯で嚙み切っていくつも血玉がかさぶたをつくった唇に、また新しい傷ができた。今度こそ——敵かも知れない。敵——そうだ。クラスメイトが自分に襲いかかってくる。分校を出発したときに見た天堂真弓や赤松義生の死体が、生々しく頭に蘇った。

そして——そのとき、自分が分校を出たとき、正面に当たるところ、林の中から自分を呼んだ声。あれは——委員長——内海幸枝だったと思う。暗い茂みの中、幸枝のほかにも、何人かの影がうかがえた。闇の中、幸枝が抑えた、それでも鋭い声で言ったと思う、〝佳織！一緒にいらっしゃい！　女の子ばっかりだから！　大丈夫よ！〟

けれどそれは——とても無理な相談だった。こんな状況で誰かが信じられるわけがない——一緒にいたりしたら、いつ寝首をかかれるかわからないのだ。佳織は幸枝の制止を振り切って別の方向へ逃げ——そして、今、ここにいる。そして——今度こそ〝敵〟なのか？今の音は？

拳銃を両手で握り締めたまましばらく待ったが、音は続かなかった。

さらに少し待った。——やはり音はしなかった。

佳織はほうっと息をつくと、立て膝の姿勢を解いて再び茂みの中に腰を落とした。頬の辺りにちらっといびつな形の葉が触れ、嫌悪感を覚えて少し腰の位置を移動した。葉が触れたところをてのひらで何度もこすった。ただでさえニキビで悩んでいるのに、このうえ何かにかぶれて顔が腫れるなんてごめんだった。どうせ死ぬとわかっていてもごめんだ、そんなのは。

そこまで考えて、ぞくっと冷たいものが佳織の背筋を走った。死ぬのか？　あたしは？　死ぬのか？

そう意識しただけで、心臓がどきどき高鳴った。ほとんど心不全を起こしそうなほどに。死ぬのか？　死ぬのか？　耳鳴りのように、あるいは出来の悪いＣＤプレイヤー、盤面の傷をそれが無視できずに何度も繰り返すときのように、その言葉が頭の奥に聞こえ始めた。死ぬのか？

佳織は、半ば必死で、首にかけている真鍮製のロケットをセーラーの胸元からつかみ出した。ぱちんと開くと、髪の長い、さわやかな笑顔が佳織に笑みかけた。

それをじっと見ているうちに、佳織の心拍数がようやく幾分落ち着き、徐々に元のペースに戻っていった。

それは、アイドルグループ、〃フリップサイド〃の中でも女の子に一番人気のある剣崎順矢の写真だった。その特製のロケットは、ファンクラブ会員にだけ配られたもので、城岩中でも持っているのは佳織だけという自慢の品だった(もっとも今時、大抵の女の子たちはそんなものを見ても首を振るだけなのかも知れないが。第一ロケットというのが古臭い。しかし、佳織はそうは思わなかった)。

ああ――ジュンヤ。大丈夫よね。あたしを守ってね。

剣崎順矢の写真は、〃大丈夫だよ〃と言っているように見えた(〃大丈夫さ。君の大好きな僕たちの歌、『銀河のマグナム』、うたおうか?〃)。それで、佳織は幾分呼吸も楽になったように思えて、さらに写真に問いかけた。

ねえ、ジュンヤ。あたしは委員長と一緒に行くべきだったのかしら? そしたら、助かる方法も、あったのかしら? ううん、そんなわけないわよね。

脈絡なく、ぼろっと涙が佳織の目からこぼれ出した。

どうしてこんなことになってしまったのだろう。お母さんに会いたかった。お父さんに、会いたかった。おねえちゃんにも、優しいおじいちゃんやおばあちゃんにも、会いたかった。お風呂に入って、ニキビにクリームを塗って、居間の居心地のいいソファに座って、ココアを飲みながら、〝フリップサイド〟のレギュラー番組のビデオを（もう何度も見たやつだけど）見たかった。

「ジュンヤ、あたしを守ってよ。お願い――。あたし、あたし気が狂いそう」

自分が声を出してそう言うのが耳に聞こえた途端、佳織はほんとうに自分が狂いそうになっているような気がして、ぞっとした。吐き気が胸の奥から突き上げた。涙がますますひどくなった。

ざっという音が背後でして、佳織はびくっと体を震わせた。それは、さっきより格段に大きな音だった。

涙に濡れた目のまま、ばっと振り返った。

茂みの間から、学生服の影がこちらを覗き込んでいた。杉村弘樹（男子十一番）だとわかった。後ろに回られていたのだ！　知らない間に！

恐怖に駆られて、佳織はほとんど何も考えないまま、両手で銃を持ち上げ、引き金をひいた。ぱん、という音とともに、強い衝撃が手首に伝わった。金色の薬莢が空に舞って、きらっと木漏れ日を跳ね返した。

弘樹の影は、その前にすっと茂みの奥に消えていた。ざざざ、という音が続き、それもすぐに消えた。

佳織はしばらく銃を構えた姿勢のまま、がたがた震えていた。それから、ほとんどひったくるように荷物を取り上げると、弘樹が去った方とは反対側へ、茂みの中を走り出した。走りながら、混乱した頭で考えた。杉村弘樹は自分を殺そうとしていたのだ、間違いない——そうでなかったら——どうして声もかけずに忍び寄る必要があったというのか？　きっと、杉村弘樹は銃を持っていなかったのだ。あたしが銃を持っていることがわかって、慌てて逃げたのだ。あたしが気づかなかったら——そして急いで撃たなかったら——杉村弘樹はナイフか何かをざっくりあたしの胸に突き立てていたに違いない。ナイフ！　油断しちゃだめだ。誰かに出くわしたら、容赦なく撃たなければ、自分がやられて！　しまうのだ。——やられる！

ああ——こんなことはもうごめんだ。うちに帰りたい。お風呂。ニキビのクリーム。ココア！　ビデオ。フリップサイド。ジュンヤ。容赦なく。撃つ。撃つ！　ココア。ジュンヤ。ニキビの！　クリーム！　容赦なく。ジュンヤ。

佳織の目から涙がぼろぼろこぼれていた。セーラーの胸でロケットの蓋が開いたままになっており、剣崎順矢のさわやかな笑顔が、上下左右に激しく揺れていた。

容赦なく。ジュンヤ。殺される！　撃つ。おかあさん。おねえちゃん！　おとうさん。撃つ！　撃つ！　ニューアルバム！

佳織は狂いかけていた。

【残り25人】

36

『はーい死んだ人は以上でーす』

坂持の明朗な声が続いていた。正午の放送だった。

新しく葬式待ちのリストに並んだのは、大木立道、元渕恭一、それにもちろん、北野雪子、日下友美子の名前もあった。ほかにも、倉元洋二、矢作好美が死んでいた。

『続いて午後からの禁止エリアと時間を言いまーす。はいメモしなさーい。メモしなさーい』

秋也はまた、ポケットから地図とペンを引っ張り出した。川田も、地図を手にしていた。

『まず一時からJ＝5です。それから、三時からH＝3。五時からD＝8でーす。わかったかー？』

J＝5は島の南東岸、H＝3は南の山の頂上付近、D＝8は北の山の頂上南東側に当たる斜面だった。秋也たちがいるC＝3は入っていなかった。とりあえず、動かずに済むということだ。

『みんな、友達が死んでつらいかも知れないけど、元気出さなきゃだめだぞ。若い翼がくよくよしてたら大空を飛べませーん。じゃまたなー』

相変わらず能天気なセリフを吐き散らして、坂持の〝放送〟はまたぶつっと切れた。

秋也はため息をついた。地図をしまい、チェックを付けたクラス名簿を眺めた。「もう二十五人だ、ちくしょう」

川田がまた煙草を咥え、手で覆いをつくりながら火を点けた。それから、言った。

「言った通りだろ。順調に死んでるわけだ」

それで、秋也は川田の方へ顔を上げた。川田は煙を吹き出しながら、秋也を黙って見つめ返した。川田の言う意味はわかった。クラスメイトたちが死んでいけば死んでいくほど、秋也たちは脱出のチャンスに近づくのだ。なおかつ、時間切れも遠のく。しかし――

「そんな言い方、ないだろう？」

川田はただ、肩をすくめて見せた。視線をそらした。「悪かった」と言った。

秋也はなお何か言いたい気分だったが、しかし無理やり川田の顔から視線を引きはがした。立てた両膝を引き寄せ、その脚の間を見つめた。小さな小さな黄色い花が草の間から二つ三つ顔を出していて、その茎をアリが一匹、這っていた。

要するにつまり——さっきロックの話をしたときにはなんだか本当に仲のいい友達になれたような気がしたのに、川田にはどこかまだ、なじめないところがあるように思えた。川田には、生来ちょっと、冷たいところがあるのだろうか？

口の中で小さな息をつき——それから、別のことを考えた。坂持が報告した六人のうち、自分がその死を見届けていないのは倉元洋二と矢作好美だけだった。あの二人は付き合っていたと思う。とすると、どこかで、二人で一緒にいたのだろうか。そして、十時過ぎに聞こえたあの二発の銃声。あれはその二人を、やったのだろうか？　そしてもしそうだとするとそれをやったのは、一体——。

北野雪子と日下友美子を殺したマシンガンの銃声が耳元に蘇った。あの〝誰か〟とそれは、同じやつだろうか。それとも——

「七原」

川田が呼びかけ、秋也は顔を上げた。

「朝飯食ってないだろ、七原。政府支給のろくでもないパンだが、雑貨屋で仕入れたストロベリイ・ジャムとコーヒーがあるぜ。食おうじゃないか」

川田は自分のデイパックから平たい瓶と細めの（二百グラムのやつだ）コーヒー缶を出し

てみせた。瓶の方にはイチゴのイラスト入りのラベルが貼ってあり、つややかな、濃い赤の中身がガラスごしに見えている。コーヒーの方は、川田がさっきからまた炭火を起こしてその上に載せていた空き缶の湯に放り込もうということなのだろう。川田はさらに、プラスチックのカップの包みも取り出した。

「いろいろ持ってきたんだな」

「ああ」川田は頷き、さらにデイパックから細長い包みを出してみせた。「見ろよ、ワイルドセブンだって一カートン」

それで秋也も気分を直すことにして、少し笑むと、頷いた。自分のデイパックから、パンを引っ張り出した。

典子の方に、パンを一つ、差し出した。

「典子、食べとこう」

「うん……」

典子は膝を抱えた姿勢のまま、顔を上げた。

「あたし……いい。あまり、ほしくない」

「どうして？　食欲――」

秋也は言いかけ、再び視線を落とした典子の顔が、真っ青になっているのに気づいた。そう言えば、典子は随分、口数が少なくなっていたのだ。

「典子？」

秋也は典子に近づいた。川田はコーヒー缶の封を切りかけた姿勢のまま、二人を見やっていた。

「典子」

秋也は典子の肩に手をかけた。典子は膝を抱えた両手をぎゅっと握り合わせており、青ざめた顔の中で口を真一文字にくいしばっていた。その唇の隙間から苦しそうな息遣いが洩れているのに、秋也はようやく気づいた。典子が目を閉じ、ほどいた手を秋也のその腕にかけて、心持ち体重を預けた。

その手、そして、セーラーの肩、黒い布ごしに伝わってくる典子の体温が、何か小鳥を抱えているように、高かった。秋也は右手を伸ばし、典子の前髪をそっとすくい上げて、典子の額に当てた。

めちゃくちゃに熱かった。同時に、典子の額に浮いた冷や汗が、秋也のてのひらをじとっと濡らした。

秋也は混乱してばっと川田の方を振り向いた。

「熱がある！　川田！」

「だい……じょうぶ」典子が力なく言った。

川田がコーヒー缶を足元に置いて、腰を上げた。秋也と位置を替わり、典子の額に手を当てた。それから、不精髭の浮いた自分のあごに触り、次に、典子の手首を取った。腕時計を見ながら、しばらく脈をみているようだった。

「ちょっとすまねえな」

そう言って典子の唇に右手の指をそっと当て、口を開かせた。次に目の下を指で引っ張り、典子のはっきりした涙ぶくろの向こう側を覗き込んだ。

「寒いんじゃないのか」と典子に訊いた。

典子は目を細く開いたまま頷いた。

「うん――少し……」

「七原」と川田が秋也を呼んだ。

息をつめて見守っていた秋也は、「どうなんだ?」と慌てて訊いた。

「いいから上着を貸せ」

言って、自分も学生服の上着を脱ぎ出した。秋也も慌てて自分の上着を脱ぎ、川田に渡した。川田が、二着の上着をていねいに典子の体に巻きつけた。

「パンだ、七原。そのジャムと水もとってくれ」

川田が言い、秋也は急いでさっき典子に渡しかけたパンと水、それに川田のデイパックの上に置いてあったジャムを拾い上げ、取って返した。先にパンと水を川田に渡し、ジャムの蓋を開いてそれも手渡すと、川田は乱暴に瓶の中へパンを突っ込み、赤いジャムをべったりくっつけた。それを典子の方へ差し出した。

「食っとくんだ、おねえちゃん」

「うん……でも――」

「いいから食え。ちょっとでもいい」

川田が強い口調で言い、それで、典子はおぼつかない手つきでパンを受け取ると、ひと口ふた口、かじりとった。随分無理をして、飲み込んだようだった。それから、残りのパンを川田の方へ返した。

「もう食えないか」

典子はかすかに首を振った。そうして首を振るのすら、だるそうだった。

川田はもっと典子に食べてほしそうな様子だったが、当座あきらめたのか、パンを脇へ置くと、ポケットからまた薬の入ったケースを出した。

「風邪薬だ。飲んどけ」

言って、典子に朝の鎮痛剤とはまた違うカプセルを渡した。典子は頷き、川田に半ば助けてもらいながら、水ボトルの水でそれを飲み下した。典子の口元から水がつっと流れ、川田がハンカチでそっとそれを拭いた。

「オーケイ、横になるんだ、おねえちゃん」

典子がこくっと頷き、二枚の学生服をまとったまま、草の上に横たわった。

「どうなんだよ、川田？　大丈夫なのか？」

秋也が落ち着かない調子で訊くと、川田は首を振った。

「はっきりとはわからない。ただの風邪かも知れん。しかし、傷口からの感染症の可能性もある、もしかしたら」

「何だって――」

秋也は、横たわった典子の右のふくらはぎ、包帯代わりにバンダナを巻いた部分を見やった。

「だって――だってきちんと手当てしたじゃないか」

川田はまた首を振った。

「最初に撃たれてから、随分山の中を歩いたんだろ。そのときに何か雑菌が入ったのかも知れない」

秋也はしばらくその川田の顔を見つめ、それからまた典子のそばに膝をついた。典子の頬に手を伸ばした。

「典子――」

典子が目を開いた。弱々しく笑んだ。

「だいじょうぶ……ちょっと――疲れただけ。心配、しないで」

しかし、その息遣いはとても大丈夫そうには思えなかった。

秋也は、また川田の方に目を振り向けた。つい興奮した感じになりそうになる口調を何とか抑えて、言った。

「川田。こんなとこじゃだめだよ。どこかへ移動しよう。少なくとも、どこかの家か何かで、あったかくして――」

川田が首を振り、それを遮った。

「まあ待てよ。様子をみよう、とりあえず」

言いながら、布団の役割の学生服に隙間ができないように、もう一度きっちり、典子の体に巻きつけた。

「だけど――」

「動いたら危ないんだ。言ったろ」

典子が再び、目をうすく開いた。秋也の方を見やって、「ごめん……秋也くん――」と言った。川田にも「ごめんなさい」と言った。また目を閉じた。
秋也は唇をぎゅっと結んで、典子の青ざめた顔を見下ろしていた。

【残り25人】

37

千草貴子（女子十三番）は、木の幹の陰からそっと頭を出した。南の山の中腹近く、山頂からは東寄りの辺りだ。地図のエリアでいうとH＝4とH＝5の境目辺りになる。周囲は高木、低木が入り交じった雑木林だったが、今貴子が顔を向けている頂上へ向けて、徐々に木の背は低くなっているようだった。

貴子は支給の武器のアイスピックを持ち直すと、低い姿勢から一度、後方を振り返った。木々に覆われて、最初に隠れた家はもう、見えなかった。その家はこの島がプログラムに使用されると決まる以前から人が住んでいなかったらしい、深い草に埋もれた廃屋で、ニワトリ小屋みたいなものが母屋の隣にくっついていた。その錆びたトタン屋根も、もう見えない。どれぐらい進んだのだろう？　二百メートル？　それともまだ百メートルか？　貴子は城岩中陸上部の短距離エースランナーだったので（中学女子二百メートルで歴代県二位の記録を持っている）、そういう距離には言わば身体感覚みたいなものができあがっていたのだが、山肌の起伏と一面を覆う緑、そしてもちろん、緊張感でその感覚自体にもいささかの狂いが生じてしまっているのか、判然としなかった。

政府支給のまずいパンと水で食事を済ませ、貴子が意を決してそこを出たのは、腕時計が午後一時を指すのを待ってのことだった。ゲーム開始以来、何度も銃声らしきものは聞こえていたし、貴子はずっと廃屋の隅に身をひそめていたのだけれど、結局、隠れていても事態は好転しないと判断したのだ。誰か――少なくとも自分の信用できる友達を探し出して、一緒に行動することが必要だった。

もちろん、自分にとって信用できそうな友達が、自分をやはり信用してくれるとは限らない。ただ――

貴子は美しい少女だった。切れ長の目のラインはややきついけれど、それはむしろきゅっとほどよくとがったあごや引き締まった口元、すっきりした鼻梁のラインと相まって、貴族的に見える。メッシュの入った茶色の長い髪は一見アンバランスかも知れないが、それは左耳に二つ、右耳に一つのピアス、左手の中指と薬指にはめたデザインリング、両手首計五つのブレスレット、それに外国のコインを加工したペンダントといったアクセサリー同様、彼女の自己主張を示してその美しさを引き立てていたと言っていい。その髪やいささかハデなB級のアクセサリー群は、先生たちにはあまりよく思われていないようだったけれども、しかし、彼女は成績もよかったし、何より陸上部エースランナーの看板のおかげで、直接にお小言をくらった経験はほとんどない。要するに、貴子はとてもプライドが高かったし、クラスのほかの女の子みたいに、くだらない校則にしばられるのはごめんだったというだけの話だ。

その美しさのせいなのか、プライドが高いところがわざわいしているのか、それとも、もともと人見知りするたちであるせいなのか、貴子には、少なくともクラスにはあまり親しい友達がいなかった。唯一の親友は、小学校以来の付き合いの北沢かほるという女の子だったが、彼女はクラスが違った。

ただ——

ただ、そう、貴子にも、たった一人だけ、絶対に信用できるクラスメイトが、いた。女子じゃない、男子に、たった一人だけ。幼馴染みだった。

その点に関して言えば、今になって考え込むことがあった。

あの分校を出るときに貴子は考えた、もしかしたら——先に出た誰かが武器を準備して戻ってくるかも知れないと。だとしたら、たった一つの出口からのこのこ出ていくことほど危険なことはないのではないかと。そうであるならば少なくとも、想定される襲撃者の意表をつく動きで、一気に分校から離れることが必要だと、そのように。

そこで、貴子は、教室からあの廊下に出て、出口の陰で外を見渡した。正面に林、左手に山、右手は少し開けていた。襲撃者がいるとすると——前方の林か、左手の山の方に身をひそめているはずだ。

それで、貴子は、身を低くしてその出口をすっと抜けると、分校の外壁に沿って、一気に右へ駆け出したのだった。一目散に、自慢の足を飛ばして走った。何も考える必要はなかった。集落のようなところを抜ける道を走り、細い路地に飛び込み、それから、南の山のふもとまで突っ走った。ただただ、早く分校から離れて、身を隠すことが必要だと思ったのだ。

だが——

もしかしたら、あの分校の前、林か、あるいは山の方に、襲撃者ではない誰かが、いたんじゃなかったんだろうか？　つまり——もしかしたら——自分より先に出発した〃彼〃だけは、あの林か山の方に身をひそめて、自分を待っていてくれたんじゃ、なかったんだろうか？　自分は全速力で駆け出して、それを振り切ってしまったのでは、ないだろうか？

——いや。

やっぱり、それはないだろう。それは、無理というものだろう。あの状況では、誰だって、分校の周りでうろうろしていたら危険だったはずなのだ。彼と自分は確かに幼馴染みではあったけれど、それ以上の関係ではなかった。長らくつかず離れずで、ただの友達としてやってきた。彼——杉村弘樹（男子十一番）が危険を冒しても自分を待っていてくれたんじゃないか、そんなのは自分の思い上がりというものに、違いない。

とにかく、今は誰かを探すことだった。杉村弘樹を探し当てることができたらもちろん言うことなしだが、それはいくらなんでも、甘い考えのように思える。となると、まあ、委員長の内海幸枝、あるいはその他ごくごくプレーンな女の子。とにかくいきなり撃たれたりしないように気をつければ話はできるし、無論もっと冷静な子ならなお助かる（もっともこの状況で冷静過ぎる子というのは逆にコワい気もする）。その誰かをとにかく探すこと——今、できるのはそれだけだった。

ただそれにしても、声を上げるのは絶対だめだ、と貴子は思った。そしてそれは、既に証明されてもいた。貴子がいた廃屋からも、北の山の頂上で日下友美子と北野雪子が死ぬところは見えたのだ。

そこで、貴子が考えたのは、隠れていた廃屋から、とりあえず南の山の頂上へ出ることだった。そこまでたどり着いたら、今度は誰か茂みの中に隠れていないかどうか確かめながら、山の斜面を渦をまくように降りていけばいい。小石を茂みに向かっていくつか投げるという、現に廃屋を出てからここまでも使ってきた方法で、誰かいないかどうかはチェックできるはずだった。相手を確かめてから、話しかけるかどうか決める。南の山の頂上付近は午後三時から禁止エリアになると正午に坂持の放送があったが、順調に行けば、それまでにはそこをくまなくチェックできるはずだった。それにそこに誰かいるのだとしたら、三時までには移動を始めるはずだし、向こうも動いていれば、発見できる可能性はさらに高くなるかも知れない。

貴子は、政府支給の時計の針が一時二十分を示しているのを確かめた。普段はブレスレットを着けているから腕時計など巻かないのだが、もちろん今はそんなことを言っていられない。それから、首にはめられた枷に、ちょっと触れた。

〝無理に外そうとすると爆発します〟

それは付けられているだけで首の肉に食い込んで息苦しかったし、存在自体が重苦しかった。ペンダントのチェーンがその首輪に当たって、かすかにちゃらっという音がした。

しかし、貴子はそんなものには構わないことにして、左手のアイスピックを（全くこんなものが役に立つんだろうか？）ぎゅっと握り締めると、ポケットに入れておいた小石を右手でつかみだし、前方左右の茂みに向かって投げた。

がさっ、がさっと石が茂みの中に落ちた。

しばらく待った。反応はない。貴子はまた少し進めると息をつき、茂みの間に開いた上り斜面に向けて足を踏み出しかけた。

途端、がさっと音がして、左手、十メートルほど離れた茂みから、人の頭が飛び出した。いささかもつれてはいるがさらっとした髪の後頭部と、学生服の背中が見え、その後頭部が辺りを見回すように左右に少し揺れた。

貴子はびくっとして足を止めていた。――まずい。オトコだ。男はまずかった。別に根拠があるわけじゃないが、多分。杉村弘樹以外の男子は、まずい。そして、その後ろ姿はもちろん、弘樹のものではなかった。

貴子は息を殺し、後ろの茂みに退がろうとそっと足を戻しかけた。そういうこともあるだろうと予想したはずの事態だったのに、やはり体のどこかが震えていた。

瞬間、くるっと男が振り向いた。貴子と目が合っていた。驚愕の色を広げた男の顔は、新井田和志（男子十六番）のものだった。

ああ――ちくしょう、なんでまたよりにもよってこんなやつに――

貴子は思ったが、問題はとにかく、自分が全身を和志にさらしていることだった。とにかく、それは危険だった。くるっと踵を返すと、もと来た道にだっと走り出した。

「待てよ！」

背後から和志の声がした。ざざっと茂みをかきわけ、追ってくる音がした。

「待てったら！」今度は大声だった。「待て！」

——ち——ばかじゃないの——

貴子は数瞬のうち逡巡し——しかし結局、足を止めた。振り返った。和志が銃か何かを持っていて撃つつもりなら既に撃っているはずだし、何より、その大声はまずいと思ったからだ。和志だけでなく自分も見つかってしまう。それで、辺りに素早く目を配ったが、先程自分が確かめた通り、どうやらほかに誰かがいる気配はなかった。

速度をゆるめながら、和志が緩やかな斜面を下ってきた。

貴子はその和志が、右手に弓の付いた、ライフル銃に似たものを掲げているのに気づいた。今は貴子に向けられてはいないが——もし向けられたとき、あれを躱して再び逃走できるだろうか？　立ち止まったのは間違いだったのか？

——いや。心の中、貴子は首を振った。新井田和志はサッカー部のフォワードだ。そして、球技系運動部のエース級というのは、往々にして陸上部のエース級よりも足が速かったりする。いくら貴子が女子では屈指のスピードを持っているからと言っても、いずれ追いつかれたことだろう。

——どちらにしても、もう遅かった。

和志が貴子と四、五メートルの距離を隔てて止まった。比較的高めの身長、肩幅の広い、がっちりした体。さらさらの髪を当世サッカー選手風に長めにカットしているが、今は、延長戦つきの激しいゲームを終えたときのようにぼさぼさだ。ちょっと歯並びが悪い以外はけっこうハンサムな顔に、あいまいな笑みを浮かべていた。

貴子はその和志の顔を見ながら考えた。一体こいつは——どういうつもりなのだろう？もちろん、敵意はないという可能性もある。そして、自分のことを、ようやく見つけた信頼できる〝仲間〟だと思っているのかも知れない。

しかし、貴子は、殊に新井田和志にはいい印象を持っていなかった。端的に言って、それは、そのある種のなれなれしさへの嫌悪感だ。それに、驕慢さ、を挙げてもいいかも知れない。というのも、一年のときから貴子と和志は同じクラスだったのだけれど（弘樹は二年で一緒になった）、和志はあまり努力することもなく勉強もスポーツもそこそこできたし、——そして、それゆえに、か、そんなこととは関係がないのかとにかく、やたらその幼さが目についた。特に、やたらかっこをつけたがり、失敗するとまことしやかな言い訳を用意してみせるようなところ。そして、ろくでもないのだが、その一年のとき、貴子と、まあ、世間並みには二枚目の和志の間に、何かの拍子でウワサがたったことがある（中学生のガキなんていうのはそういうのが好きなのだ、言わせとけばいいけど）。その折り、和志はわざわざ貴子の席のところまでくると、貴子の肩に(無礼にも!)手を置いて言ったものだった、「俺たち、ウワサになってるらしいぜ」。貴子はやんわりと姿勢を変えてその和志の手を躱し、「ああら。光栄ね」と軽く受け流しながらも内心鼻で笑っていたが(百年早いわよ、修業を積みなさい)、しかし、今は——恐らく、そういう次元ではことは済まないのだろう。

貴子は慎重に口を開いた。とにかく、早々にこいつの前から姿を消した方がいい。それが基本ラインだ。

「大声出さないで。ばかね」

「悪かったよ」和志が答えた。「けど、おまえが逃げるからだ」

「悪いけど」と貴子は即座に言葉を返した。常に簡潔、単刀直入。あたしのいいところだ。「あなたと一緒には、いたくないわ」

和志の顔を見ながら、緊張した肩を何とかすくめてみせた。

「ここで別れた方がお互いのためじゃない?」

和志の顔が、それで不満そうに歪んだ。

「なんでだ」

貴子はまた心の中で舌打ちした。そういうお坊っちゃんづらをするような男だからよ。

「理由はお互い承知のはずよ? わかったわね、じゃ」

貴子は言って、もう一度踵を返しかけた。我ながら、ちょっとその足が震える感じで、おぼつかないのがわかった。

止めた。

視界の端、和志が右手に持ったものを貴子に向けるのが見えたので。

それで、貴子はゆっくり、もう一度和志に相対した。和志の右手のボウガンに、引き金にかけられたその指に注意しながら。

訊いた。「なんのマネ?」

言いながら、さりげなく、左肩のデイパックをするっと下ろして、てのひらにストラップを受け止めた。和志の持っている弓矢みたいなものは、これで防げるだろうか?

「こんなことしたくねえよ」和志が言った。まさに、その口調は貴子が大嫌いなそれだった。言葉は弁解しているが、しかし、その実、自分が優位に立とうとしている。「けど、俺と一緒にいろよ、な」

貴子は頭にきた。頭にきたが、そのとき別のことにも気づいた。自分の制服のスカートは廃屋に隠れたときに壊れたドアで引っかけて大きく裂けており、まるきりチャイナドレスばりのスリットになっていたのだけれど、そこからのぞいた右脚に、和志がちらっと目を落としたのだ。その目の中に、何か得体の知れない粘着質な光があった。——ぞっとした。

貴子は少し足の位置を踏み変え、その脚が極力和志に見えないようにした。それから、言った。

「ふざけないで。そんなものを突きつけて、一緒にいろもないもんだわ」

「じゃあ、逃げないか」

和志は相変わらず傲慢な口調でそう言った。手にしたボウガンは下げなかった。

貴子は我慢した。

「とにかく、それを下げなさい」

「逃げないんだな」

「聞こえないの？」

貴子が強い語調で言うと、和志は不承不承それを下げた。

それから、妙に取り澄ました口調で言った。

「俺、前からおまえのこと、いいと思ってたんだよ」

貴子ははっきりした美しい弓なりの眉を持ち上げた。

あきれていた。脅しつけておいて、いいと思ってた、ですって？

和志の目が、また貴子の脚に落ちた。今度は少し無遠慮に、じろじろ見回した。

貴子はあごを少し持ち上げ、「それで？」と言った。

「だからさ、おまえを殺したりしやしないって。一緒にいろよ」

貴子はまた肩をすくめた。怒りのせいで、今度はぎこちなさを感じなかった。

「さっき言ったわ。ごめんだって」言い捨てた。「それじゃね」

貴子はまた踵を——いや、今度はしっかり和志の方を見ながらあとずさりしかけた。即座に、和志が手にしたボウガンを持ち上げた。その顔が、またあの、デパートでおもちゃをねだる子供の表情になっていた。ママ、ほしいったらほしいんだ！　——なるほど？

貴子は静かに言った。

「いいかげんにして」

「じゃあ、——ここにいろよ」

和志が繰り返した。同時に首を傾けたその仕草は、幾分神経の高ぶりを抑えるような感じに見えた。

貴子も繰り返した。

「あたしはいやだって言ってるわ」

和志はボウガンを下げなかった。しばらく、二人でにらみ合っていた。

「あんたね」焦れた挙げ句、貴子が言った。「どういうつもりなの？　はっきり言いなさいよ。あたしをすぐに殺すわけでもない、あたしが一緒にいるのはいやだって言うのに一緒にいろっていう。どういうこと？」

「俺が――」和志は、そのどこかねばついた視線を貴子の目に据えたまま言った。「おまえを守ってやるって言ってんだよ。だから――ここにいろ。二人でいた方が、安全だろ？」

「冗談じゃないわ」貴子の声に今度は怒りが混じった。「そんなものを突きつけといて、守ってやるもないもんよ。あたしはあんたを信用できない。わかった？　もういい？　あたし、行くわ」

和志が「動くと撃つぞ」と鋭く言った。手にしたボウガンが、まっすぐ貴子の胸の辺りを狙っていた。

そうして言葉に出して貴子を脅したことで、和志をともかくも常識のラインに（それにしてもひどい常識だが）とどめていた最後のタガが外れたのかも知れない。和志はその姿勢のまま、「女のくせに男に逆らうなよ」と言った。

「女なんて男の言うことを聞いてりゃいいんだ」

そこまででもう、貴子は完全に頭にきていた。しかし、和志はさらに言ったのだ。

「おまえ、処女なんだろ？」と。まるで、おまえの血液型Bなんだろ？　というような軽い口調で。

「――」

貴子は言葉を失っていた。

何？　なんて言ったの、このバカは？

「違うのか？　杉村には女と寝るような根性はないだろ？」

和志がそう言ったのは多分——ほかの多くのクラスメイト同様、和志も貴子が杉村弘樹と付き合っているのではないかと、そのように誤解していたのに違いない。だが、それは二重の意味で貴子を怒らせることになった。弘樹と自分の関係を邪推していることと、同時に、見下すような言い方で弘樹の名を口にしたことと。

貴子は自分の唇が笑いの形に歪むのがわかった。これは前々から自分でも気づいていたのだが、最高に頭にきたとき、そう、あたしはいつも、にやっと笑ってしまう。

その笑みを和志に向けて、言った。

「——そんなことがあなたに何の関係があるの？」

その貴子の笑みを何か勘違いしたのかも知れない。和志もちょっと歪んだ微笑を見せた。

「そうなんだろ」

貴子は笑んだまま、和志をにらみ返した。ええ、実はその通りなのです、ちょっとご覧になったらいささかハデに見えるかも知れませんけど、おおせの通りわたくしは処女でございます。まだ十五の、恥じらい多き乙女でございます。ですけど、

――それがあんたに何の関係があるのよ、このクソ野郎！！

和志が言葉を続けた。

「俺たち、どっちにしたって死ぬんだぜ。死ぬ前に一回ぐらい、したいだろ？　俺、相手としちゃ悪くないぜ」

それで、貴子は、これ以上ないという怒りに駆られていたにもかかわらず、一瞬あぜんとして和志の顔を見つめた。今度は、口が開いたかも知れない。これまで手に触れられる範囲にあると思っていたあきれる、という感情のレンジが、一気に地平線を越えた感じだった。艦長コロンブス、あれがサンサルバドル島のようです。オーケイ、野蛮人だ。野蛮人に注意しろ。

貴子は視線を落とし――そして、ついに、口から低い笑いが洩れた。何だかめちゃくちゃにおかしかった。いやはや、ほんとにこれは、今年最高のヒットだ。

顔を上げた。きっと和志の目をにらみ据えていたが、それでも最後のチャンスだけは与えてやるつもりだった。

「これが最後よ。あたしはあなたと一緒にいたくない。素直にそれを下げて、あたしをほっといてちょうだい。でないとあたしは、あんたを、あたしを殺したがっているものとみなす。どう？」

和志はボウガンを下げなかった。それどころか、肩の高さにまでそれを上げ、貴子を威嚇してみせた。

「こっちこそ最後だ」と言った。「俺の言うことを聞けよ、千草」

その、ある意味ターニングポイントとなったやり取りを、一種痛快だ、と思ったのは、貴子の持って生まれた性というものだっただろうか。そう――もはや、どうなろうとあたしには責任が持てない。

そこで貴子は、いずれにしてもこのクソみたいな男とのやりとりをさっさと終わらせるために、一歩を進めた。

「なるほどね。要するにあたしをレイプしたいってわけね？　そういうことね？　どうせ死ぬんだから何したっていいと思ってるのね？」

和志はじっと、その貴子をにらみ返した。「……そんなことは……言ってないだろ」と言った。

同じことじゃないの。貴子は内心せせら笑った。次は、別にレイプしたいわけじゃないけどあたしに服を脱げって言うつもり？

貴子は笑みを浮かべたまま、悠然と首を傾けた。言った。「あんたね。そのろくでもないペニスよりは、命の心配をした方がいいわよ、こういう状況じゃ」

それで、和志の首の方から顔へと、一気にどす黒い色が上った。口元が歪み、その口から、激した言葉がこぼれた。

「なめるなよ。ほんとにレイプされたいのか？」

貴子はまた笑んで答えた。

「あらあら、本音が出たじゃない」

「なめるなって言ってんだよ！」和志が繰り返した。「俺は今、おまえを殺すこともできるんだからな！」

貴子は、胸がむかむかしていた。ついさっき、和志が「殺したりしやしないって」と猫なで声で言ったばかりだということを思い出したのだ。

和志がちょっと間をおき、それから、幾分自慢げですらある口調で続けた。

「俺はもう、赤松を殺したんだぜ」

貴子はちょっとどきっとしたが、眉を持ち上げ、「へえ」と言った。それがほんとうだとしても――あの様子で隠れていた以上、怯え切って偶然出くわした赤松義生を殺してしまったというのが正直なところだろう。そしてそのあと、誰か自分より強い人間がやってくるのを恐れて、息をひそめていたに違いない。だが、こいつのこと、逃げ回って生き延びた挙げ句もし最後に残った相手が自分より弱い相手だったら、〝仕方ないじゃないか〟とか何とか言いながら、平気で殺してのけるかも知れない。

「考えたんだけどな」和志が続け、その貴子の推論がさほど間違ったものでなかったことを自ら裏書きした。「試合だと思うことにしたんだ、俺は、これを」さらに続けた。「――だから、俺は、遠慮しない」

貴子は相変わらず、静かに和志の顔を見据えていた。かすかに笑みをたたえて。

アンハ。それで全部わかりました。ということは、あれですね。最初から、たとえ和姦であろうとなんだろうととにかくあたしとヤっちゃって、結局いつかは殺すつもりだったわけですか。ほかのみんなが死んであたしさえ死ねば生き残れるとなったら？　なあるほど。それまで何回やれるか計算でもしてたの？

嫌悪感と怒りで、背筋がむずむずした。

「試合ね」和志の言葉を繰り返し、そして、貴子はにやっと唇を歪めた。「けど、女の子を相手にして、恥ずかしくないの？」

それで一瞬、和志がうちのめされたような表情を見せたが、すぐにこわばった感じに戻った。冷たい目が光っていた。

「死にたいのかよ」

貴子は即答した。

「撃ってみなさいよ」

一瞬だけ、和志が躊躇した。その隙を逃さず、貴子はポケットからそっとつかみ出しておいた小石を、その顔に向かって投げつけていた。和志が顔を覆ってそれを防ぐ間に、くるっと体を回転させ、デイパックは捨ててアイスピックだけを握ったまま、もと来た方へだっと駆け出していた。

背後で和志が舌打ちするのが聞こえたような気がした。陸上部エースのスタートダッシュで十五メートルたっぷりは離れたと思ったとき、右脚に衝撃が跳ね、貴子は前のめりに倒れていた。頬が、湿った土から顔を出した木の根にこすられ、切れるのがわかった。続いて襲ってきた脚の痛みよりも、貴子はその、顔に傷がついたという感覚に激怒した。あたしの顔に傷をつけやがった、あのクソ野郎！

貴子は、体をぐっとひねって土の上に座り込んだ。右脚太腿の後ろ側に、スカートごしに銀色の矢が突き刺さっていた。傷の下側、よく発達した筋肉の上を、血が伝い降りていくのがわかった。

和志が追いついてきた。貴子が座り込んでいるのを見てとって、ボウガンをがちゃっと地面に落とすと、代わりにズボンのベルトから短い鎖で結ばれた二本の木の棒のようなもの——ヌンチャクを抜きだし、右手に構えた。その鎖がちゃらっと揺れた（ちなみにこれは、赤松義生を倒した後、彼が回収した天堂真弓のデイパックに入っていたものだった。彼自身の支給の武器はどういうわけか何の変哲もない三味線糸で、使い物にならなかった。貴子の与かり知るところではなかったが)。

貴子は地面に落ちたボウガンをちらっと見て思った。あんた、後悔するわよ、それを捨てたことをね。

「おまえが悪いんだ」やや息をはずませた和志が口を開いた。「俺を怒らせるからだ」

貴子は地面に座り込んだ姿勢のまま、和志をにらみ上げた。この男、まだ言い訳を探している。全く、よくもまあこんな男と二年あまりも、一緒に机を並べて勉強していたもんだ。

「ちょっと待ちなさい」

貴子は言い、和志が眉根をひそめる間に膝立ちに立ち上がると、背中側に右手を回し、歯を食いしばって一気に矢を引き抜いた。肉が裂ける感覚が伝わり、それでまた、どっと血が流れ出すのがわかった。ついでに、スカートもぴいっと裂けた。やれやれ、スリットが二つになってしまった。

矢を放り出すと、和志をにらみつけながら立ち上がった。大丈夫。痛みはひどいが、立つのに障害はなかった。アイスピックを右手に移した。

「やめとけよ」和志が言った。「無駄だ」

貴子はアイスピックを水平に倒して和志の胸を指した。

「試合って言ったわね。いいわ。相手になってあげる。あんたみたいなやつには絶対に負けないわ。あたしの全存在をかけて、あんたを否定してあげる。わかった？　了解した？　ばかだからわからないかな？」

それでもまだ、和志の表情には余裕があった。女だし、怪我はしてるし、絶対に負けることはないと思っているのだ。

「繰り返すわ」貴子は続けた。「半殺しにしてから強姦しようなんて考えないことね。いい、お坊っちゃん、ペニスの具合よりは命を大事にするのよ」

それで、和志が顔を歪め、ヌンチャクを顔の高さに上げた。

貴子もアイスピックを握り締めた。和志との間に、ぎりっと緊張が張り詰めた。

身長差で十五センチ近く、体重では多分二十キロ以上の差があった。貴子はB組女子の中では多分ナンバーワンの運動能力を誇っていたけれど、――それでも、勝てる確率は小さいだろう。おまけに右脚の傷はかなりの深手だった。しかし――負けない、絶対にだ。

いきなり、和志の方が動いた。前へ出ながら、ヌンチャクを斜め上から振り下ろしてきた！

貴子は、それを左腕で受けた。左手首の二つのブレスレットのうち一つがぴいんと宙に飛び（南米インディオの細工のお気に入りだ、クソ）、二の腕にじいんと痺れが走って、脳の中心まで一気に突き抜けた。その痺れを感じながらも、右手のアイスピックを振り上げた。和志が顔を歪め、跳び退ってそれをよけた。再び、二メートルの距離。

貴子の左腕がじんじんしていた。でも大丈夫、骨は折れていない。

第二撃が来た。今度はテニスのバックハンドの要領ですくいあげるように、ヌンチャクを振り回してきた。

貴子は頭を下げて体を傾がせ、それをよけた。メッシュの入った長い髪をヌンチャクがかすめ、何本かがちぎれて宙に舞った。貴子はすかさず、その和志の右手首へ向けてアイスピックをふるった。ざっという軽い手ごたえが伝わり、和志がかすかにうめいて、後ろへ退がった。

また距離ができた。ヌンチャクを構えた和志の手首に、赤い色が見えた。しかし、ダメージは大したことないようだ。

右脚の傷が、どくどくと脈打っていた。太腿から下が、ほとんど全部血に濡れているのがわかった。多分、そう長くはもちこたえられないだろう。ぜえぜえという音にも気づいた。自分の唇から漏れている音だと、これもわかった。

和志が再び、ヌンチャクを振り回してきた。貴子から見て、頭の左上から、肩口の辺りを狙って。

貴子は、前へ出ていた。拳法の道場に通っている杉村弘樹がいつか教えてくれたことを思い出したのだ。〝間合いを外したらダメージはぐんと下がる。恐れることなく前へ出るってのも時には大事なんだ〟。

肩にヌンチャクが当たったが、その通り、それは鎖の辺りで、大した衝撃ではなかった。貴子は和志の胸元へ飛び込んでいた。驚愕に目を見開いた和志の顔が眼前にあった。アイスピックを振り上げた。

和志が、空いた左手で貴子を思い切り突き飛ばしていた。貴子は傷ついた右脚からバランスを失って、仰向けに倒れ込んだ。

和志が危うく刺されそうになった胸の辺りを左手で撫でながら、貴子を見下ろしていた。「なんてオンナだ」と言った。

ゆっくり体を持ち上げた貴子に、和志はすかさずまたヌンチャクを振り下ろしてきた。今度は顔をめがけて！

貴子はアイスピックを持ち上げ、それを受けた。きいんという高い金属音とともにアイスピックが消え、すぐ近くの土の上に転がった。貴子のてのひらに、重い痛みだけが残った。

貴子は唇を噛んだ。和志をにらみ据えたまま、あとじさった。

和志が口元を笑みの形に歪めて、一歩、二歩と前へ出た。くそ、こいつはまぎれもない異常性格者だ。女の子を、しかも鈍器でぶん殴ることに何の禁忌も持っていない。むしろ、楽しんですらいる！

和志がもう一度ヌンチャクをふるった。すっと上半身を引いて躱し――しかし、ヌンチャクは、その貴子の体を追ってきた。多少その扱いに慣れたということなのか、和志がなめらかな動きでその腕を伸ばしたのだ。

がん、と左の側頭部に衝撃がきて、貴子の体がぐらっと傾いだ。左の鼻腔から、つっと温かい液体が流れ出したようだった。

貴子の体が沈みかけていた。和志は、仕留めた、という表情をしていたかも知れない。

しかし、そのぐらっときた姿勢のまま、貴子の美しい切れ長の目が、すっとすぼまった。体を倒しざま、長い脚を伸ばして、和志の左膝を外側から思い切り蹴っていた。ごっ、と和志がのどの奥からうめき声を洩らし、左膝をついた。体が泳ぎ、その左膝を軸に体が半回転した。――背中が半分見えた。

ここでアイスピックを拾い上げることに執着していたら、貴子は敗れていたかも知れない。だが、彼女はそうはしなかった。

和志の背中に飛びついていた。

おぶさるように、その頭を抱え込んだ。体重がかかった勢いで、和志が前のめりに倒れ込んだ。

一瞬のうちに貴子が選択したとしたら、指のことだ。人差し指と中指――いやいや、一番力が入るのはやっぱり中指と親指だろう。そして――爪に関して言えば貴子はその手入れを欠かしたことがなく、陸上部の顧問の多田先生にいくらなじられても、きりっと尖らせたそれを、切ることはしなかった。

貴子は和志に半ば馬乗りになった姿勢で和志の髪の毛をつかんで、その頭をぐいと引き上げた。位置は見当がついた。

和志が貴子の意図を理解したのか、反射的に目をつむるのがわかった。

無意味だった。貴子の右手中指と親指は、しっかり閉じられた和志のまぶたを割って、和志の眼窩(がんか)にもぐりこんでいた。

「ひぎいいいいいいいいいいい」

和志が絶叫した。腕をつき、膝をついた姿勢で体を起こし、ヌンチャクも手から離して、貴子の手をかきむしった。体をめちゃくちゃに動かし、貴子を払い落とそうとした。

貴子はしっかり和志に組みついて、離れなかった。さらに指を押し込んだ。親指も中指も、第二関節までずぶっと和志の目に沈んだ。途中、貴子の指にちょっとした衝撃が伝わり、眼球が割れたのだとわかった。いささか意外なことがあったとしたら、思ったより眼窩というのは小さいんだな、ということだ。貴子はかまわず、思い切り指を内側に曲げた。和志の目から、血と、どろっとした半透明の液体が、変種の涙のように流れ出した。

「あああああああ」

和志が声を上げ、体を起こしてめちゃくちゃに手を振り回した。顔にあてがわれた貴子の右手を両手でかきむしり、貴子の髪をつかんで引いた。

貴子はさっと和志から離れた。おかげで和志がつかんでいる髪を何本か、それとも何十本か持っていかれたが、気にしている場合じゃない。

アイスピックを探した。すぐに見つかった。拾い上げた。

和志は喚いて、見えない敵と戦うように（その通りなのだが）腕を振り回し、それから、どん、としりもちをついた。その目は、見開かれているのだけれど、まぶたの縁から内側が全部真っ赤になっていて、まるでアルビノの猿のようだった。貴子は右脚をひきずりながらその和志に歩み寄ると、その傷ついた右脚を持ち上げ、和志のがら空きの股間を踏みつけた。陸上の練習用と兼用している、白地にパープルをあしらったウォーミングアップシューズは貴子自身の血で真っ赤になっていたが、その裏から小動物を押しつぶすようなぐにゃっとした感じが伝わった。和志が「ぎゅっ」とうめいて、今度は股間を押さえ、横向きになって胎児のように体を丸めた。貴子は今度は左足でそののどを踏みつけた。体重をかけた。和志が両腕を伸ばして、その脚をどけようともがき、力無く殴りつけ、かきむしった。

「た」と和志の口から言葉が洩れた。のどを押しつぶされているせいで、隙間風のような声だった。

「たすけ……」

そんなわけないでしょ、あなた。貴子は思った。自分の唇が笑いの形に歪んでいるのがわかった。今度は怒っているんじゃないな、と思った。あたしは楽しんでいるんだ、間違いない。だからなんだっていうの？ ヨハネ・パウロ二世とかダライラマ十四世ってわけでもないんだから、別にいいんじゃない？

貴子は膝を折りざま、その和志の口の中に（虫歯の治療痕がいくつか見えた）、両手で保持したアイスピックを突き立てた。貴子の脚をもぎ離そうともがいていた和志の両腕が、びくっとその動きを止めた。貴子はアイスピックを押した。あまり抵抗なく、それはずぶずぶと和志ののどに沈んだ。和志の体が、胸からつま先まで、背泳ぎのバサロスタートみたいな感じでびくびくとけいれんした。やがて止まった。腕が落ちた。アルビノみたいな目はやはり見開かれていて、その周りに、絵の具を流したようにねばねばした血が、クモの巣の模様を描いていた。

右脚の痛みが急にぐんと跳ね上がり、貴子は和志の頭の横に倒れ込み、しりもちをついた。自分の歯の間から洩れる呼吸が、二百メートルのタイム計測を繰り返した後のようにかすれているのがわかった。

勝った。あっけない気もした、実際に格闘していたのはほんの三十秒ぐらいだったかも知れない。しかしもちろん、長くかかっていたら絶対に勝てなかっただろう。とにかく——勝った。何にせよ、とにかく。

貴子は、血に染まった右脚を抱え込みながら、見世物小屋の芸人のようにアイスピックをのどから吐き出そうとしている和志の死体を、あらためて見下ろした。はあいお立ち会い。今飲み込んだのを今度は吐き出して——

「貴子」

唐突に背後から声がかかり、貴子は座った姿勢のままばっと振り返った。同時に手を伸ばして和志の口からアイスピックを抜き取り、構えた（それで和志の頭がほんの少し持ち上がり、それから地に落ちた）。

相馬光子（女子十一番）が、貴子を見下ろしていた。

貴子は光子の右手に視線を飛ばした。大型の自動拳銃がそのきゃしゃな手の中にあった。相馬光子がどんなつもりでいるのかはわからない。しかし——もし新井田和志と同じようにやる気になっているのだとしたら（その可能性は大きい、何と言っても〝あの〟相馬光子だ）、勝ち目がない。拳銃が相手では、勝ち目がない。

逃げなければ。逃げた方がいい。貴子は再び、痛む右脚を引き寄せ、立ち上がろうとした。

「大丈夫？」

光子が訊いた。ひどく、優しい声だった。銃を貴子に向けることはしなかった。しかし、安心すべきじゃない。

貴子はあとじさり、手近な木の幹につかまって、何とか立ち上がった。右脚が、急速に重くなりかけていた。

答えた。

「まあね」

光子は和志の死体をまじまじと見つめた。それから、貴子が手にしているアイスピックを見た。

「そんなものだけでやっつけたの？　すごいわ、同じ女として、尊敬しちゃう」

ほんとうに、心から感心した、という口調だった。それどころか、うきうきしているような感じすらあった。天使のような愛らしい顔の中、目がきらきら輝いていた。

貴子はまた、「まあね」と答えた。右脚からの大量の失血のせいなのか、体がぐらぐらしているような気がした。

「ねえ」

光子が言った。

「前から思ってたの、あなただけはあたしに媚びたりしない女の子だって」

貴子は光子の意図が読めないまま、その顔を見つめていた（城岩中で一、二を争う美少女二人が見つめ合っているわけだ。アクセサリに、目をつぶされた男の死体。あらまあ、なんて美しいの）。

光子の言ったことは、その通りだった。貴子は誰かに媚びたりするのは死んでもいやだったし、光子に話しかけるときにも、ほかのこのようにびくびくしたり、しなかった。そんなのはプライドにかけていやだったし、別に光子なんか怖くもなかった。

それで、貴子は、かつて（といってもほんの二、三箇月前だ）憧れていた先輩の口癖を思い出した。杉村弘樹に対するごくごくほのかな気持ちとは別に、とても、その先輩のことが好きだった。試合の前にも、何か友達のケンカに巻き込まれてひどい怪我をして部室に顔を出したときも、その先輩はその独特の口調で言っていた。〝何も怖くないぜ。恐れることはない〟。

誰にも媚びず、美しくある——。貴子は中学に入って以来その先輩のことを見つめ続けてきたし、貴子の今のスタイルも、その先輩に影響を受けたところが大きいかも知れない。でもその先輩には、恋人がいたのだった。とても素敵な、そう、ちょうど小川さくらなんかにちょっと似た、森の奥の湖みたいに静かな感じのひと。――まあ、それもこれも遠い過去の話だけれど。

だが――同時に思った、つい先程まで、新井田和志と相対しているときすら思い出さなかったその先輩の言葉を自分が思い出したというのは――あたしは――やはり、この光子を恐れているのだろうか？

「あたし、ちょっと悔しかったの」

光子が続けていた。

「あなた、きれいだったし、あたしよりいい女だったしね」

貴子は黙って聞いていた。何かおかしかった。すぐに気づいた、なんで、光子は、過去形で、喋っているのか？

「でも」光子の目がいたずらっぽく笑んだ。以下は現在形に戻った。「あなたみたいな女が、あたし、とても好きよ。あたしちょっと、レズっけあるのかな。ふふ。だからとても――」

貴子は目を見開いた。ぱっと体を翻（ひるがえ）すと、走り出していた。右脚はやや引きずっていたが、それでも、陸上部エースの名に恥じないダッシュだった。

「だからとても――」

光子はコルト・ガバメントをすいと持ち上げた。三度続けて、引き金を絞った。木立の中、ゆるい下り勾配(こうばい)をもう二十メートルばかり向こうまで離れ、なおぐんぐん遠ざかりつつあった貴子のセーラーの背中に正確に三つ穴が開き、貴子はヘッドスライディングするように前のめりに飛んだ。俯(うつぶ)せになったまままずずっ、と地面を滑り、左が白、右が赤と鮮やかな対照をなした形のいい脚がスカートを翻して宙に跳ね上がった。すぐに地面に落ちた。

光子が銃を下ろし、言った。

「とても残念」

【残り24人】

38

典子の息遣いが、ますます激しくなっていた。川田が与えた風邪薬も、効果を示していないようだった。時計は午後二時近くを示していたが、わずかな時間の間に、典子の顔からかなり肉がそげ落ちたような感じがした。秋也は、水ボトルのうち一本に残った水を全部使って典子の持っていたハンカチを湿らせ直すと、汗に濡れた典子の顔を拭い、再び典子の額の上に置いた。典子は目を閉じたままだったが、ありがとうというようにちょっとあごを引いて、頷いた。

秋也は川田の方に向き直った。川田はずっと同じ姿勢で木の幹に背を預け、あぐらをかいて煙草をふかしていた。右手はそっと、膝の上のレミントンショットガンのグリップ辺りに置かれている。

「川田」と秋也は呼びかけた。

「なんだ?」

「行こう」

川田が眉を持ち上げた。煙草を口から外した。

「どこへ?」

秋也は唇をぎゅっと結んだ。

「もう我慢できないって言ってるんだ」典子の方をあごで示した。「どんどんひどくなってる」

川田は、目を閉じて横になっている典子の方をちらっと見た。

「もし敗血症なら――」

ちょっと間を置き、続けた。

「あったかくして寝かせたからって、治りゃしないぞ」

「だから」

秋也はまた苛立ちにとらわれかけるのを何とか抑えながら、続けた。

「地図に診療所みたいなマークがついてる。そこまで行ったら、もっと役に立つ薬があるだろう？　集落のずっと北に外れてる。まだ禁止エリアにも入っちゃいない」

「ああ、そうだったな」川田は煙をゆっくり口の端から吐き出しながら答えた。「そうかも知れん」

秋也はもう一度言った。「行こう」

川田は首を傾けた。煙草の煙をもう一回吸い込み、地面で揉み消した。

「診療所まで一・五キロはある。今動いちゃ危ない。暗くなるまで待て」

秋也はぎりっと奥歯を嚙んだ。

「暗くなるまで待ってて、診療所が禁止エリアに入っちまったらどうするんだ？」

川田は何も言わなかった。

「おまえ」

秋也は続けた。苛立ちからなのか、それとも、川田と仲たがいせざるを得ないかも知れないという思いからか、語尾がいささかふるえた。しかし、言った。

「おまえが俺たちを殺そうと思ってるとは言わないよ。けど、そんなに危険を冒すのがいやなのか？　そんなに自分のことばっかりが大事なのか？」

秋也はしばらく、川田の目をにらんだ。川田は、静かな表情を変えなかった。

「秋也……くん」

背後から典子の声が聞こえ、秋也は振り返った。

典子は首だけを横に傾けて、秋也の方を見ていた。額のハンカチがぺたっと地面に落ちた。

「やめて。川田くんがいないと、あたしたち、そもそも、助からないのよ」

苦しそうな息の間から、途切れ途切れにそれだけ言った。

「典子」秋也は首を振った。「わからないのか？　君はどんどん衰弱してるんだぜ。助かる前に駄目になったら、どうするんだ？」

秋也は再び、川田の方へ向き直った。

「おまえが来ないっていうなら、俺は一人でも典子を連れていく。契約は解除だ。一人で行動してくれ」

秋也は言い捨て、自分と典子の荷物をまとめ始めた。

「待てよ」

川田が言った。ゆっくり腰を上げると、典子の方に近づき、典子の左腕をとって脈をみた。秋也が典子のそばにずっと付き添っていたのとは別に、おおよそ二十分おきに繰り返していた行動だった。

また不精髭の浮いたあごにちょっと触れ、それから、傍らにいる秋也の方を見やって言った。

「どの薬が使えるかなんて、おまえじゃわからないだろ」

少し首を傾けて、秋也を見た。

「わかったよ。俺も行く」と言った。

【残り24人】

39

背中から三発の弾丸を撃ち込まれた後三十分以上経っていたにもかかわらず、また、その傷及び新井田和志にボウガンを撃ち込まれた脚の傷から大量に失血していたにもかかわらず、千草貴子はまだ生きていた。相馬光子はとっくに立ち去っていたが、いずれにしてもそれは貴子の知るところではなかった。

貴子は半ばまどろみ、夢を見ていた。家族が――父親と母親、それに二つ下の妹が、家の門のところから貴子に手を振っていた。

妹の彩子が、泣いているのがわかった。「さよなら、おねえちゃん、さよなら」と言っていた。貴子がその顔の大方の特徴を受け継いだハンサムな父親と、少し丸顔でこちらは彩子に似ている母親は、ただ哀しそうな顔をして、黙っていた。そしてその三人の隣、飼い犬の〝ハナコ〟が、うなだれ、しっぽを振っていた。もうずっと小さいときから貴子が世話をしてきた、賢い雌犬だった。

あーあ、と貴子は夢の中で思った。ろくでもないなあ。あたし、まだ十五年しか生きていないのに。ねえ彩子、お父さんとお母さんのこと、お願いね。あんたほんとに、甘えん坊なんだから。ちょっとはアネキを見習って、しっかりしなさいよ。

それから、北沢かほるが見えた。既に七年来付き合った相棒、自分がたった一人愚痴を言えた女友達の、小柄な姿が。

――かほるも。とりあえずさよならだね。そうだ確かオマエがいつか言ったんだよな、最善を尽くしたんなら地獄だって怖かあないって？　うん。怖くない。ただ――やっぱりちょっとだけつらいよ、たった一人、こんなふうに死んでいくのはね――。

そのかほるが、何か叫んだようだった。なぜかよく聞き取れない、けれどどうも、〝カレはどうしたのよ？〟、そんなふうに。

——カレ？

それで場面が変わって、陸上部の部室になった。二年の夏なんだ、とわかった。なぜなら、その部室は二年の秋口には取り壊されて、新しいクラブハウスができていたからだ。

ああ。これは、幻想じゃない。実際にあった場面だ。これは——

先輩が、いた。短く刈り込んで前を立てた髪、胸に「FUCK　OFF！」と書かれた白のTシャツ、グリーンに黒のラインが入った競技用ショーツ。ちょっといたずらっぽい、けれど優しい目。あの先輩だった。障害を得意にしていたのだけれど、しばらく前に痛めた膝に、熱心にテーピングを施していた。部室には、貴子とその先輩のほか、誰もいなかった。

「センパイセンパイ」貴子が言った。「センパイの彼女って、素敵な人ですね。すっごくお似合いだと思いました、あたし」

いやはや、先輩と話すときだけは、あたしも月並みな女の子になってしまっていたようだ。なんて能天気。

「そっか？」先輩が顔を上げて、にこっと笑った。

「千草の方が、ずっときれいだぞ」と言った。

貴子はちょっと、複雑な気持ちで笑った。初めて自分の容姿をほめてくれたのはうれしかったが——けれど、そんなふうにほかの女の子をつかまえておまえの方がきれいだ、と言える先輩と恋人の関係は、とても親しく信頼に満ちたものなんだろう、と思えたからだった。

「千草、付き合ってるやつ、いないのか？」

先輩が笑んで、そう言った。

それでまた、場面が変わった。

公園にいるのだけれど、自分の視線の位置が随分低かった。

ああ、この私は子供のころの私だ。小学校二年だか三年だかのころの？

目の前で、杉村弘樹が泣いていた。今みたいに背が高くなく、むしろ貴子の方が高かった。

弘樹は、買ってきたばかりのコミックを悪ガキにとりあげられたらしかった。

「あんたねー、男の子が泣くんじゃないわよ、情けないわね。強くなんなさい、もっと。ほら、来なさいって。うちの犬に子犬が生まれたんだ。見にこない？」

「うん……」

弘樹は目を拭いながら、それでもついてきた。

そう言えば、弘樹が拳法の道場に通い始めたのはその次の年ぐらいのことだ。そのころからどんどん背も伸び、貴子を追い越していった。

小学校の終わりごろまでは、まだお互いの家に行ったり来たりの付き合いがあった。ふさぎこんでいる貴子に、あるとき弘樹が「どしたんだよ、貴子。なんかあったのか？」と訊いた。

貴子はちょっと考えてから、それを口に出した。

「あんたねー。あんただったら、誰かに好きだって言われたら、どうする？」

「うーん。言われたことないから、わからねー」

「……あんた、誰か好きなこはいるの？」

「うーん。いない。今のところ」

貴子はそれでまたちょっと考えた。何よ、あたしのことはなんとも思ってないわけ？

でもまあ、続けた。

「あっ、そう。早く好きなこでもつくって、告白ぐらいしてみなさいよ」

「俺、根性ないからさー。だめかも知れない」

場面がまたまた変わって中学校。二年で同じクラスになって、その最初の日に話していると、何かの拍子に弘樹が言った。「おまえ、クラブの先輩でやたらかっこいいやついるんだって？」

言外に、その先輩のこと好きらしいな、という含みがあった。

「誰から聞いたのよ?」

「ま、ちょっとな。うまく行きそうなのか?」あんたは、ガールフレンド、まだいないの?」

「ぜーんぜん。先輩、彼女いるんだもん。あんたは、ガールフレンド、まだいないの?」

「ち、ほっといてくれよ」

——あたしたち、ずっと、つかず離れずだったな。お互いちょっと好きだったかも知れないのに、けど、それは思い上がりかな? 少なくとも、あたしはちょっと、あなたのことが好きだった。それはまあ、先輩を好きだったのとはまた別の話よ。理解してもらえる?

今の弘樹の顔が浮かんだ。泣いていた。

「貴子。死ぬな」

何よあんた、男らしくないわねー。泣くんじゃないわよ。体ばっかでかくなって、ちっとも進歩してないじゃない。

神のいたずらというやつなのか、貴子はもう一度だけ覚醒した。ぼんやり目を開けた。

午後の穏やかな光の中で、杉村弘樹が、自分を見下ろしていた。弘樹の向こうに、梢と、その隙間でロールシャッハテストみたいに複雑な模様になった青い空の断片が、いくつか見えた。

最初に思ったのは、弘樹が泣いていない、ということだった。疑問はそのあとでやってきた。

「どうして……」

自分の唇から洩れる声が、錆びついたドアを無理やりこじあけるような感じだった。それで、ああ、もう長くは生きていられない、と確信した。

「……ここにいるの？」

弘樹は、「ちょっとな」とだけ言った。弘樹は貴子のそばに膝をついて、貴子の頭だけをそっと支え起こしてくれているようだった。自分は俯せに倒れたはずだが、仰向けになっている。近くの茂みに弘樹が運んでくれたのか、右てのひらに下草の感覚があった（左手は――いや、左半身全体が痺れていて、何も感じなかった。新井田和志に側頭部をぶんなぐられた、その後遺症かも知れない）。

弘樹はそれから、静かに「誰にやられた？」と訊いた。

そうだ。それは、重要な情報だった。

「光子よ」と貴子はこたえた。新井田和志のことはもう、どうでもよかった。「気をつけて」

弘樹は頷いた。それから、「ごめんな」と言った。

貴子は何のことかわからず、じっと弘樹の顔を見つめた。

「俺、あの分校の外で――隠れておまえを待ってたんだ」

弘樹はそう言い、何かをこらえるように、一旦唇をぐっと結んだ。

「けど――あのとき、赤松が戻ってきた、あそこへ。俺――一瞬だけ、気を取られてしまった。それで――おまえ、全速力で走ってったろ――見失ってしまった。おまえの消えた方へ走って呼んだんだけど――おまえ、もう多分、遠くへ行ってしまってたんだな」

貴子は、ああ、と思った。確かに、分校を出て闇の中を走り出してしばらくしたときに、何かかすかに声が聞こえた気はしたのだ。でも、混乱していて、そら耳かとも思ったし――そら耳でなかったら誰かがいるのだと思って――全速力で走り続けた。

ああ。

弘樹は、自分を待っていてくれたのだ。自分がもしかして、と思った通り、危険を冒して、あそこで待っていてくれたのだ。それで多分――さっき弘樹は〝ちょっとな〟とだけ言ったけれど、自分のことをずっと探していてくれたのかも知れない。

そう思うと、貴子は泣きそうになった。

しかし、代わりに、顔の筋肉を何とか動かして笑みをつくった。

「そう――だったの」と言った。「ありがとう」

貴子は、もうあまり自分が言葉を喋れないのがわかっていたし、何を喋るべきか選ぼうといくつか考えたのだけれど、妙な疑問が頭にわいて、それを訊いてしまった。

「あんた、好きなこいるの？」

弘樹は少し眉を動かしたが、静かに、「いるよ」と答えた。

「まさか、あたしじゃないわね」

弘樹は哀しそうな顔のままで、ちらっと笑った。

「違う」

「そう、それじゃ……」

貴子は一つ、大きく息をした。奇妙にとても冷たく、そして、なぜか同時にとても熱く感じられる体の中に、じわっと毒が膨れ上がるような感じがした。

「せめてちょっとだけ、抱き締めてて。すぐ……終わるから」

それで、弘樹が唇を引き結ぶと、貴子の上半身を起こして、ぎゅっと両腕で自分の体に引きつけた。貴子の首がぐったり後ろに倒れそうになったが、それも弘樹が支えてくれた。

まだひとこと言えそうだった。

「生き残るのよ、弘樹」

もうひとことオーケイですか、神様？

貴子は弘樹の目を覗き込んで、にっと笑った。

「あんた、いい男になったよ」

「おまえこそ」と弘樹が言った。「世界で一番かっこいい女だ」

貴子はふっと笑み、ありがとう、と言いたかったのだけれど、もうのどから十分な息が出なかった。ただ、弘樹の目をずっと見つめていた。感謝していた。少なくとも、あたしは独りぼっちで死ぬわけじゃないんだ。最後に一緒にいてくれる誰かが、弘樹でよかった。ほんとによかった。

かほる——サンキュ、聞こえたよ——。

その姿勢のまま、千草貴子は、約二分後に死んだ。目は最後まで開いたままだった。杉村弘樹は、生命を失ってぐたりと全身を重力に委ねている貴子の体を抱き締めたまま、しばらく、泣いた。

【残り23人】

40

「頭を下げろ」

川田が言った。ショットガンを構えて、辺りに慎重に目を配っていた。

秋也は典子を背負ったまま、その指示に従った。一抱えもある大きなニレの木の陰だった。もう、診療所までの行程の三分の二は進んだはずだった。地図のエリアでいうとF＝6かF＝7か、そのへんに差しかかっているはずだ。方向を間違えていないなら（川田が案内役だ、間違えているはずはないが）もうすぐ分校の建物が右手下側に見えるだろう。

秋也たちはまず海岸線に沿って最初にいたエリアC＝4を通過し、それから北の山の山すそに沿って東へ移動していたのだけれど、確かに白昼の光の中、移動するのは容易なことではなかった。少し動いては息をひそめ、深い茂みを抜けなくてはならないときには、川田が小石をいくつか前方に投げて、誰もいないか確かめた。ここまでくるのに、もう三十分近く要していた。

秋也の頭のすぐ後ろで、典子の苦しそうな息が続いていた。

秋也は母親が幼い子にそうするように首を少し後ろへ傾け、「典子、もうすぐだ」と言った。典子が「ん……」と答えるのがわかった。

「よし、行くぞ」川田が言った。「次はあそこの木のところだ、いいか」

「オーケイ」

秋也は腰を浮かせて、低い草に覆われた、もとは畑だったと見える柔らかい土の上を前へ進んだ。秋也たちのものも含めて荷物を全部左手に持ち、ショットガンを右手に保持した川田がすぐ横にぴったり付き添って、全方向へ首を回していた。ショットガンの銃口が、その首の方向にぴったり一致して動いていた。

今度は少し細めの木にたどり着き、また止まった。秋也は息をついた。

「疲れてないか、七原」

秋也は笑ってみせた。

「典子なんて軽いもんさ」

「なんなら少し休むぞ」

「いや」秋也は首を振った。「早く着きたい」

「そうか」

川田はこたえたが、秋也の胸にふいに疑問がわいた。同時に、俺はもしかしてばかじゃないのか？　という気になった。我ながらいつも、事態を早とちりして、大事なことを確認し忘れるきらいがあるのだ。

「――川田」

「なんだ？」

「地図のあのマークは、ほんとに診療所だろうか？」

川田は背中を見せたまま、ふん、と鼻で笑った。

「おまえがそう言ったぞ、確か」

「いや、それは――」

秋也は狼狽したが、すぐに川田が、「診療所だよ。俺は確認している」と言った。

秋也は目を見開いた。

「そうなのか？」

「ああ。夜の間に島中歩き回ったからな、おまえたちに会うまで。こんなことならもっと手の込んだ薬も手に入れときゃよかった。要らないと思ったんだ」

秋也はほっと息をついた。同時に、頭の中で自分をひとつ、ぽかりと殴った。もっとしっかりしなきゃならない。そうでないと、自分どころか典子まで殺してしまうことになる。

言葉を交わしながらも、川田は次に進むべきところを探していた。

「よし――」

川田が言いかけたとき、銃声が響き、秋也はびくっと体をこわばらせた。――慌てて姿勢を低くし、辺りを見回した。やはり――何事もなく診療所までたどり着けるなどというのは甘かったのか？

しかし、周囲に人影は見えなかった。

川田の方に目を戻すと、その秋也と典子を守るように左腕を伸ばして、進行方向左手を見ていた。秋也たちのいるところからそちらへ向けて緩い上り勾配になっており、十メートルほど向こうで、スギのような背の高い立木の列が視界を塞いでいた。その向こう、ということなのだろうか。

秋也は胸の奥にたまった息を吐き出した。

「大丈夫だ」川田が低い声で言った。「俺たちが狙われてるんじゃない」

秋也は敢えて銃を抜き出すことはせず、典子をおぶったまま「近いな」と言った。

川田は黙って頷いた。途端、銃声が連続した。二発、三発。後で鳴った三発の方が、わずかに音の響きが大きいような気がした。また一発響いた。今度は小さい方の音だ。

「銃撃戦だな」川田がぼそっと言った。「元気な連中だ」

当座自分たちに危険がないとわかりほっとした秋也だったが、しかし、知らず知らずのうちにも、唇を噛んでいた。

また、誰かと誰かが殺し合っている。しかも、すぐそこでだ。そして、自分はここで、息をひそめてそれが終わるのを待っている。それはまるで――。

また黒服の男のイメージが秋也の脳裏をよぎった。はい、今度はあなた。それにあなた。よかったですね、七原さん、あなたはまだみたいですよ。

背中を見せたまま、川田がその秋也の心の動きを見透かしたように言った（そう言えば言っていたが、快晴の日には心が読みやすいとか何とか、くだらないことを）。

「止めに行こうなんて思ってないだろうな、七原」

秋也はごくっと唾を飲み込み、それから、やや口ごもるように「いや……」と言った。そうだった。今は、典子を無事診療所まで運ぶことが最優先なのだ。他人の余計な争いごとに首を突っ込んでいたら、こっちが危なくなる。

そのとき、典子が背中から「秋也、くん……」と呼んだ。秋也の背中にも十分感じられるほど熱が高く、その声はささやきのようだった。

秋也は首を後ろに振り向けた。自分の肩ごしに、典子の薄く開いた目が見えた。

「あたしを……立たせて……」と典子がようよう言った。「様子、を……もし……誰かが……」と続けた。

言葉はそこまでで荒い息の中に途切れてしまったが、典子の言わんとすることはわかった。誰かがもし、このゲームに乗る気のない、言わば無辜（むこ）の誰かが、今にも殺されようとしていたら？　そして、可能性としては、それは今銃弾を交わしている二人の双方であるかも知れない。

今いる位置は、北野雪子、日下友美子が殺された北の山の山頂から、ほぼまっすぐ南に降りたところだった。しかし、耳に届いている銃声はマシンガンではない。即ち、恐らくは二人とも、雪子と友美子を殺した者とは別の人間だ。だがもし――〝そいつ〟が、雪子と友美子を殺したそいつがこの銃声を聞きつけたら、すぐにも現れる可能性が、あった。

また銃声が交錯した。そしてまた沈黙。

秋也はぐっと奥歯を噛み締めた。さっと典子を背中から下ろした。身を隠していた木の幹に背を預けさせた。

川田が振り返った。「おいまさか……」

秋也はそれを無視して、典子に「俺が見てくる」と言った。ベルトからスミスアンドウエスンを抜き出してから、川田に「典子を頼む」と言った。

「あっおいこら――」

川田が言うのが聞こえたが、秋也はもう駆け出していた。

それでも四方に目を配りながら斜面を上り、高い針葉樹の間を抜けた。

針葉樹の向こうは深いやぶに覆われていた。秋也はそれをかき分けた。上り勾配になっている地面に取りつき、左右から降りかかる長い、ナイフのような感じの葉をくぐった。

また銃声が交錯した。秋也はようやくやぶの端までたどり着いて、そっと頭を出した。

一軒の家が立っていた。古びた木造の平屋建てで、大きな三角形の屋根を載せた、典型的な農家のつくりだ。右手に向け、未舗装の進入路が伸びている。敷地の向こう側は囲い込むように山の斜面が切れ落ちており、その上はまた深い緑が覆っている。そのずっと上、ここからも、日下友美子と北野雪子が死んだ北の山の展望台はうかがえた。

秋也から見て農家の母屋は左側にあり、そしてその手前の壁にくっつくように、清水比呂乃（女子十番）が姿勢を低くしていた。そしてその比呂乃がうかがっているのは、庭を挟んで、進入路からすぐのところにある農機具小屋のようなところだ。その入口の脇に誰か、女の子らしい影がのぞいていた。その頭がちょっと上がり、それが、南佳織（女子二十番）なのだとわかった。そしてもちろん――二人とも、銃を手にしていた。二人の距離は、十五メートルもないだろうか。

どういう状況で撃ち合いになったのかはわからなかった。どっちかがどっちかを狙った可能性もあった。しかし、秋也は、そうではない、と見当をつけた。恐らくは、二人とも混乱のうちに偶然出くわし、そして、お互いがお互いを信用していないがために、撃ち合いが始まってしまった――。

その判断自体は秋也の女の子びいきに基づいていたかも知れないけれども、どちらにしても黙って見ているわけにはいかなかった。少なくとも、これをやめさせなければならない。

そうして状況を見て取っているうちにも、佳織が小屋の入口の陰から顔を出して、比呂乃に向けて一発撃った。何だか、子供が水鉄砲で遊んでいるような手つきだったが、それが水鉄砲ではない証拠に撃発音が響き、真鍮（しんちゅう）の小さな薬莢が空に舞った。比呂乃が二発続けて撃ち返した。こちらの方は随分堂にいった撃ち方で、薬莢は飛ばなかった。一発が佳織のいる小屋の柱に当たり、おがくずを吹き上げた。佳織が慌てて頭を引っ込めた。

秋也の位置から比呂乃のほぼ全身が見えており、比呂乃がリボルバーのシリンダーを開き、空薬莢を排出するのが見えた。それで、比呂乃の左手が真っ赤に染まっているのがわかった。腕のどこかを佳織に撃たれたのかも知れない。その手で、しかし、かなり素早い動作で新しい弾を詰め直した。また佳織の方へ身構えた。

それもこれもわずか数瞬のことだったが、秋也は行動を起こす前に、また、あのおなじみの、悪夢を見ているような感覚に襲われた。南佳織はアイドルが好きで、よく友達とごひいきの誰だかの話をしたり、生写真を手に入れたと言っては喜んでいたりする。一方の清水比呂乃は例の相馬光子の仲間でちょっとひねくれたところはあるが、――とにかく、二人とも中学三年生の、それなりにかわいらしい女の子なのだ。その二人が――撃ち合っている。真剣に、それも実弾でだ。当たり前だが。

――そんなことを考えている場合じゃない。

秋也は、脚に力を込めて立ち上がると、空に向けてスミスアンドウエスンを一発撃った。

やれやれまるきり保安官だ、とちらっと思い、しかし、間髪入れずに叫んだ。「やめろ!」

比呂乃と佳織がぎくっと凝固し、それから、同じタイミングで秋也の方を振り向いた。

秋也はその二人の顔を見ながら続けた。「よせ! やめるんだ! 俺は中川典子と一緒にいるんだ!」川田の名前はとりあえず出さない方がよさそうだった。「俺を信用しろ!」

秋也は、言いながら、なんと陳腐なせりふだろうと思った。でも、ほかに言い方を思いつかなかった。

すぐに秋也から視線を外し、動かしたのは、比呂乃の方だった。再び、相対する佳織へと。そして——佳織はぼんやり突っ立って、秋也の方を見ていた。

秋也はその一瞬に気づいた、佳織の体は半分方小屋の入口の陰から露出し——がら空きだった。

次に起こったことは、秋也がいつか見た交通事故に似ていた。それは秋也がもうすぐ十一歳になろうとしていた秋のある夕刻のことで、運転手が眠っていたのか何なのか、コントロールを失ったトラックがガードレールを突き破り、歩道に乗り上げて、秋也と同様、学校からの帰り、秋也の少し前方を歩いていた小学校低学年の女の子を撥ね飛ばしたのだ。信じられないことに、ランドセルがすっぽり女の子の肩から抜けて、女の子とは別の軌跡を描いて空を飛んだ。ランドセルより先に女の子が歩道に再び——肩から着地し、路傍のコンクリート塀にはばまれてざざっとその歩道の隅を滑った、止まった、――血が流れ出した。コンクリート塀の下端一メートル以上にわたって、血の跡が残っていた。

秋也には、その一連の出来事が――ことにトラックが道路を外れ、女の子にぶつかるまでが、スローモーションのように見えた。これから何が起こるか、そこに居合わせて見ているものすべてにわかっている、しかし、止める手立てがない。その感じ。

完全にノーガードになった佳織に向けて、比呂乃が銃を構え、撃った。二発続けて。一発目が佳織の右の肩口に当たり、佳織の体がくるっと右に半回転した。二発目がその頭をとらえた。秋也は見た、佳織の頭の一部――左こめかみの辺りから上がきれいに爆発するのを。

佳織は小屋の入口にどっと崩れ落ちた。

それから比呂乃はちらっと秋也を見やり――

すぐに身を翻すと、左手の方――秋也たちがもときた西の方へ走り出した。茂みに飛び込み、秋也の視界から消えた。

「――くそ!」

秋也はのどの奥からうめき、迷った後、体を茂みから引き上げて、佳織の倒れた小屋の方へ走った。

古びたトラクターが一台きり収まった小屋から脚だけ出すような感じで、佳織が横たわっていた。ねじれた姿勢のまま横向きに転がったその佳織の口元から血が流れ出し、頭と肩口の傷からの出血と一緒になって、顔の下、小屋のコンクリートの床に水たまりをつくり始めていた。水たまりに、小屋の床の細かな埃が浮いていた。目は見開かれたままぼんやりと空を見ていた。セーラーの胸元から金色の細い鎖が床の方に垂れ下がり、その先で、金色のロケットが、血の池の中の小さな島のように見えた。なんとかいう人気男性アイドルが、にこやかに笑っていた。

秋也はぶるぶる震えていた。震えながら、佳織のそばに、膝をついた。

——ああ——なんてこった——このこはもう——アイドルの噂話ができないのだ、アイドルのコンサートに行けないのだ、しかも——自分がもう少しうまいやり方をしていたら、このこは死なずに済んだんじゃないのか？

音に気づいて自分がやってきた方を振り返ると、茂みの中から川田と、川田が片腕で支えているらしい典子が顔を出していた。

川田は典子をそこに残し、小走りに秋也のところまで来た。

川田は、だから言ったろ、と言いたそうな表情に見えたが、何も言わなかった。ただ、冷静にも佳織の銃とデイパックを拾い上げ、それから、思いついたように腰を屈めて右手の小指側で佳織のまぶたを伏せさせると、「行くぞ。早くしろ」とだけ、告げた。

もちろん、危険なのはわかっていた。銃声を聞きつけた誰かが——殊にあのマシンガンの誰かが、今にも現れるかも、知れなかった。

しかし、秋也はそれでも、ついに川田がぐいと自分の腕を引っ張るまで、佳織の死体を見下ろしたまま、しばし動くことができなかった。

【残り22人】

41

診療所は、平屋建ての小さな古い木造家屋だった。板壁は黒ずみ、屋根を葺いた黒い瓦も時間の経過を示して角の部分が白くなっている。南佳織が死んだ農家と同じように、未舗装の細い道路を引き込む形で、北の山を背にして建っていた。秋也たちは山の中を抜けてきたわけだが、その細い引き込み道路は、島の東岸を走る舗装路に向けて下っているはずだ。診療所の前には、医者が使っていたものなのか、白いライトバンが一台停まっていて、秋也たちのいる位置から、そのライトバンの向こうに海が見えた。

午後の光に海が輝いていた。海の色は城岩町の港、コンクリート護岸にうちつける濁った色とは全く違って、美しい、緑が少し混じったようなあざやかなブルーだった。波はほとんどなく、水面でおだやかに陽の光をちらちらと跳ね返す光の粒が、徐々に密度を増しながら彼方まで続いている。その先、この島と同じく瀬戸内の海に浮かぶ島々の影は存外に近く見えたが、途中に目標物の何もない海上では距離は少なめに感じられるのだと言う、少なくとも四キロや五キロは離れているということになるのだろうか。

とにかく——着いたのだった。無傷でたどり着けたのは、僥倖だったに違いない。佳織が死んだ場所からはすぐに離れたが、マシンガンの銃声に追われることもなかった。地図上ほんの二キロ足らずの行程だったが、いつ誰に襲われてもおかしくないという緊張感の中でずっと典子を背負い続けてきた秋也は、ひどく疲労していた。早く診療所内に誰もいないことを確かめ、典子のことだけでなく、自分もひと休みしたかった。

だが、ちょっと気になるものが秋也の目をとらえた。

穏やかな海の上に、船が浮かんでいた。もちろん、坂持が言っていた見張りの船だろう。だが——どういうわけか、三隻が並んでいた。東西南北に一隻ずつ、と坂持は言っていたし、西側の海でも一隻しか見なかったのだが。何か起こったのだろうか?

秋也は典子を背負ったまま、草の陰から顔を出して、川田に訊いた。「船が三隻いる」川田が「ああ」と答えた。

「一番小さいのが見張りの船だ。でかいのが、このゲームが終わった後に分校にいたあの兵士たちを積んで帰る船。間が、このゲームのウイナーを島から運び出すための船さ。優勝したやつがあれに乗る。同じだな。船の型まで同じだ、去年と」

「――去年の兵庫のプログラムもこんな島であったのかい?」

「そう」川田は小さく頷いた。「兵庫も瀬戸内沿いだからな。瀬戸内沿いの県でプログラムがあるときは、大体例外なく島でやるみたいだ。何せ、一千から島があるんだからな、この狭い海に」

川田はそれから、ちょっと待ってろ、と言うと、ショットガンを構えて診療所の方へ斜面を下った。姿勢を低くして、まずライトバンを調べた。車の下も覗き込んだ。次に建物にすっと近寄り、周囲を一回りした。戻ってくると、引き戸になっている玄関を調べた。鍵がかかっているらしく、川田はショットガンを持ち替えると、切り詰めた銃床の端でスリガラスをかしゃんと割った。頭を下げ、しばらく待った。それから、逆三角形に開いた割れ目から手を突っ込んで戸を開き、中へ入って行った。

秋也はそれを見守った後、首を傾けて背中の典子を見た。典子は、頭をぐったり下げて、秋也の背中に預けていた。

「典子。もう着いた」

秋也は言ったが、典子は短く「うん……」とうめいたきりだった。苦しそうな呼吸が、続いていた。

五分たっぷり経ってから川田が玄関から顔を出し、秋也に手招きした。秋也はバランスを失わないよう慎重に二メートルほどの段差を降り、診療所の敷地に入った。

診療所の戸口の脇には、〝沖木島診療所〟という、墨痕が風雨で薄れた分厚い木の看板がかかっていた。川田がショットガンを構えて四方を見渡している横をすり抜け、秋也は戸口をくぐった。すぐに川田が後へ続き、戸をぴったり閉めた。

中に入ったすぐのところが、四畳半ほどの形ばかりの待合室になっていた。クリーム色の擦り切れたじゅうたんの上、左端に寄せて、白いカバーをかけた緑色の長椅子が一つある。壁にかかった柱時計がチクタクと時を刻んでいて、三時前を指していた。右側が、診察室になっているようだった。

川田が手近にあったらしいほうきで戸につっかい棒をし、秋也を促した。「さあ。こっちだ」

本来は靴を脱ぐべきなのだろうが、秋也はスニーカーを履いたまま上へ上がり、右側の部屋に入った。窓際手前側に木の机があり、医者用らしい黒い革張りの丸椅子が一つ、そして手前に、グリーンのビニール張りの丸椅子が一つあった。小さな診療所でもそれはそれなり、消毒薬の匂いがした。

金属パイプに緑色の薄い布を張った間仕切りの奥に、ベッドが二つあった。秋也は典子を運び込むと、手前のベッドに背を向ける形で典子を下ろし、慎重に寝かせた。着せていた自分の学生服の上着を脱がせようかと思ったが、そのままにした。

川田が窓のカーテンをさっと閉めた後、「毛布だ」と言って、小さく畳まれた薄いブラウンの毛布を二つ差し出した。秋也はそれを受け取り、少し考えて奥のベッドにまず一枚毛布を敷いた。それから、典子を抱き上げてそっちに移し、もう一枚を上からかけた。きちっと肩口を覆った。川田は、それが薬棚なのだろうか、単なる事務用のそれと変わるところのない、グレーのキャビネットを引っかきまわしていた。

秋也は典子に顔を寄せ、典子の頬に汗でくっついた髪を耳の方へかき上げてやった。典子は意識がおぼつかないらしく、目を閉じて、ただ、苦しそうな呼吸を続けていた。

「ちくしょう」秋也の口から言葉が洩れた。「典子。大丈夫か?」

典子が目をかすかに開いて秋也の方をぼんやり見つめ、「ん……」と言った。ひどい熱で意識が朦朧(もうろう)としているのかも知れないが、それでもまだ思考の脈絡はきちんとしているようだった。

「水、飲むかい?」

典子がわずかにあごを動かした。それで、秋也は川田が床に放り出したデイパックから新しい水のボトルを取り、封を切った。典子の上半身を支えて、飲ませてやった。唇の端から水がこぼれ、秋也は指の背で拭ってやった。

「もういい？」

秋也が訊くと、典子が頷いた。秋也は再び典子を寝かせ、それから、川田の方を振りあおいだ。

「薬はあるのかい？」

「ちょっと待て」

川田は言うと、低い位置にある別の棚を引っかき回して、その中から紙箱を一つつかみ出した。蓋を開け、説明書を読んでいたが、納得したのか、中から小さな瓶やアンプルみたいなものを引っ張り出した。瓶には白っぽい粉みたいなものが入っているように見えた。

「粉薬なのか？」

秋也が訊くと、川田は「いや。注射薬だ」と答えた。秋也はそれでちょっと、どきっとした。

「できるのか？　そんなことが？」

川田は、部屋の隅にある流しの蛇口をひねっていた。やはり水は出ないようで、ちっと舌打ちすると、デイパックから水ボトルを出して、ていねいに自分の手を洗った。それから、小さな注射器に針をセットし、アンプルみたいなものの中身を吸い上げながら言った。「心配するな。やったことはある」

「――そうなのか？」

秋也は、川田に対してのべつこのセリフばかり吐いているような気がしてきた。

川田は先程取り上げた小瓶の封を切って注射針を栓に突き刺し、アンプルから吸い上げた液体を瓶の中へ流し込んだ。針を抜き取ると、瓶を片手で持って小刻みに何度か振った。再び注射針を突き刺し、混合された薬液を吸い上げた。

川田はさらにもう一つ注射器を用意すると、ようやく近づいてきた。

「大丈夫なのか？」秋也はもう一度訊いた。「副作用とか、ショックとか――」

「それを今から調べるんだよ。いいから手伝え。典子サンの腕を出せ」

それで、秋也はまだよくわからなかったが、とにかく毛布の片端を持ち上げ、典子が着ている自分の学生服とセーラーの袖をまくり上げた。典子の腕はとても細く、ふだんは健康的なきつね色に見える肌が、痛々しいほど白かった。

「典子サンよ」川田が典子に訊いた。「これまで薬でアレルギーになったことないか？」

それでまた典子がぼんやり目を開いた。

川田が繰り返した。「薬のアレルギーはないか？」

典子は小さく首を振った。

「オーケイ。先にちょっとテストするからな」

川田は典子のてのひらが上を向くように腕を固定し、何か消毒液を含ませた脱脂綿みたいなもので手首と肘の間、広い部分を拭った後、慎重にそこへ注射針を突き刺した。ほんの微量の薬液が押し込まれ、皮膚のその部分が小さくぷくっとふくれた。川田はさらにもう一本の注射器を取り上げ、すぐ隣へ同じようなふくらみをもう一つ、つくった。

「これ、なんなんだ？」秋也は訊いた。

川田はさっさと注射器を片づけながら答えた。

「本物の薬は片方だけだ。十五分待って状態が同じなら、まあ極端な副作用が出る心配はない。薬が使えなくもないってことだ。しかし――」

「しかし？」

川田は紙箱の中から、早くももう一つの、今度は少し大きな瓶を取り出しかけていた。それを傍らの小机に置き、さっきと同じように注射の準備をしながら、秋也の方を見た。

「敗血症の診断ってのは難しくてな。はっきり言って俺も、これが敗血症なのか、それともただの風邪なのか、ちょっと判別がつかん。で――抗生物質ってのは劇薬だからな。もちろんだからテストするんだが、いずれにしても、俺の程度の知識と経験でクスリを使おうなんてのはほめられたこっちゃない。それでも――」

秋也は典子の手を握ったまま、ただ川田の言葉を待った。

川田が一つ息をつき、続けた。「もし敗血症だったら、可能な限り早く処置しなきゃならない。手遅れになる」

すぐに十五分が経った。川田はその間に典子の脈拍をまたチェックし、熱も測った。体温計は、三十九度を指していた。ふらふらになるはずだ。

典子の腕、並んだ二つの注射の痕には、秋也が見る限り違いは認められなかった。川田も問題なしと判断したらしく、先程より少し大きめの注射器を手にとった。

「典子サン。起きてるか」

川田が典子の方へ少し屈み込むような感じで訊いた。典子は目を閉じたまま、「うん……」と返事をした。

「正直に言う。俺には、こいつが敗血症かどうか判断がつかん。だが、可能性は高い」

典子はかすかに頷いた。そして、さきほどの川田と秋也のやりとりをきちんと聞いていたのだろう、「かまわない……打って……」と言った。

川田は頷き、典子の腕に、今度はやや深く注射針を突き刺した。薬液を押し込み、すぐに抜いた。脱脂綿をあてがうと、秋也に「押さえてろ」と言った。

川田は空の注射器を持って流しの方へ歩くと、その中へ放り込んだ。秋也の方へ戻ってきた。

「あとはとにかく寝てることだ。しばらく見ててやってくれ。水がほしいようだったら、ボトルの水は全部使っても構わない」

秋也は「それは——」と言いかけたが、川田は首を振った。

「いいんだ。裏に井戸があった。沸かしたら飲めるだろ」

川田は言うと、部屋を出ていった。秋也はベッドの方に向き直ると、右手は脱脂綿を押さえたまま、左手で典子の手をそっと握って、その顔を見守った。


【残り22人】

42

典子はすぐに寝息をたて始めた。秋也はしばらくそのまま見守っていた後、注射の後に出血がないのを確かめて脱脂綿を捨て、典子の腕を毛布の下へ戻すと、部屋を出た。

隣の待合室の奥が、ここにいた医者の住居になっているようだった。秋也はそっちへ進んだ。

廊下の突き当たり右側に台所があった。川田はそこにいた。流しの横のガスコンロは当然ながら使えないようだったが、水を張った大鍋が載っており、その下に例の炭の赤い色が見えた。

川田はテーブルの上に乗り、流しの反対側、天井の下にあるつくりつけの棚の中を調べていた。それで、秋也は初めて、川田のグレーのスニーカーのメーカーが〝ニューバランス〟であることに気づいた。これまでいい加減に見ていて、〝ミズモ〟か〝カゲボシ〟か、その辺の国産品だと思っていたのだ。ニューバランス！　初めて見た！

とにかく、訊いた。

「何してるんだ？」

「食い物を探してる。米と味噌はあったが、ほかはほとんど何もないな。冷蔵庫で野菜が腐ってる」

秋也は首を振った。

「ドロボーみたいだな」

「ドロボーだよ。違うと思ったのか？」

川田はあっさり言い、それから、なおも手を動かしながら付け加えた。「それより、心構えはしとけよ。いつ誰がここへ来るかわからないからな。例のマシンガンを持ったやつに攻撃されてみろ。ここじゃ逃げようがない。覚悟はしとけ」

秋也は「ああ」と答えた。

川田はもうしばらく棚を引っかき回した後、テーブルから降りてきた。ニューバランスのシューズが、床にきゅっと鳴った。

「典子サンは眠ったか?」と訊いた。

秋也は頷いた。

川田は流しの下からもう一つ鍋を引っ張り出すと、部屋の隅にあるプラスチック製の米びつまで歩き、その中へ米を落とした。

「メシを炊くのか?」

「そうだよ。あんなパンじゃ、典子サンだって元気出ないだろ?」

川田は答えると、井戸から汲んできたらしい、床に置いてあったバケツの水を茶碗ですくい上げて、米の鍋の中へ入れた。ざっと米をかき回し、一度だけ水を替えた。湯が沸いている隣、もう一つのコンロの上にデイパックから出した炭を幾つか置くと、ポケットから煙草の箱を出して中身をポケットへ移し、空き箱をねじってライターで点火した。それを炭の中へ突っ込んだ。しばらくして炭の間に火が広がると、蓋をした米の鍋をその上へ置いた。実に手際がよかった。

秋也は言った。「ちくしょう」

川田は手を休めて煙草に火を点けながら、秋也を見た。

「なんでも手際がいいな、おまえは」

「――そうか？」

川田は軽い口調で答えたが、秋也の頭の中には、別のことがよぎっていた。ついさっきの、南佳織が死んだ場面が。――何が起こるかわかっているのに止められない。スローモーション。佳織がくるっと回り、そして頭の左側が吹っ飛ぶ。吹っ飛んだんだぞ、見たか？――自分の代わりに川田が止めに入っていたのなら、あんなひどい結末にはならなかっただろう。

「南のことを気にしてるのか？」と川田が言った。またまた、川田の読心術は冴えているようだった。屋内では太陽光が届かないが、関係ないのか？

秋也は顔を上げ、川田を見た。

川田が首を振り、「気にするな」と言った。「状況が悪かったんだ。おまえは最善を尽くした」

川田の声音は優しかったが、秋也は再び視線を落とした。汚い農機具小屋に横ざまに倒れた南佳織の死体。とろとろとその範囲を広げていた血だまり。もう今ごろは、その血も徐々に固まりかけているかも知れない。だが、そのままだ。何のとむらいを受けることも無く、まるで打ち捨てられたマネキンのように、佳織は今もあの小屋に転がっている。もっともその点は、あの大木立道も元渕恭一も北野雪子も日下友美子も、そう誰も彼もみんな、一緒だったけれど。

吐き気がした。みんな転がっている、そう、既に二十人近い人数が。

「川田」

言葉が口をついて転げ出た。川田が首を傾け、手にした煙草を少し動かして、それに応じたようだった。

「死んだやつは——死体はどうなる？　このクソゲームが終わるまであのままなのか？　長引いて腐れようが何だろうがそのままなのか？」

川田は事務的な口調で答えた。

「そうだ。終わったら翌日ぐらいに指定の清掃業者が片づけに来る」

「——清掃業者？」秋也は歯を剝いた。

「そう。これはその業者に聞いた話だ、間違いないだろ。おプライドの高い防衛軍兵士はそんなつまらない仕事はしないんだよ。もっとも、政府の人間が立ち会って首輪の回収と簡単な検死はするそうだがな。ほら、ニュースで言ってるだろ、窒息死が何人とか、そういうやつだ」

秋也は胸くそが悪くなった。あのお決まりのニュースの最後の部分を思い出した。何の意味もない、その死因と人数の羅列。

──だが、同時に別のことにも気づいて、いささか眉をひそめた。

川田がそれを認めたようだった。「どうした?」

「いや──だって、そいつはおかしいんじゃないのか? これは──」秋也は自分の首筋に手を上げた。既にすっかりなじんでしまったその感触、冷たい表面が指先に触れた。「この首輪は機密なんじゃないのか? 業者が来る前に回収しないでいいのか?」

川田は軽く肩をすくめた。「清掃業者にその意味なんかわかりゃしない。ただのシルシか何かだと思うだけだろう。実際、俺が話を聞いた業者だって、俺が訊ねるまでそのことは思い出しもしなかった。別に急ぐ必要はない、業者に死体を集めさせてからで十分だろ?」

それは、そうかも知れない。しかし──そうだとしたらもう一つ、気になることがある。

「待ってくれよ。もしこいつが故障したらどうなるんだ? 万一故障して、生きてるやつが死んでるってことになったら、まんまと逃げられちまうんじゃないのか? ゲームが終わったらすぐに死体ぐらいは確認すべきじゃないのか?」

川田が眉を持ち上げた。「政府側みたいなものの言いようだな」

「いや……」秋也は少し口ごもった。「けど——」

「多分な」すぐに川田が言った。「故障なんかしないんだよ。考えてみろ、でなきゃこのゲームの進行自体に問題が出る。それに、武器を与えた生徒が生きてたら、死体の確認どころじゃないだろ。少なくとも、ちょっとした戦闘にはなる」

川田はちょっと考えるように煙を吸い込んだ。吐いた。「こいつは推測だが」と続けた。「多分、一ユニットの中に同じシステムを複数積んでるんだろう。そしたら、一つが駄目になっても切り替えが利く。仮に単体でいくらか——それにしたって一パーセントよりは遥かに低いだろうが——故障があるとしても、組み合わせたらその可能性は無視してもいいぐらい小さくなる。つまり」秋也を見た。「俺たちがそんなことで逃げられる可能性は限りなくゼロに近い」

秋也はなるほど、と思って小さく頷いた。それは恐らく、川田の言う通りなのだろう（それにしても川田の思考能力には舌を巻くばかりだ）。

しかし——。

それで、秋也の頭の中、訊かない約束のあの問いがまた戻ってきた。即ち、

——そのような完璧な逃亡防止システムを相手に、川田はどんな対抗策を用意していると

いうのだろうか？

　秋也がそれについて考えをめぐらせる前に、川田が言った。

「そんなことより、俺の方こそ済まなかったな」

「――何が？」

「典子サンのことだ。俺の判断が甘かった。もっと早くに処置すべきだった」

「いや……」秋也は首を振った。「いいんだ、ありがとう。俺じゃ何もできなかったんだから」

　川田が新しい煙草に火を点けた。ふう、と煙を吐き出し、壁の一点を見つめた。

「今のところはあれで様子を見るしかない。ただの風邪なら、体を休めてりゃそのうち熱は下がる。もし敗血症だったとしても、あの薬はきちんと効くはずだ」

　秋也は頷いた。川田の存在が、ほんとうにありがたかった。川田がいなかったら、自分は典子がどんどん衰弱していくのを、ただ指を咥えて見ているしかなかっただろう。同時に、ここへ向けて出発する際、〝契約は解除だ〟などと川田をなじった自分のことが、いささか恥ずかしく、また子供っぽかったようにも感じられた。恐らく川田は、昼間移動することの危険性と典子の症状を慎重に秤（はかり）にかけて、ぎりぎりの決断をしようとしていたのに違いないのだ。

　秋也はやはり、謝ることにした。

「あの、ごめんよ。——一人で行動してくれとか、俺、興奮しちまって——」

　川田は秋也に横顔を見せたまま、笑んで首を振った。

「いや。おまえの判断は正しかった。だからもう、そのことは言うな」

　それで秋也も、息を一つついて、その話は切り上げることにした。

　それから、思いついて訊いた。

「親父さんは、今も医者をやってるのかい？」

　川田は煙を吸い込みながら「いや」と首を振った。

「どうしてるんだ？　神戸にいるのか？」

「いや。死んだんだ」

　川田は何げなく言ったが、秋也は目を丸くした。

「いつ？」

「俺が去年このゲームに参加したときだ。俺が帰ったらもう死んでた。政府と揉めたんだろ」

　秋也はやや顔をこわばらせた。川田が〝この国をぶっ壊してやる〟と言ったとき、目の中を横切った光の意味が少しわかったような気がした。川田の父親は、恐らく川田がプログラムに参加することになったことで、政府になにがしかの抗議を試みたのに違いない。そして、もちろん、鉛弾で回答を受け取った。

秋也はそれで、考えた。B組のクラスメイトの親たちで、同じように死んだ者がいるかも知れなかった。

「ごめんよ。悪いことを訊いた」

「いや。構わないさ」

秋也はややあってもう一つ訊いた。

「じゃあ、香川へはお母さんと一緒に？」

川田はまた「いや」と首を振った。

「おふくろは早くに死んでたんだ。俺が七つのとき、こっちは病気だ。親父がよく嘆いてた、自分の嫁さん一人助けてやれなかったってな。もっとも親父はどっちかというと堕胎と外科の仕事が主だったからな。脳神経系の病気なんて親父の専門外だった」

秋也はまた「悪い」と言った。

川田はちょっと、声に出して笑った。

「いいって。親がいないのはおまえも一緒だろ。それに、政府の生活保障ってのは嘘じゃないんだ、金には困ってない。もっとも、ふれ込みほど多額じゃないけどな」

先に炭の上に載せていた大鍋の水の底、かすかに気泡が生じ始めていた。米の鍋の下の炭はまだ黒い部分が多いが、大鍋の方は炭がほとんど真っ赤になっている。熱気が、秋也と川田が並んで突っ立っているテーブルの前まで届いてきた。秋也は、花柄模様のビニールクロスが張られたテーブルに、しりを預け直した。

前触れなく、「国信とは仲がよかったんだな」と川田が言った。

秋也は顔を川田の方へ向けて、その横顔をちょっと見つめた。顔を前へ戻した。慶時のことを、随分久しぶりに思い出したような気がした。そしてそれは、秋也を少し、申し訳ない気分にさせた。

「ああ」と答えた。「ずっと一緒だったからな」

ちょっと迷った挙げ句、秋也は続けた。

「慶時は、典子のことが好きだったんだ」

川田は煙草をふかし続け、黙って聞いていた。

秋也はその次に頭に浮かんだことも、喋ろうかどうか迷った。川田には何の関係もない話だ。しかし、結局口に出すことにした。川田はもう、自分の仲間だった、聞いてもらってもいい。それにどうせ、さしあたりはすることもなかった。

「俺と慶時は、慈恵館ってところに――」

「知ってるよ」

秋也は小さく頷き、続けた。

「いろんな——やつがいるんだ、あのテの施設には。俺は、五歳のときに親が二人とも事故で死んで、あそこに入った。けど、そういうのはむしろ少数だ。多いのは——」

川田が受けた。「家庭の事情。特に私生児の場合」

秋也は頷いた。「詳しいな」

「まあな」

「とにかく、——」息を吸い込んだ。「慶時は私生児だったよ。まあ、そういうことは施設の人も言いやしない。でも、どっかからわかるもんなんだ。そう今じゃ——流行りっていうのかな、不倫っていうのか？　それで、両方とも、慶時を引き取ろうとはしなかった。それで——」

鍋の湯がぽこっと音を立てた。

「慶時が、ある時俺に言ったことがある。もうずっと前だけど。小学校のころかな」

秋也は、そのときのことを思い出した。小学校の校庭の隅、丸太とワイアロープで組んだごつい遊具に二人でまたがって、前後に揺らして遊んでいた。

「なあ秋也。俺さ——」

「なんだよ」

自分はいつもの軽い調子で答え、地面を蹴って丸太を揺らした。慶時は、あまり力を入れず、丸太の両脇に垂らした足をぶらぶらさせているだけだった。

「いや――あの――」

「何だよ。早く言えよ」

「いや――おまえ、好きなやつ、いるか?」

「なあんだよ」秋也はにやっと笑った。女の子の話だというのは、わかった。「そういう話か? どしたんだ、誰か好きなオンナ、できたのかよ」

「いや」慶時は言葉をにごし、「とにかく、おまえは、いるか」と重ねて訊いた。

秋也はちょっと考えてから、「うーん」と唸った。

既にリトルリーグの〝ワイルドセブン〟だった秋也は、ラブレターも何度か、もらったことがあった。だが、その当時はまだ、誰かを好きだ、というような感覚を本当にはわかっていなかったと思う。それは、のちに新谷和美に会うまで、言わばとっておかれることになった。

とにかく答えた。

「いいな、と思う子ならいるけど――」

慶時が何も言わないので促しているのだと思い、相変わらず軽い調子で続けた。

「河本は結構いいよ。あいつ、俺にラブレターさ、くれたし。返事——っていうか、返事、きちんとしてないけど。それと、二組のさ、バレー部の内海は、結構いいぜ。俺、ああいうオンナ、わりと好きなんだ。何か、しゃきしゃきしてて」

慶時は、ちょっと考え込んだ様子だった。

「何だよ。言わせるだけ言わせといてさ。言えよ。おまえは誰がいいんだよ」

しかし、慶時は、「いや、そうじゃないんだ」と言った。

秋也は眉を寄せた。

「何だよ。一体何なんだよ」

慶時はなお幾分逡巡した様子だったが——言った。

「あのさ、俺さ、何か、よくわからないんだ」

「？」

「つまりその——」慶時はやはり力なく足をぶらぶらさせながら、続けた。「俺はさ、好きだったら、ケッコンするんだと思うんだ。違うかな？」

「あ、うん」秋也は間抜けな表情で答えた。「うん。俺も——ほんとに好きなやつだったら、ケッコンしたい。——まだ、いないけど、そういうやつ」

「そうだろ？」

慶時は当然だよな？　というような調子で言い、さらに、訊いた。

「でさ。たとえなんかあってケッコンできなくてもさ、好きな人との間に子供ができたら、育てるだろ？」

秋也はいささかこそばゆいような感じがした。どうしたら子供ができるのか、ようやくおぼろげながら知ったころでもあった。

「コドモってさ、おまえ、そういうエッチなこと言うなよ。そういうのさ、俺、何か、――」

秋也はそこまで言いかけてようやく、慶時の親が不倫関係を持って、慶時が生まれたのだということと、そして、その双方ともが慶時を育てようとはしなかったのだということを思い出した。ぎょっとなって、後の言葉を呑み込んだ。

慶時はただじっと、自分の両腿の間の丸太に目を落としていた。

そしてぽつりと言った。「俺の親、そうじゃなかったんだ」と。

秋也は、急に慶時がかわいそうになった。

「あ、あのさ慶時――」

「だから」慶時がまた秋也の方へ顔を上げ、幾分強い調子で言った。「だから、俺には、あの、わからないんだ。女の子を好きとか、いうこと。俺、何か、そういうの、信用できないような気がするんだ」

秋也は、相変わらず脚は動かしながら、しかし、じっと、その慶時の顔を見つめる以外になかった。何か、別世界の言葉で話しかけられたかのように。にもかかわらず、それが恐ろしい予言に聞こえたかのように。

「多分——」

秋也はビニールクロスに覆われた机の角を、尻の横に置いた両手で軽く握り締めた。川田が煙草を咥えたまま煙を吐き出し、幾分その煙に目を細めたようだった。

「多分、慶時は、そのとき、俺なんかよりずっと大人だったんだと思う。俺は——ろくでもない子供だった。それで——慶時は、それから後になっても——中学に上がっても、俺が、そう——」新谷和美。「あるひとがすごく好きになったと言っても、そんなような話は、一切しなかった。俺は何だか気がかりで——」

また、こぽっという湯の音。

「でも」秋也は川田の方に顔を向けた。「ある日言ったんだ、俺に、中川典子が好きだと。俺はそのとき、軽く流したけど——でも、俺はそのとき、すごくうれしかった。ほんの——ほんの——」

秋也は川田から目を逸らした。自分が泣きそうになっているのがわかったからだ。それを何とか涙腺の奥までやっつけてから、やはり川田の目は見ないまま、言った。

「ほんの、ふた月前の、話だ」

川田は、ただ黙っていた。

秋也はもう一度、川田の方に顔を向けた。

「だから、俺は――典子だけは、絶対最後まで守る」

川田は、しばらくその秋也の目を見返していた後、「そうか」とだけ言い、煙草をテーブルクロスに直接押しつけて消した。

「典子にそれは言わないでくれ。このゲームを脱け出した後で、俺が言うから」

川田は頷き、「わかった」と短く言った。


【残り22人】

43

マッキントッシュ・パワーブック１５０がビープ音とともに敢え無くネットワークとの接

続を断ち切られてから、もう五時間近くが経過していた。三村信史は、今はもう通信端末ならず、ただの計算機になってしまった１５０の画面、ウインドウの中の文書をたらたらスクロールしながら、ため息をついた。

あの後何度も電話をいじり直し、接続を確認し、再度の立ち上げを試みたが、１５０のモノクロ画面は、同じメッセージを表示するだけだった。最終的にはモデムと電話の接続コードを一旦すべて外すに至り、結論したのは、結局、携帯電話そのものが完全に死んでしまったということだ。電話回線に入れない以上、もう、信史の自宅のパソコンに接続することすら不可能だった。当座付き合っている女の子全員に電話をかけ、「俺もうすぐ死にそうなんだけど、おまえのことが一番好きだった」と涙ながらに言ってみることも、もちろん不可能だった。それでも何かが間違っているのではないかと、なおその電話の分解まで考え――しかし、信史はぱたっと作業をやめた。

――ぞっとして。

回線に入れなくなった理由は、もはやはっきりしていた。即ち、政府は、信史が苦労してつくった特製電話、というより苦労して偽造した〝第二のロム〟、ＤＴＴの技術職員が使う回線検査用電話のその番号を突き止め、その接続をもほかの一般電話同様、ストップしてしまったのだ。問題は――なぜ政府がそういう対応を取ったのかということだった。ハッキングを気づかれるようなへまをやったはずはないのだ。それだけは自信がある。となると、考えられる理由はたった一つしかない。政府は、コンピュータ回線内部の防御システム、警戒システム、あるいは手動操作による監視とは別の方法で、信史がハッキングを試みていることを知ったのだ。そして知った以上――

信史は〝それ〟に気づいたとき同様、また、自分の首に巻かれた首輪に手をやった。政府が知った以上、自分は、即座にこの中の火薬を遠隔操作で爆破され、殺されていてもおかしくなかったということだった。多分、豊も一緒に。

おかげで、昼過ぎにとった政府支給のパンと水は、ひときわまずく感じられることになった。

豊は、信史がパソコンを止めてしまったのを見て説明を求めたけれど、信史は結局ただ、「だめだ。理由はわからないが、だめになった。電話が壊れたのかも知れない」とだけ答えておいた。

豊も、それ以来すっかりしょげかえった様子で、朝と同じ位置に腰を下ろしている。時々響く銃声にぽつぽつと言葉を交わすほかは、ずっと沈黙が続いていた。豊に〝すごい〟と言わせた三村信史の華麗なる脱出作戦はぱあになってしまったのだ。

だが――

俺をすぐに殺さなかったことを後悔させてやる。絶対にだ。

少し考えてから、信史はズボンのポケットに手を突っ込み、小学校のころから手放したことのない小さな古いポケットナイフを取り出した。そのナイフのキイリングに、金属製の小さな円筒が一つ、くっつけてあった。信史は、あちこち傷だらけになったそれを目の前にかざした。

ナイフは、これまた叔父がもうずっと前にくれたものだ。だが、円筒の方は、そう、左耳のピアスと同じ、叔父が死んだとき、信史がもらったもう一つの遺品だった。叔父が、今自分がそうしているのと同じように小さなナイフにくっつけて、いつも肌身離さず持っていた。

親指ぐらいの大きさのそれは、キャップの中にゴムリングを仕込んだ防水ケースで、通常兵士が持つその種のケースには、負傷時に備えて姓名や血液型、病歴などを書いた紙が入っていたりする。あるいは、それにマッチを入れたりする者もある。叔父が死ぬまで、信史は、中身はそういうものだろうとずっと思っていた。しかし、叔父の死後信史がキャップを開いてそこに見たものは、もっと別なものだった。いや、それ以前にケース自体が全く特殊な合金製の削り出しで、内側にさらに二つ、同じような小さなケースを納めていた。無論、信史はその二つの中身をさらに取り出した。——一見、何だかわからなかった。すぐに見当がついたのは、その二つは組み合わせて使うものらしいということだ。一方のネジ山がもう一方にぴったり嚙み合った。バラして厳重に別のケースに納めてあったのは、一緒にしておくと何かまずいことがあるから――。そして、いろいろ調べてその正体を突き止めた後も（当然バラしておくべきだった、そうでなければ危険で持ち歩けたもんじゃない）、叔父がどういう意図でそれを持ち続けていたのかは、わからなかった。なぜならそれはそれだけでは特に何の役に立つものでもなかったし、あるいは、今の信史がこれを持っているのと同様に、そして叔父が、今、信史が着けているピアスを手放さなかったのと同様に、単に誰かの想い出のために持っていただけなのかも知れなかった。ただいずれにしてもそれは、信史に叔父の過去を推測させる一つの手がかりにはなったのだが。

信史はいささかきしむキャップをねじり、それを開けた。開けるのは、叔父が死んだそのあと以来だった。入れ子になっている二つのケースをてのひらに落とし、さらにそのうちの小さい方の封を切った。

ショック防止のために、中にはたっぷり綿が詰まっていた。そして、その綿の中から、真鍮のにぶい黄色がのぞいていた。

信史はしばらくそれを見つめていた後、キャップを戻した。もう一つの小ケースと一緒に、元どおり大ケースに収めた。本当は――もしこれを使うときがくるとしても、この島を脱出した後になるだろうと思っていたのだ。あるいは分校のコンピュータを狂わせた後、必要なものを揃えて坂持らを急襲するときに使うことも考えないではなかったが、――しかし、いずれにしても今はもう、これに頼るしかない。

信史はキャップをぎゅっと締め込むと、今度はナイフの柄から折り畳みの刃を起こした。陽はだいぶ西に傾きかけていて、その銀色の鋼に映る茂みの中は、ことさら黄色っぽく見えた。それから、学生服のポケットから鉛筆を引っ張り出した。ゲームが始まる前にみんなでそろって〝わたしたちは殺し合いをする〟と書いたあの鉛筆だった。地図に禁止エリアの書き込みをしたり、クラス名簿で死亡者名をチェックしたりするのに使ったため、その先はだいぶ丸くなってきていた。信史はナイフでその鉛筆を少し削った。そして、学生服の別のポケットに納めておいた地図を取り出した。裏返した。当然、白紙だった。

「豊」

信史が呼ぶと、膝を抱えて視線をぼんやり地面に落としていた豊が顔を上げた。目が輝いていた。

「何か思いついたの?」と訊いた。

その時、その豊の何が気に障ったのかよくわからない。口調だったのか、言葉自体だったのか、とにかく、信史の心のどこかで、一瞬、何だよそりゃ、という声がした。俺が脱出方法について頭をひねっている間じゅう、おまえはぼんやりそこに座ってりゃいいってわけなのか？　金井泉の復讐を果たすなんて威勢のいいことを言った割には、何も考えてないじゃないか。おまえはファストフードを買いに来た客で、俺は店員なのか？　ちくしょう、だったらご一緒にポテトも食ったらどうだ？

――しかし、信史はその声を押さえつけた。

豊の丸顔から頬の肉がかなりそげていて、頬骨のラインがくっきり見えた。無理もない、いつ終わるとも知れない殺し合いの緊張の中で、だいぶ疲れているはずだった。

信史自身は、小さいころから体育の授業で誰かに劣ったことがない（中学二年になってから例外が二人現れた。かの〝ワイルドセブン〟七原秋也と、それにもちろん、桐山和雄だ。バスケならともかく、ほかの種目なら勝てるかどうか自信がない）。あの叔父が小さいころよく山登りにも連れていってくれたし、およそ体力勝負である限りは、こっちのものだという自信がある。しかし、誰もかれもが〝ザ・サード・マン〟三村信史のような基礎体力を持っているわけではないのだ。しかも、豊はどっちかというと体育は苦手だったし、風邪のシーズンには学校をよく休んでいた。信史とでは、疲れの度合いが違うのだ。頭がうまく働かないのかも知れなかった。

それから、信史は、あることにはたと気づいてぎょっとした。今、豊にちょっとでも腹を立てたということ自体、自分もまた疲れていることの証拠なのだ。もちろん、助かる見込みがほとんど無いこんな状況じゃ、神経が参らない方がおかしいかも知れないけれど。

だめだ。

気を付けなきゃならない。そうでないと、——これがバスケのゲームなら負けて悔しがるだけで済むところだが——このゲームでは当然の帰結として、死ぬことになる。

信史はちょっと頭を振った。

「どうしたの？」

豊が訊き、信史は顔を上げて、笑んでみせた。

「何でもない。それより、ちょっと地図を検討したいんだ、いいか」

豊が信史の方に体を寄せた。

「あ」信史は声を上げた。「虫が這ってるぞ、おまえ。首のとこ！」

豊がそれで、びくっと首に手を持ち上げた。

信史は「俺が見てやる」とそれを制し、豊に近づいた。豊の首筋に——実は別のものに、目をこらした。

「あ、逃げた」

信史は言い、豊の後ろに回り込んだ。さらに目をこらした。

「シンジ。とれた？　シンジ？」

豊がかん高い、怯えた声で言うのを聞きながら、信史はさらに子細に観察した。それから、豊の首筋をさっと手で払った。架空の虫をさっとスニーカーの底で踏みつけ、それから、それをつまみ上げて（そのフリをして）、茂みの奥へ放った（フリをした）。「とれたよ」と言った。豊の前に戻りながら、「ムカデの小さいみたいなやつだった」と付け加えた。

豊が「やだな、もう」と首筋をこすり、信史がそれを放り捨てた（フリをした）方へ目をやって、顔をしかめた。

信史はちょっと笑み、「さあ、地図だ」と声をかけた。

豊がそれで地図を覗き込み――その地図が裏返しになっているのを見て、眉を寄せた。

信史は立てた人差し指をちょっと振ってそれを制すると、鉛筆を握って、地図の裏面に走らせた。利き腕の左手で書いてもあまりうまいとはいえない信史のかなくぎ文字が、紙の端にいくつか並んだ。

〝盗聴されていると思う〟

豊が顔をひきつらせ、「ほんと？　なんでわかるの？」と訊いた。信史は慌ててその豊の口に手を伸ばした。豊が了解して、丸く見開いたままの目で頷いた。

信史はその手を離してから、「わかるよ。俺は虫にも詳しい。あれは毒はないよ」と言った。それから、念のため、また鉛筆を走らせた。

〝俺たちは地図を見てる。疑われるようなことを口にするな〟

「いいか、それで、ハッキングが失敗した以上、俺たちにはもう手がない」

カモフラージュのために信史は言い、続けて書いた。

〝だから、政府は俺がおまえに説明するのを聞いて、俺のマックを回線から切り離したんだ。俺が甘かった。政府は、俺たちのように反抗しようってやつを想定してるはずだ。だったら、てっとりばやい予防策は盗聴だ。当然だ〟

豊が自分も鉛筆をポケットから出し、信史がかなくぎ文字を並べた、そのすぐ下に書いた。豊の字は信史よりはずっとうまかった。

〝こんな広い島に盗聴機を？〟

〝聴〟の字は信史が書いたのをまねて書いたようだった。〝機〟は字が違ったが、まあいいだろう。国語の時間じゃないんだから。

「だから、とにかく誰かを探そうと思う。俺たち二人じゃ何もできない。それで――」

信史は言いながら、自分の首に付けられた首輪を指先で軽く叩いた。豊が目を丸くして頷いた。

信史はまた鉛筆を走らせた。

〝今、おまえの首輪を調べた。カメラまで内蔵してる様子はない。盗聴器だけだ。それと、そのへんにカメラが据えつけてある様子もない。気になるのは人工衛星だが、まあ、ここなら木に覆われて俺たちが何をしてるかは見えないはずだ〞

豊がまた目を丸くし、頭上をちょっと見上げた。二人を完全に空のブルーから遮断して、梢が揺れていた。

豊はそれから、はたと気づいたように顔をこわばらせた。鉛筆をぎゅっと握ると、地図の裏に向かった。

〝パソコンのやつ、俺に話したから、失敗したんだね。俺がいなかったら、うまくいってたんだね〞

信史はその豊の肩を、鉛筆を握った左手の人差し指でちょっとつつき、笑んでみせた。それからまた、鉛筆を走らせた。

〝その通りだが、気にするな。俺の不注意だったんだ。政府が気づいた時点で俺たち、この首輪を吹っとばされてたかも知れない。やつらの仏ごころで俺たち、生きてるってわけだ〞

豊がそれで首輪の巻かれた首筋に再び手を上げ、ぎょっとした表情を見せた。しばらく信史の顔を見つめ、それから、ぎゅっと唇を結ぶと、頷いた。信史も頷き返した。

「大体みんなどこに隠れていそうかなんだが――」

〝いいか、だから、俺のプランを今からここに書く。俺は適当なことをしゃべるから、合わせて話してくれ〟

豊が頷いた。それから慌てて、「うーん、けど、信用できるやつって、あんまりいないんじゃない」と言った。

うまいぜ、と思って、信史はにやっと笑った。豊が笑みを返した。

「そうだな。けど、七原とかなら大丈夫だろ。七原に何とか会いたい」

〝先に一つことわりたい。ハッキングがうまく行っていたら、ほかの連中を助けることもできたかも知れん。だが、今はもう、俺たちは自分が逃げることを考えるしかない。それは、いいか?〟

豊がちょっと考えた様子で、それから、書いた。

〝シューヤとかも探さないの?〟

〝そうだ。つらいが、俺たちにはもう、ほかの連中にかまっている〟余裕、は漢字で書けると思ったのだが、わからなかった。信史もあまり、国語の成績がいい方じゃない。〝よゆうはない。それは、いいか?〟

豊は唇を嚙んだが、結局、頷いた。

信史は頷き返した。〝ただ、俺の考えていることがうまく行ったら、このゲームは一時ス

トップする。そしたら、ほかの連中にも逃げるチャンスはできるかも知れない〃
豊が小さく二度、頷いた。
「みんな、俺たちみたいに山の中に隠れてると思うか？　家の中に隠れてるやつもいるかな？」
「さあ――」
信史は次に書くことを考えていたが、先に豊が書いた。
〃考えていることって？〃
信史は頷き、鉛筆を握り直した。
〃実は俺は、朝の失敗からこれまで、あることが起きるのをずっと待ってたんだ〃
豊が、今度は鉛筆を使わず、首を傾げてみせた。
〃このゲームの中止のアナウンスをだ。実のところ、今も待ってる〃
豊がちょっと驚いた様子で、また首をひねった。信史はちょっと、笑んでみせた。
〃おまえにいろいろ話す前、分校のコンピュータに入ったとき、俺は何よりまず、そこに入ってる全ファイルのバックアップを探したんだ。それと、ファイル検査ソフト。すぐに見つけた。それで、データを落とすより前に、その二つにウイルスをしかけたんだ。保険としてな〃

豊が、〝ういるす？〟と声を出さずに口を動かした。あっ、豊、自分だけ手を動かすのをサボってるな？

信史は手を動かした。〝つまり、やつらが何かトラブルが起きたと判断して、ファイルを検査するか、それともバックアップからファイルを回復したときに、ウイルスが分校のコンピュータシステムに入るようにだ。そしたら、もう、めちゃくちゃなことになって、ゲームの続行は不可能になる〟

豊が、感心したように何度も小さく頷いた。それで、信史は、こんなことは時間の無駄だと思ったのだが、つい書きたくなって、書いた。

〝俺が設計したとんでもないウイルスだ。空気感染する水虫があるとしてだな、それより百倍ひどい〟

豊が、半ば笑い声をこらえるように、ほがらかな笑みを見せた。

〝動き出したら全データをぶっこわして、『スタースパングルドバナー』だけを永遠に演奏する。米帝アレルギーの政府の連中、気が狂うぞ〟

豊がますます、笑いをこらえるようにおなかを抱え、口元を押さえた。信史もちょっと、爆笑の発作を鎮めるのに、苦労した。

〝とにかく〟書いた。〝さっきの俺のハッキングがばれて、やつらがそのファイル回復をやらないかと思ったんだ。そしたらゲームはもう、しばらく中止するしかない。だが、そうはなってない。つまり、やつらは小手先だけのチェックですませたってわけだ。まあ、実際俺は、本体のファイルは全然いじってないんだしな〟

「シラミつぶしに探してみるか」

「――けど、危ないんじゃないの」

「ああ、しかし少なくとも銃があるから――」

〝それで、だ。俺の作戦っていうのは、そのファイル回復をやつらにやらせることだ。そしたらウイルスが作動する〟

信史はパワーブック150を引き寄せ、先刻眺めていた文書を豊に見せた。それは、〝四十二行〟のテキストファイルだった。データのダウンロードは中断されたが、それまでにコピーを終えていたもののうち、信史が一番重要だと考えたファイルだ。横書きのプレーンテキスト、各行の一番左側は「M01」から「M21」まで、続いて「F01」から「F21」までの連続ナンバー、次が十桁の、あたかも電話番号のように見える番号で、これも通しナンバーになっている。最後に、これはランダムに見える、実に十六桁の番号。各行とも、それら三つの文字列を、半角のカンマが区切っていた。ファイル自体の名前は、これはいささか冒頭部分の意味不明、“guadalcanal-shiroiwa3b”というもの。

〝何？　これ？〟豊が書いた。

信史は頷いた。〝俺はこれが多分、この首輪を管理するための番号だと思うんだ〟

豊が、ああ、というように大きく頷いた。そう、即ち「M01」は男子一番（赤松義生だな）、「F01」は女子一番（稲田瑞穂だ。あの、ちょっと電波なオンナ）。

〝思うんだが、要するに、携帯電話と同じシステムなんだと思う。それぞれの首輪の番号があって、同時に暗証番号がある。たぶん爆破をするときにも、この番号で行う。つまり〟

信史は手を止めて、豊の顔を見た。続けた。

〝データがウイルスにやられたら、とりわけこれがやられたら、俺たちはもう、首輪を吹っ飛ばされる心配をしなくて済む。ウイルスはどんどん感染するから、フロッピーなんかで予備のファイルがあってもむだだ。手書きで書き留められてたらちょっとつらいが、それでもシステム自体が壊れるから、時間かせぎにはなる〟

「目星付けたとこに石つぶての雨でも降らせて、誰か逃げ出してくるか確かめるってのはどうだ」

「待ってよ。——それで女の子だったりしたら、大声上げたりしたらさ。こっちも危ないし、そのこだって危ないじゃないか。いや——そのこが、悪いこじゃなかった場合だけど」

「う〜む」

〝どうやってそれをやらせるの？〟

信史は頷き、自分もまた字を書いた。

〝あの分校を出るとき、防衛軍の連中がいた部屋を見たか〟

豊が頷いた。

〝あそこにコンピュータがあった。おぼえてるか〟

豊はまた目を丸くして首を振った。〝俺、よゆう、なかった〟と書いた。

信史は軽く笑った。〝俺は連中にガンつけがてらによく見といた。デスクトップタイプがずらっと並んでたし、大型のサーバも一つ、置いてあった。それに、ちょっと毛色の違ったやつがいた〟徽章。漢字。そんなん書けるか。〝軍服のマークでわかったんだが、コンピュータ専門の技官だ。つまり、坂持の言った通り、まちがいなくこのゲームを動かしてるコンピュータはあそこにある。だから俺たちとしては、あの分校を攻撃して、データに少しでも〟ああ。またわからん。〝そん傷があったかもしれないと思わせればいいんだ。いや、きちんと材料さえそろったら、コンピュータそれ自体をほとんどぶっ壊すことすらできるはずだ。つまり〟

信史は一旦書くのをやめ、奇術師のような気障な仕草で手を広げた。地図の裏に戻った。

〝分校に爆弾をぶつける。それから俺たちは、海上へ逃走する〟

豊が、今度こそ目を見開いた。〝ばくだん？〟と口を動かした。

信史はにやっと笑った。

「先に武器になるものを探した方がいいかも知れないな。おまえだって、そんなフォークだけじゃ戦えないだろ」

「うん——そうだね」

〝俺がほんとにほしいのはガソリンだ。給油所が港のとこにあったと思うが、それはもうだめだ。この島にも車が何台かあったろ。ガソリンは入ってるかどうかわからないが、とにかく探す。最悪、軽油でもいい。それに、肥料〟

豊が肥料？　というような感じで眉を寄せた。

信史は頷き、肥料の名前を書こうとしたが、またしても漢字がわからなかった。これはパソコンでワープロを叩き慣れている弊害かも知れない。——まあいい。分子式はわかる。それで十分。

〝しょう酸アンモニウムってやつだ。これも、うまくあるかどうかはわからない。しかし、それとガソリンで、爆弾ができるんだ〟

信史はポケットから、ナイフとそれにくっついた円筒を出し、豊に示した。

〝この中に雷管が——起爆装置が入ってる。なんで俺がそんなもん持ってるのかは、ややこ

しいからはぶく。しかし、とにかくある〞
豊はちょっと考えた様子だった。それから、書いた。
〝例のおじさん？〞
信史は苦笑いして頷いた。自分が何かというと叔父の話ばかりしているので、豊にも想像がついたのだろう。
それから、豊が書いた。
〝けど、どうやってあの分校にぶつけるの？　近づけないのに？　木かなんかででっかいパチンコみたいなのでもつくるの？〞
ハハア。信史は笑んだ。しかし、それでは狙いが正確じゃない。何発も撃てるんならいいが、雷管が一個しかない以上、チャンスは一度だけだ。
〝ロープと滑車だ〞
豊が、あ、というように口を開いた。
〝要するにな、ロープウェイさ。確かに、あの分校のエリアにはもう近づけない、しかし、こっちの山側と、分校をはさんだ向こうの平地側はまだ大丈夫だ〞
信史は地図を一回表の方へひっくり返し、豊に示して見せた。また裏返した。
〝山から平地へ、違うな、平地側から山側へロープを張る。多分、三百メートルたっぷりは必要になるぞ。それで、手早くロープをぴんと張ったら、山の方から滑車を付けた爆弾をすべらせるのさ。分校の上に来たところで、ロープを切る。あるいはゆるめる。特製のダンクショットってとこだな〃

豊が、またしても感心したように、何度も頷いていた。

「昼間のうちに動いた方が探しやすいかも知れない」

「うん――そうだね。誰か探すよりは簡単だもんね」

〃作業のためにも、その方がいい。滑車はどっかの井戸で見たような気がする。ガソリンは、車から集める。問題はロープと肥料だな。そんな長いロープがあるかどうか〃

ちょっと沈黙が落ちたが、豊がすぐに、いそいそと書いた。

〃けど、それしかないんだろ？　やってみようよ〃

信史は頷き、続けた。

〃うまく行ったら、坂持やあの防衛軍の連中のほとんどもやっつけられるかも知れない。しかし、とにかく、さっき言った、書いた、とおりだ。データに傷がついたと、あいつらに思わせるだけでも十分なんだ。そしたら〃自分の首輪を指さした。〃これでやられることはなくなる〃

〃そのあと海へ逃げるの？〃

信史は頷いた。

〝けど、俺、あんまり泳げないし〟自信なさそうに信史を見た。〝それに、泳ぐぐらいのスピード〟

信史はそこまでで豊の手を遮り、自分が書いた。

〝今日は満月だ。潮流を使う。俺の計算どおりタイミングが合えば、時速六、七キロで俺たちを運んでくれる。合わせて必死で泳いだら、一番近い島まで二十分もかからないさ〟

豊は、今度は目を丸くするのでは足りなかったらしく、首を振って感嘆を示した。

〝けどさ、見張りの船は？〟

信史は頷いた。

〝もちろん、発見される危険はある。しかし、連中はコンピュータに頼ってるから船の方は多分安心しきってるはずだ。東西南北で一隻ずつっていうのも手薄だしな。そこが付け目だ。とにかくコンピュータがイカれたら俺たちのいる所はわからなくなる。見張りの船は目で俺たちを探すしかない。仮に政府が人工衛星なんてものを使ってるとしても、夜ならそのカメラもほとんど無効だ。そして、首輪を吹っとばされる恐れもない。だったら、俺たちには逃げるチャンスができる〟

〝けど、それでも逃げるのは難しいね〟

〝その点でも一つ考えがある〟

信史は、今度はデイパックに手を突っ込み、小型のトランシーバーを一つ、つかみ出した。これまた、民家で拾ったものだ。

〝これをいじって少し出力を上げてみようと思う。そんなに手間はかからないはずだ。それで、海上に出てからいいかげんなところで、海難救助を求めるんだ。つり船が転ぷくしたとか、何とか〟

豊が顔を輝かせた。

〝それなら逃げられるかもね。どこかの船に助けてもらうんだね〟

信史は首を振った。

〝違う。政府だってその程度のことは勘づく。だから、うその場所を言うんだ。俺たちが逃げるのとは、反対の地点を〟

豊が、再び首を振った。わざわざ書いた。

〝シンジ。えらいよ〟

それで、信史は首を振って笑った。

「よし、じゃあ」時計を見た。四時を回っていた。

「五分後に行動開始だ」

「うん」

普段あまり字を書かないので、信史は疲れて鉛筆を放り出した。地図の裏面に、まるきりパソコン通信のログファイルのように大量の字が並んでいた（ほんと、鉛筆で字を書くぐらいならキーボードの方がいい。豊がキーボードを叩けるんなら、150を使えたのだが）。しかし、もう一度鉛筆を握って、書き足した。

〝あまりいい計画とは言えないな。無事に脱出できる可能性は小さい。しかし、ほかに思いつかない〟

肩をすくめて、豊の顔を見た。

豊がにこっと笑って書いた。

〝やるしかないよ〟

【残り22人】

44

北の山の南側、分厚い緑に覆われた斜面の一角に腰を下ろしたその男は、左手に持った小さな鏡を覗き込んで、前髪にボリュームを持たせたリーゼントの髪を右手の櫛でていねいに整えていた。実に全く、女子を含めて、ゲーム開始以来の三年B組でこれだけの余裕があったのは彼だけだったかも知れない。しかし、そのことに無理はない。彼はごつい顔に似合わず身だしなみには極端に気を遣う男だったし、それというのも、B組のほとんど誰も正確な理由は知らなかったのだが、仲間内で〝ヅキ〟と呼ばれる、いや、この時点でのことを言えばかつて呼ばれたその男はとにかく、――

オカマだったのだ。

位置関係を言うならそこは、三村信史と瀬戸豊がつい先刻まで隠れていた場所から水平距離でほぼ真西に二百メートルほど。また、七原秋也たちトリオのいる診療所からは、北西に約六百メートルほど離れていた。つまり、ちょうど、南佳織が清水比呂乃に撃たれるのを七原秋也が目撃した農家のすぐ上に当たる。視線を上げれば、まだ日下友美子と北野雪子の死体が転がっているはずの展望台が夕日を受けているのが、はっきり見えた。

そして、今髪を撫で付けている彼は、その日下友美子と北野雪子の死体も、また南佳織の死体も、見ていた。いやそれだけではない、南佳織の死体は、彼が見た七番目の死体だった。

んー。やあねもう、また葉っぱがついてるわ。ちょっと寝っころがるとすぐこれね。

男は櫛を持った右手の小指を動かして髪についた草の切れ端を払い、それから、鏡に映った自分の顔の向こう、眼下二十メートルほどの茂みに目をやった。

き・り・や・ま・く・ん。ね・ちゃ・っ・た・の？

男は厚めの唇を歪めてにっと笑った。

不用心じゃないの？　まあさすがのあなたも思わないでしょうけど、あなたが殺し損ねたアタシがここであなたを見張ってるなんて。

——そう、今鏡と櫛を手にしているそのオカマこそ、桐山和雄が指示した集合場所に現れず、桐山の虐殺を逃れて、今やファミリー唯一の生き残りとなった月岡彰（男子十四番）に、ほかならなかった。そしてその通り、彼が今見下ろしている茂みの中には、ゲーム開始以来既に六人を片づけた、あの桐山和雄がいたのだ。もう二時間以上、そこから動いていなかった。

彰はまた鏡の中の自分に目を戻し、今度は肌の荒れをチェックしながら、〝桐山くん〟という呼び方のことで、同じ桐山ファミリーの沼井充とよく揉めたことを思い出した。「おいヅキ。ボスのことはボスと呼べよ」とか何とか。しかし、おおよそ怖いものなしの充もこの〝男女〟だけはやや苦手だったのか、彰が余裕たっぷりの流し目で「何よ、細かいことにこだわらないでよ。男らしくないわね」と言うと、ただ苦い表情で口をもごもごさせるだけで、それ以上何も言わなかった。

ボスと呼べ、か。彰は左右の目元を交互に鏡に映しながら考えた。けどあんた、そのボスにやられてんじゃないの。全くばかなんだから。

そう、彼、月岡彰は、沼井充よりも多少慎重だった、と言える。充がその死の直前、〝やつにはそれがわかっていたのか？〟と考えたほどに桐山和雄のことを理解していたわけではなかったけれど、ただ要するに、月岡彰は常々こう思っていただけの話だ、〝裏切りってぃつもありうるのよね、この世界ってそうだもの〟と。その点、ケンカ一辺倒のバンカラだった沼井充に比べて、父親の経営するゲイバーに小さいころから出入りし、大人の世界を垣間見てきた彰の方が、多少世間智があったということになるのかも知れない。

彰は分校を出た後まっすぐ約束の島の南端に向かうことはせず、海岸から少し内陸に入ったコースをたどって、木々の間を抜けていった。おかげで幾分手間取りはしたが、それでもせいぜい余計にかかった時間は十分ぐらいだっただろう。

そして、海岸に臨む雑木林の中から、見たのだった。砂浜を二つに区切るように海の中へと伸びた岩の上、学生服とセーラーの三人が倒れており、月明かりの陰になった岩のくぼみに、桐山和雄が一人静かにたたずんでいるのを。

すぐに、沼井充がやってきた。そして、血だまりになったその岩の上で（その血の匂いは彰のいるところまで届いてきた）桐山と二言三言交わした後、あっさりマシンガンの餌食になった――。

あらあら。彰は思ったものだった。たいへん。

そのあと、その場を離れて歩き出した桐山和雄の後を尾け始めるまでに、既に彰は今後の行動方針を決定していた。

このゲームの優勝候補最右翼は、間違いなく桐山和雄だった。桐山と充が何を話していたのかは聞こえなかったが、とにかく桐山がやる気になったのである以上、それはほぼ間違いのない事実だった。おまけに、少なくともマシンガン（これは一体、桐山の武器だったのか、それとも、彼が殺した三人のうちの誰かの武器だったのか？）と、充の持っていた拳銃を手にしていた。恐らく、正面からぶつかっては誰も桐山に勝てないだろう、と思えた。

ただ、月岡彰は、ある種の能力には自信を持っていたのだ。つまり、どこかに忍び入ることとか、相手の意識の間隙をついての窃盗とか、そしてあるいは尾行とか（好みの男の子を見つけるとストーカーしまくった）、要するにこそこそした行為――ここそって何よ、失礼ね――全般である。加えて、彰のデイパックから出てきた武器は、ハイスタンダードの二二口径二連発デリンジャーだった。カートリッジはマグナムだから恐らく至近距離なら致命傷を与えることができるが、撃ち合いに向く銃ではない。

そこで彰は考えた、たとい桐山和雄が優勝に向けて突っ走るとしても、その過程のうちには、必ずや誰か匹敵する相手――多分、あの川田章吾とか、あるいは三村信史（うん、三村くんってアタシの好みなのよ）辺り、もし銃を手にしていれば――とやり合い、多少の手傷を負うに違いないと。そして、その戦闘の疲労も蓄積されるに違いないと。

だったら――アタシは最後まで桐山くんを追っていって、最後の最後に桐山くんを後ろから撃てばいいんじゃない？　桐山くんが最後の誰かをやっつけて気を抜いたまさにその瞬間に、このデリンジャーで。まさか桐山くんだって、自分自身が追われてるとは思いもしないでしょ？　コトに最初の集合をすっぽかして逃げ出したはずのこのアタシが追っているとは？

同時にそれは、クラスメイトを次々に殺さなければいけないこのゲームで、自分が手を汚さずに済む方法でもあった。この点、月岡彰の倫理感が強かったというわけではけっしてなく、ただ、彼は思ったのだ、アタシは罪のないこを殺すのなんてヤよ、優雅じゃないもの。誰かを殺すのは桐山くん、アタシはただ彼の後を追っていくだけ。彼が目の前で誰かを殺したとしても、アタシに止められるわけないじゃない、危ないわ、そんなの。それで、最後は、言わば正当防衛で桐山くんを、殺すってわけ。だって、彼を殺さなきゃアタシが殺されちゃうんだもの――といった具合に。

また、桐山和雄を尾けていくことには別のメリットもあった。桐山が進んだ後を正確にたどれば誰かにいきなり襲われる気遣いは少ないし、もし万一襲われたとしても、とにかく第一撃さえ避けられれば、今度はその騒ぎに桐山が反応する。早々に姿を消すことさえできたら、敵は桐山が片づけてくれるはずだった。もっとも、そのあと桐山を尾けられなくなったら計画がご破算になるので、できればそういう事態は避けたかったが。

考慮したのち、尾行の基本間隔を二十メートルに決めた。桐山が進めば進む、止まれば止まることになるが、例の〃禁止エリア〃とやらの問題があった。桐山も当然それは考えに入れているだろうし、多少の余裕を持ってエリアを避けるだろうから、基本的にはその距離でくっついていれば、エリアにかかる恐れはない。止まったなら止まったところで地図をチェックして、エリアに入っていないことを確認すればよかった。

そして、事態は彰の考えた通りに進んでいた。

桐山は島の南端を離れ、一旦集落の中の民家の二、三軒に入った後(きっと何か必要なものを手に入れたのだ)、どういう判断だったのか今度は北の山に向かい、そこで腰を落ち着けた。朝方、遠くで銃声がしたとき、そちらの方をうかがっているようだったが、距離を判断したのか結局動かなかった。しかし、少し経って、日下友美子と北野雪子がすぐ上の山の頂上からマイクで呼びかけを始めると即座に動き出し、結局誰もその呼びかけに応えないのを確かめた後(そう言えばあのとき、別の銃声がした。あれはどうも、友美子と雪子に呼びかけを停止し隠れるよう促したのだと思えた。ああ、すごい、人道主義的な人がいるんだわ、と彰は感動した。感動しただけだったが）、二人を撃ち殺した。そしてそのあと山の北側斜面に下りた。昼前にもう一度遠くで銃声がしたが、これも見送った。それで、これはほんのつい先程、三時前に山のこちら側で銃声が聞こえると、また動き出した。しかし、銃声を追った桐山が見たのは（従って彰が見たのは）、農家の農機具小屋みたいなところに倒れている、南佳織の死体だけだった。桐山は恐らく荷物を確かめにだろう、佳織の死体を検分しにそこまで降りていったが、どうやら荷物は誰かに持ち去られた後のようだった。そしてそのあとまた少し動いて――

今、ここ、アタシのすぐ下の茂みの中にいる、ってわけ。

桐山の作戦は単純なようだった、少なくとも今のところ。誰かの所在がわかったら、駆けつけて弾をばらまく。日下友美子と北野雪子を殺した容赦のないやり口に彰はいささかあきれもしたが（全くあなたって、名前はキリヤマカズオ、なんてごくごくプレーンなのに、やることは無茶苦茶ね。アタシがツキオカショウ、なんていう芸能人みたいな名前で、こんなにフツウなのに）、しかし、そんなことにけちをつけてもはじまらない。まあ、とにかく今は、桐山が自分の存在に全く気づいていないということに満足すべきなんだろう。

桐山はどうやら、静かに体を休めているようだった。彰が推測した通り、眠っているのかも知れなかった。

その点、彰の方は全く眠ることができないわけだったが、彰はそれにも自信があった。当然だった。男よりオンナの方が基礎体力があるのだ。ものの本によると、まあとにかく。

むしろ、苦痛なのは、彼がヘヴィ・スモーカーであるということだった。煙草の煙、その匂いは、風向きによっては桐山に自分の存在を感知させてしまうかも知れなかった。いや、電子ライターの着火音こそ致命的だ。何せ、自分は桐山のすぐそばにいるのだから。

彰はポケットから輸入煙草のヴァージニア・スリム・メンソール（名前が好きなのだ。この国のこと、入手するのは困難だが、しかしあるところにはあるので、あとは盗めばいい、アパートの自分の部屋に山積みしてある）をつかみ出すと、その細い紙巻きを唇の間にそっと咥えた。かすかに、煙草の葉と特有のハッカ臭が鼻腔に届いて、禁断症状が緩和された。

本当は胸一杯に煙を吸い込みたいところだったが――なんとか押さえつけた。

アタシは死ぬわけにはいかないのよ。まだまだ楽しいことってあるんだもん、この歳なんだから。

気を紛らすために、左手の鏡をかざして、煙草を咥えた自分の顔を映した。顔を少し横に傾け、自分の流し目を観察した。

ああ、と思った。あたしってなんてきれいなのかしら。おまけにかしこいし。当然よね、このゲームでアタシが優勝するのも。美しいものだけが生き残るの。それは神様が——

　視界の端、眼下の茂みがちらっと揺れた。

　彰は急いで口から煙草を取り、鏡と一緒にポケットに仕舞うと、替わりにデリンジャーをつかみ出した。デイパックを左手にとった。

　茂みの端から、桐山和雄のオールバックの頭が現れた。ゆっくりと左右に視線を走らせ、それから、北の方角——ちょうど彰の左手、斜面の上——に目を向けた。

　彰はピンクの花をたっぷり付けたツツジの木の陰からそれをうかがいながら、眉を少し持ち上げた。

　どうしたのかしら——。

　銃声は耳に届いていなかった。何か物音がしたわけでもない。桐山が見ている方に、何かあるのだろうか。

　そっちへ視線を飛ばしたが、特にそこに動きがあるわけでもなかった。

　桐山はすっと茂みから全身を出した。左肩にデイパックをひっかけ、右肩にはマシンガンを吊って、そのグリップを握っている。木々の間を縫うように、斜面を登り始めた。すぐに彰のいる高さまで至り、さらに上へ向かった。それで、彰は自分も身を起こすと、後を追い始めた。

彰の動きは、百七十七センチの比較的大柄な体に似合わず、猫のようにしなやかだった。木々の間にちらちらとのぞける桐山の黒い学生服から、ぴったり二十メートルの距離を保っていた。この点、確かに彰の自負にはそれなりの能力の裏づけがあったのだ。

そして、前を行く桐山の動きもまた、正確で迅速だった。時々木の陰に立ち止まっては前方をうかがい、深い茂みのあるところでは、地面に膝をついてその下を確かめてから進んでいた。ただし――

背中ががらあきよ、桐山くん。

そのまま百メートルばかり進んだだろうか。ちょうどあの山頂の展望台が、左手上方に見えていた。そこで、桐山は足を止めた。

桐山の前方で木々の列が途切れ、未舗装の細い道が横切っていた。幅は二メートルもない、車が一台通れるか通れないかだ。

ああ――彰は思った。これは、山頂まで登っていく道――さっきも横切ったわ、南佳織の死体を見る前に――

そして、今桐山が目を向けている右手の方、そこはちょうど、山頂までの道のりの休憩所というようなことなのか、ちょっとした広場になっており、一脚のベンチとともに、ベージュ色のプレハブトイレが据えつけてあった。

桐山は辺りを見回し、さらに彰のいる背後にも目を向けたが、彰はもちろん、既に茂みの陰に身を隠していた。それで、桐山はすっと道の方に出ると、そのトイレに駆け寄った。ちょうど彰の方を向いている扉を開くと、そこに入った。また辺りを確かめ、静かにドアを閉じた。何かあったときにすぐ逃げられるようにということなのか、完全には閉め切らず、わずかに隙間を空けていた。

——まあ。彰は口元に手を当てた。なんてこと。

それから、彰は、相変わらず身を低くしたまま、笑いを嚙み殺さなければならなかった。確かに、彰がずっと桐山を追っていたその間中、桐山が用を足した場面はなかった。あるいは、夜が明けるまでに入った家でトイレを借りたのかという推測も立ったが、まあ、どっちにしてもまるまる一日我慢できるようなものじゃない、多分、じっと茂みの中に身をひそめているうちに済ませているのだろうと思っていた（彰はそうした。音を立てないのに苦労したが）。しかし、そうではなかったのだ。桐山和雄は、なんだかんだ言ってもお金持ちのお坊っちゃんだ、きちんとしたトイレ以外のところで用を足すなんて我慢ならないのかも知れない。それで、さっき通過したここにあったトイレのことを思い出して、ここまで戻ってきたのに違いなかった。

そう——そうよね。いくら桐山くんだって、おしっこしないわけにはいかないわ。うふふ、でも、何だかかわいいのね。

すぐに、水が便器を叩いているのだろう、ぱらぱらという音が、彰の耳に届いてきた。それで、彰はまたうふふ、と笑みを嚙み殺した。

それから、彰は思い出して左手首を裏返し、時計を見た。この辺りは、確か、坂持が五時から〝禁止エリア〟に入ると言ったD＝8の付近だったはずなのだ。

優雅なイタリックの数字が並ぶ女物の時計の文字盤、針は、午後四時五十七分を指していた（坂持の放送に従って合わせてあったので、これは正確だ）。それで、彰は急いで地図を取り出し、北の山の周辺を目で追った。しかし、地図には山道を示す点線があるだけで、縦横の実線で区画されたエリアD＝8の中にも外にも、目の前の休憩所と公衆トイレの表示はなかった。

彰は一瞬緊張して自分の首筋、あの金属製の首輪に無意識に手を上げ、もと来た道に今すぐ引き返すべきだという衝動を覚えたが――

まだぱらぱらという音が続いているトイレの方に目をやり、肩をすくめて息を軽く吐き出した。

桐山和雄が、そう、あの桐山和雄だからこそ、いくら自然の要求にせっつかれたからと言って、自分のいる位置を確かめていないわけはなかった。隠れていた茂みから動き出す前に慎重にこっちを見ていたのは、恐らく、トイレがそのエリアD＝8にかかっていないかどうか、目測していたのだ。そして、今自分のいる位置は、桐山が入っているトイレから三十メートルばかり西に外れている。桐山の方がエリアに近い位置にいるわけで、桐山があそこにいるということは、つまり、自分も安全だということだった。そう、ここで根拠のない恐怖感に駆られて桐山から離れてしまったら、計画がおじゃんになる。

彰はさっきポケットに仕舞ったヴァージニア・スリムをまた取り出すと、口に咥えた。それから、夕暮れの近づいた空を見上げた。この時期、日没までにはまだ二時間ぐらいはあると思うが、幾分濃くなった空の青に西からオレンジ色の光が混じり始めていて、二つ三つ浮かんだ小さな雲の片端に、そのオレンジ色がひときわ鮮やかに映っていた。美しかった。アタシと同じ。

ぱらぱらという音は、まだ続いていた。彰はまた小さく笑みを浮かべた。随分我慢してたのね、桐山くん。

まだ続いていた。

ああ。吸いたいな、煙草。シャワーを浴びて、爪の手入れをして、お気に入りのスクリュードライヴァーをつくったら、そのグラスを傾けながら、ゆっくり煙を楽しんで――。

まだ続いていた。

あーあ、早く終わればいいのに、これ。桐山くん、おしっこなんかしてないで早く仕事してよ。

しかし――まだ続いていた。

彰はそこまできてようやく、下がり気味の太い眉を寄せた。煙草を口から取り、体を地面からすっと起こした。茂みづたいに少しトイレの方に近寄り、目をこらした。

まだ続いているぱらぱらぱらという音。そして、桐山がさっきそうした通り、ドアはわずかに開いている。

タイミングよく、と言うべきだろう、そのときひゅっと風が吹き、ドアがきいっと音を立てて開いた。

彰は目を見開いた。

そのトイレの中、天井から政府支給の水ボトルがひもで吊り下げられていて、吹き込んだ風にゆらゆら揺れていた。恐らくナイフか何かで穴を開けたものだっただろう、そのボトルから細い水の線が落ち、ボトルの動きに合わせて、ぱたぱたっ、ぱたぱたっ、と音がしていた。

彰は恐慌状態で辺りを見回した。

そして見た、眼下にはるか遠く、木々の間を遠ざかっていく学生服の背中を。その、後ろから見てもはっきりわかる、一風変わったオールバックの頭を。

え？　え？　桐山くん？　え？　それって一体――え、え、だってアタシ――

桐山の姿が茂みの一つの向こうにすっと消えたとき、彰の耳に鈍くこもったどん、という音が聞こえた。一種それは、サイレンサーを付けるか、あるいは枕にでも押しつけて撃つかした拳銃の音によく似ていた。果たしてそれが、政府謹製のプログラム専用首輪に内蔵された爆弾の構造によるものだったのか、あるいは、爆発音が彼自身の体内に反響したためだったかはわからない。

たっぷり百メートルばかり下、桐山和雄はもうそちらを見上げることもなく、ただ、手首の時計にちらっと目を落とした。

午後五時ジャストから、秒針が七秒を超えていくところだった。


【残り21人】

（下巻につづく）

この作品は一九九九年四月太田出版より刊行されたものを
文庫化にあたり二分冊したものです。

バトル・ロワイアル（上）

高見広春（たかみこうしゅん）

平成14年8月25日　初版発行
令和4年10月31日　12版発行

発行人——石原正康
編集人——高部真人
発行所——株式会社幻冬舎
〒151-0051東京都渋谷区千駄ヶ谷4-9-7
電話　03(5411)6222(営業)
　　　03(5411)6211(編集)
公式HP　https://www.gentosha.co.jp/
印刷・製本—図書印刷株式会社
装丁者——高橋雅之

検印廃止

幻冬舎文庫

ISBN4-344-40270-7　C0193　　た-18-1